OXFORD RUSSIAN READERS

General Editor
S. KONOVALOV

RUSSIAN
SHORT STORIES

XXth CENTURY

EDITED BY
NADEJDA GORODETZKY
AND
JESSIE COULSON

OXFORD
AT THE CLARENDON PRESS
1965

Oxford University Press, Amen House, London E.C.4

GLASGOW NEW YORK TORONTO MELBOURNE WELLINGTON
BOMBAY CALCUTTA MADRAS KARACHI LAHORE DACCA
CAPE TOWN SALISBURY NAIROBI IBADAN ACCRA
KUALA LUMPUR HONG KONG

PRINTED IN GREAT BRITAIN
AT THE UNIVERSITY PRESS, OXFORD
BY VIVIAN RIDLER
PRINTER TO THE UNIVERSITY

CONTENTS

INTRODUCTION

THE works appearing in this Reader were written in a turbulent era, which saw wars, revolutions, and the complete transformation of society. It was an era of ferment in the cultural life of Russia also: the first decades of the twentieth century saw the climax of the wave of interest and excitement in the whole world of art which had begun in the nineties, and literature, music, and the plastic arts shared a brilliant renaissance.

In literature it was predominantly an age of poetry. Various groups—Decadents, Symbolists, Acmeists, Futurists, Imaginists—fought out their literary battles, each group distinguished by men and women of learning and talent, each leaving its mark on the language and style, if not always on the thought, of writers of prose. The novels and stories of the period were in the main realist and reflected to a considerable degree the problems and predicaments of the day. The influence of Chekhov, who died in 1904, continued to be important, but it was manifested more in form and construction and in artistic economy of style, than in choice of subject or attitude to life.

The writers represented in the Reader are characteristic of their time in themselves as well as in their work. The outstanding figure of the period is Maxim Gorky (Alexey Maximovich Peshkov, 1869–1936), a self-taught artisan and a revolutionary. Although he immensely admired his great contemporary Lev Tolstoy and was a friend of Chekhov's, in his own work he rejected alike the religious

concern of the one and the restrained and subtle character
drawing of the other. His writing was an assertion of
life and struggle; his poem *The Storm Petrel* (1901) was received as a call to rebellion. His earlier stories and plays
present a portrait gallery of colourful social outcasts,
anarchic vagabonds and dedicated revolutionaries. In
Foma Gordeyev (1899) and *The Artamonovs* (1925) he reported
on various aspects of capitalism; in *Mother* (1907) he created the prototype of the conscious and heroic working-
class revolutionary. In purely literary terms his master-
piece is the autobiographical trilogy *Childhood* (1913),
Among Strangers (1915), and *My Universities* (1923). Gorky's
cultural and editorial activity, and his influence after the
Revolution, were immense. Acknowledged leader of
Soviet writers, who see in him a forerunner of Socialist
Realism, Gorky is also, in his unyielding devotion to
Russia's cultural heritage, a link with the great literary
past.

Not unlike Gorky, although of a different background,
Alexander Kuprin (1870–1938) was attracted by a life of
adventure among all sorts and conditions of men. He was
the son of a civil servant, received military training and
was commissioned, but left the army and wandered about
Russia earning his living by a variety of odd jobs. In the
short stories with which he began his literary career he
depicted fishermen and circus artists, provincial theatres
and the Russian landscape. A novel of factory life,
Moloch (1896), achieved some success. Kuprin was more
a faithful recorder of observed facts than an advocate of
social reform, although his novel *The Duel* (1905), with
its critical portrayal of a provincial garrison, reads like an

indictment. He was fascinated by action, and the element of plot in his vivid stories is stronger than in other Russian writers. Although his treatment of sex is often naturalistic, Kuprin idealized women, and the theme of romantic or even sentimental love is frequent in his work. He is perhaps at his best in the realistic, kindly, and often humorous stories which reveal his intimate knowledge of nature and his intuitive familiarity with children and animals. After the Revolution Kuprin went into exile; in 1937, alien to the West, he returned to Russia, where he was received with acclamation; a year later he died in his native country.

Leonid Andreyev (1871–1919) studied law but early adopted writing as a career. His first works, in the realistic and humanitarian tradition, were followed by symbolist novels which brought him tremendous success. Troubled with deep problems and obsessed with the ideas of misery and death, he yet was no philosopher, and much of his later writing may now appear somewhat unsatisfactory and pretentious. There was something tragic in his outlook, and a certain tendency to self-dramatization was revealed in his life. He sympathized with revolutionaries (*The Seven that Were Hanged*, 1908), but the Revolution itself, with its cruelty and dogmatism, frightened and disappointed him. He prophesied the end of civilization, and his last work, *SOS* (1919), was an appeal to the West to save Russia.

Ivan Bunin (1870–1953) belonged to the impoverished landed gentry, and all his work, whether in prose or verse, reveals his profound and detailed knowledge of the countryside. He can convey the poetry of a landscape by the precision and sobriety of his vocabulary. As an artist he was never swayed by current literary or social tendencies. Unintimidated by liberal readers, he mercilessly portrayed the darkness and harshness of the pre-revolutionary village (*The Village*, 1910). His other great theme was the decay of the manor-house, the eccentricities of its last inhabitants, and the poignant beauty of its dilapidated buildings and neglected parks. Restless and unsettled like so many others of his generation, Bunin worshipped the sea and longed for travel to distant lands; from his impressions as a traveller resulted such things as his stories with a Singhalese setting and his descriptions of Palestine. It was Russia, however, which was his constant source of inspiration; as an exile in France he evoked the familiar Russian world in *The Life of Arseniev* (1933), which won him the Nobel Prize for Literature. His sensitivity to the beauty and power of nature, life, and love was rendered tragic by a consciousness of their transitory quality. Precise in his observations of nature, intelligent without philosophical pretensions, passionate yet restrained and a great master of expressive prose, Bunin is predominantly a magnificent stylist.

Count Alexey Tolstoy (1883–1945) began to write as a minor poet of the Symbolist group, but his talent was essentially that of a realistic writer of prose with a keen sense of historical atmosphere. His earlier work includes several short novels in the nineteenth-century manner, realistic short stories, and a romantic novel critically depicting the landed gentry. Disliking psychological analysis, he shows his characters in action through significant concrete detail and vivid dialogue; yet his attempts at writing plays were not a success. Tolstoy emigrated after the Revolution but returned to Soviet Russia in 1923. He published some science fiction (*Aelita*, 1922), a tribute perhaps to the search for a social Utopia as well as to his early training as an engineer. A novel of contemporary life, begun in exile as *The Sisters* and finished and adapted in the U.S.S.R., became his most famous work, *The Road to Calvary* (1920–41). This and the unfinished *Peter I* (1929–45) made him for a time the most widely read Soviet author. During the Second World War he served as a war correspondent; the grim topical writings of those days illustrate his loyalty and patriotism. Tolstoy is joyfully 'earthy', he shuns all metaphysics, he has a sense of humour and an eye for movement and colour. The living sense of history, conveyed in the psychology of his heroes and the racy use of language, is the outstanding feature of his work.

The short story as a literary form has a long tradition in Russia, and Russian achievement in the genre has never been questioned. Even the brilliance of the nineteenth-century novel did not eclipse it, and Chekhov's art brought it again into prominence. During the period of the Civil War and for some years immediately afterwards it again attained outstanding importance, partly because of economic circumstances—material shortages and pressure of time—but still more as a result of the forceful and vivid impressions created by a continuously changing pattern of life and relationships. Many new names made their appearance; some of the new writers later became novelists, others are still remembered mainly for their short stories. Among the latter is Alexander Yakovlev

(1886–1953). A man from a humble background and of scanty education, he knew both field and factory work, and tried his hand as artisan and semi-skilled worker. His best stories are those dealing with country folk. He knew the old Russian village intimately, and although far from idealizing the peasants, and aware both of their ignorance and of their avarice, he made clear, without moralizing, the roots from which these characteristics sprang. His first-hand knowledge and observation of the countryside is delightfully reflected in his exact and colourful use of the language.

Mikhail Zoshchenko (1895–1958) is the master of a different idiom. He came of an educated family and entered the university as a student of law, but left to fight as a volunteer in the First World War and later in the Civil War. From his very début he became the most popular humorist of the twenties. In his short stories he created the type of the semi-literate citizen, involved in absurd or pathetic situations, bewildered by the novel world around him and expressing himself in a mixture of provincialisms, official jargon, and misplaced long words. This linguistic device was particularly felicitous, although with the spread of education it increasingly tended to date. Zoshchenko was severely attacked in 1946 for misrepresenting Soviet reality, but was later rehabilitated. Although sympathizing with his luckless personages, he was not in fact castigating the régime or its ideology but humorously exposing the contradictions and imperfections of the daily life of those early years of transition.

Seriousness, originality, and craftsmanship have been the distinguishing marks of Leonid Leonov (b. 1899) since the publication of his first stories (1922), with their characteristic blend of realism and fantasy, gloomy or serene, and their evocative pictures of the extreme north. The style of his later novels is complex and varied, like their plots. Most, however, are centred on man's consciousness and inner struggle in the face of the new ideas and demands of the times (*The Thief*, 1927). There is always suffering and struggle, whether in a peasant uprising, the wrecking of an industrial project, or the adherence of a scientist to the new régime. While showing the victory of the new world, this great writer does not over-simplify the human condition; even in his Utopian dream-world one still finds living and active people (*The Road to the Ocean*, 1935). Acute awareness of technical and ideological change is combined in him with a deep feeling for nature and the Russian tradition, which adds relief and sharpness to his work. He is weaker in his plays, where, characteristically, class or political enmity is developed into a dramatic collision. In his post-war novel, *The Russian Forest* (1953), with its symbolical title, the tension is overcome, patriotism and optimism are to the fore, and individual and collective claims are reconciled.

Mikhail Sholokhov (b. 1905) is one of the greatest living Soviet authors. He came of a Cossack family and fought as a youth in the ranks of the Red Army. His first book, *Tales of the Don* (1925), depicts the lush scenery of the Don region and the life, manners, and characters of the Cossacks. In this book he used many idioms peculiar to his part of the country; they are introduced more sparingly into his later works, where he shows himself a master of Russian prose. He is an unhurried author and his main work, *Quiet Flows the Don* (Тихий Дон), belongs to the *roman-fleuve* tradition. It was begun in 1928, came out in parts in 1929 and 1933, and was completed in 1940. It ensured Sholokhov's fame and has been translated into more than forty languages and twice filmed. On the vast canvas of the novel the historical events of 1912–22 unfold, and we see their impact upon a multitude of lives. In the centre of the picture is the Melekhov family, and the highly individualized destinies of its members are set in an introcate pattern of characters and relationships against the background of the steppes and the river. Another long novel, *Virgin Soil Upturned* (1932), and its sequel, *Harvest on the Don* (1960), portray the Cossacks during the time of collectivization. Sholokhov acted as war correspondent during the Second World War, and the impressions and contacts of those days found expression in a short story, *The Destiny of a Man* (1956), which was turned into a powerful film.

Stylistically and linguistically the stories and episodes published here range from Bunin's classicism and Sholokhov's realism to Leonov's intricacies and the richness and complexity of popular idiom, which had already made its appearance in some nineteenth-century authors and was to become increasingly the medium of modern Russian prose. In subject and attitude to life they are widely varied and yet in many respects complementary, each making its contribution to the picture first of the pre-revolutionary Russian world and then of the impact on that world of the great storm of war and revolution. One quality is, however, shared by the majority of the stories: a characteristic and attractive feeling for comedy, a sort of humorous common sense, pungent in expression but sympathetic and good-humoured in tone.

The editors realize that the extensive use of colloquialisms and of regional and popular idioms inevitably render the writings in this selection less suitable for beginners than for more advanced students of Russian. They hope that in spite of the difficulties the stories, all chosen on the joint grounds of literary quality and usefulness in the study of the language, will prove enjoyable in themselves and serve as an introduction to the riches of twentieth-century Russian literature.

N. G.

J. C.

АЛЕКСАНДР КУПРИН

КУСТ СИРЕНИ

Николай Евграфович Алмазов едва дождался, пока жена отворила ему двери, и, не снимая пальто, в фуражке прошёл в свой кабинет. Жена, как только увидела его насупившееся лицо со сдвинутыми бровями и нервно закушенной нижней губой, в ту же минуту поняла, что произошло очень большое несчастие... Она молча пошла следом за мужем. В кабинете Алмазов простоял с минуту на одном месте, глядя куда-то в угол. Потом он выпустил из рук портфель, который упал на пол и раскрылся, а сам бросился в кресло, злобно хрустнув сложенными вместе пальцами...

Алмазов, молодой, небогатый офицер, слушал лекции в академии генерального штаба и теперь только что вернулся оттуда. Он сегодня представлял профессору последнюю и самую трудную практическую работу — инструментальную съёмку местности...

До сих пор все экзамены сошли благополучно, и только одному Богу да жене Алмазова было известно, каких страшных трудов они стоили... Начать с того, что самое поступление в академию казалось сначала невозможным. Два года подряд Алмазов торжественно проваливался и только на третий упорным трудом одолел все препятствия. Не будь жены, он, может быть, не найдя в себе достаточно энергии, махнул бы на всё рукою. Но Верочка не давала ему падать духом и постоянно поддерживала в нём бодрость... Она

приучи́лась встреча́ть ка́ждую неуда́чу с я́сным, почти́ весёлым лицо́м. Она́ отка́зывала себе́ во всём необходи́мом, чтобы созда́ть для му́жа хотя́ и дешёвый, но всё-таки необходи́мый для заня́того головно́й рабо-
5 той челове́ка комфо́рт. Она́ быва́ла, по ме́ре необходи́мости, его́ перепи́счицей, чти́цей, репети́торшей и па́мятной кни́жкой.

Прошло́ мину́т пять тяжёлого молча́ния, тоскли́во наруша́емого хромы́м хо́дом буди́льника, давно́ знако́-
10 мым и надое́вшим: раз, два, три-три́: два чи́стых уда́ра, тре́тий с хри́плым перебо́ем. Алма́зов сиде́л, не снима́я пальто́ и ша́пки и отвороти́вшись в сто́рону... Ве́ра стоя́ла в двух шага́х от него́, то́же мо́лча, с страда́нием на краси́вом, не́рвном лице́. Наконе́ц она́ заговори́ла
15 пе́рвая, с той осторо́жностью, с кото́рой говоря́т то́лько же́нщины у крова́ти бли́зкого трудно-больно́го челове́ка...

— Ко́ля, ну как же твоя́ рабо́та?.. Пло́хо?

Он передёрнул плеча́ми и не отвеча́л.

20 — Ко́ля, забракова́ли твой план? Ты скажи́, всё равно́, ведь вме́сте обсу́дим.

Алма́зов бы́стро поверну́лся к жене́ и заговори́л горячо́ и раздражённо, как обыкнове́нно говоря́т, выска́зывая до́лго сде́ржанную оби́ду.

25 — Ну да, ну да, забракова́ли, е́сли уж тебе́ так хо́чется знать. Неуже́ли сама́ не ви́дишь? Всё к чо́рту пошло́!.. Всю э́ту дрянь, — и он зло́бно ткнул ного́й портфе́ль с чертежа́ми: — всю э́ту дрянь хоть в пе́чку выбра́сывай тепе́рь! Вот тебе́ и акаде́мия! Че́рез ме́сяц
30 опя́ть в полк, да ещё с позо́ром, с тре́ском. И э́то из-за како́го-то пога́ного пятна́... О, чорт!

— Какое пятно, Коля? Я ничего не понимаю.

Она села на ручку кресла и обвила рукой шею Алмазова. Он не сопротивлялся, но продолжал смотреть в угол с обиженным выражением.

— Какое же пятно, Коля?— спросила она ещё раз.

— Ах, ну, обыкновенное пятно, зелёной краской. Ты ведь знаешь, я вчера до трёх часов не ложился, нужно было окончить. План прекрасно вычерчен и иллюминован. Это все говорят. Ну, засиделся я вчера, устал, руки начали дрожать — и посадил пятно... Да ещё густое такое пятно... жирное. Стал подчищать и ещё больше размазал. Думал я, думал, что теперь из него сделать, да и решил кучу деревьев на том месте изобразить... Очень удачно вышло, и разобрать нельзя, что пятно было. Приношу нынче профессору. «Так, так, н-да. А откуда у вас здесь, поручик, кусты взялись?» Мне бы нужно было так и рассказать, как всё было. Ну, может быть, засмеялся бы только... Впрочем, нет, не рассмеётся,— аккуратный такой немец, педант. Я и говорю ему: «Здесь, действительно, кусты растут». А он говорит: «Нет, я эту местность знаю, как свои пять пальцев, и здесь кустов не может быть». Слово за слово, у нас с ним завязался крупный разговор. А тут ещё много наших офицеров было. «Если вы так утверждаете, говорит, что на этой седловине есть кусты, то извольте завтра же ехать туда со мной верхом... Я вам докажу, что вы или небрежно работали, или счертили прямо с трёхверстной карты»...

— Но почему же он так уверенно говорит, что там нет кустов?

— Ах, Господи, почему? Какие ты, ей-Богу, детские

вопро́сы задаёшь. Да потому́, что он вот уже́ два́дцать лет ме́стность э́ту зна́ет лу́чше, чем свою́ спа́льню. Са́мый безобра́знейший педа́нт, каки́е то́лько есть на све́те, да ещё не́мец вдоба́вок... Ну и ока́жется, в конце́ концо́в, что я лгу и в препира́тельство вступа́ю... Кро́ме того́...

Во всё вре́мя разгово́ра он выта́скивал из стоя́вшей пе́ред ним пе́пельницы горе́лые спи́чки и лома́л их на ме́лкие кусо́чки, а когда́ замолча́л, то с озлобле́нием швырну́л их на́ пол. Ви́дно бы́ло, что э́тому си́льному челове́ку хо́чется запла́кать.

Муж и жена́ до́лго сиде́ли в тяжёлом разду́мье, не произнося́ ни сло́ва. Но вдруг Ве́рочка энерги́чным движе́нием вскочи́ла с кре́сла.

— Слу́шай, Ко́ля, нам на́до сию́ мину́ту е́хать! Одева́йся скоре́е.

Никола́й Евгра́фович весь смо́рщился, то́чно от невыноси́мой физи́ческой бо́ли.

— Ах, не говори́, Ве́ра, глу́постей. Неуже́ли ты ду́маешь, я пое́ду опра́вдываться и извиня́ться? Э́то зна́чит над собо́й пря́мо пригово́р подписа́ть. Не де́лай, пожа́луйста, глу́постей.

— Нет, не глу́пости,— возрази́ла Ве́ра, то́пнув ного́й.— Никто́ тебя́ не заставля́ет е́хать с извине́нием... А про́сто, е́сли там нет таки́х дура́цких кусто́в, то их на́до посади́ть сейча́с же.

— Посади́ть?.. Кусты́?.. — вы́таращил глаза́ Никола́й Евгра́фович.

— Да, посади́ть. Е́сли уж сказа́л раз непра́вду,— на́до поправля́ть. Собира́йся, дай мне шля́пку... Ко́фточку... Не здесь и́щешь, посмотри́ в шкапу́... Зо́нтик!

Пока Алмазов, пробовавший было возражать, но не выслушанный, отыскивал шляпку и кофточку, Вера быстро выдвигала ящики столов и комодов, вытаскивала корзины и коробочки, раскрывала их и разбрасывала по полу.

— Серьги... Ну, это пустяки... За них ничего не дадут... А вот это кольцо с солитером дорогое... Надо непременно выкупить... Жаль будет, если пропадёт. Браслет... тоже дадут очень мало. Старинный и погнутый... Где твой серебряный портсигар, Коля?

Через пять минут все драгоценности были уложены в ридикюль. Вера, уже одетая, последний раз оглядывалась кругом, чтобы удостовериться: не забыто ли что-нибудь дома.

— Едем,— сказала она наконец решительно.

— Но куда же мы поедем?— пробовал протестовать Алмазов. — Сейчас темно станет, а до моего участка почти десять вёрст.

— Глупости... Едем!

Раньше всего Алмазовы заехали в ломбард. Видно было, что оценщик так давно привык к ежедневным зрелищам человеческих несчастий, что они вовсе не трогали его. Он так методично и долго рассматривал привезённые вещи, что Вёрочка начинала уже выходить из себя. Особенно обидел он её тем, что попробовал кольцо с брильянтом кислотой и, взвесив, оценил его в три рубля.

— Да ведь это настоящий брильянт,— возмущалась Вера:— он стоит тридцать семь рублей и то по случаю.

Оценщик с видом усталого равнодушия закрыл глаза.

— Нам э́то всё равно́-с, суда́рыня. Мы камне́й во́все не принима́ем,— сказа́л он, броса́я в ча́шечку весо́в сле́дующую вещь: — мы оце́ниваем то́лько мета́ллы-с.

Зато́ стари́нный и по́гнутый брасле́т, соверше́нно 5 неожи́данно для Ве́ры, был оце́нен о́чень до́рого. В о́бщем одна́ко набрало́сь о́коло двадцати́ трёх рубле́й. Э́той су́ммы бы́ло бо́лее чем доста́точно.

Когда́ Алма́зовы прие́хали к садо́внику, бе́лая петербу́ргская ночь уже́ разлила́сь по́ небу и в во́здухе 10 си́ним молоко́м. Садо́вник, чех, ма́ленький старичо́к в золоты́х очка́х, то́лько что сади́лся со свое́ю семьёй за у́жин. Он был о́чень изумлён и недово́лен по́здним появле́нием заказчиков и их необыча́йной про́сьбой. Вероя́тно он заподо́зрил каку́ю-нибудь мистифика́цию и на 15 Ве́рочкины насто́йчивые про́сьбы отвеча́л о́чень су́хо:

— Извини́те. Но но́чью я не могу́ посыла́ть в таку́ю даль рабо́чих. Е́сли вам уго́дно бу́дет за́втра у́тром — то я к ва́шим услу́гам.

Тогда́ остава́лось то́лько одно́ сре́дство: рассказа́ть 20 садо́внику подро́бно всю исто́рию с злополу́чным пятно́м, и Ве́рочка так и сде́лала. Садо́вник слу́шал снача́ла недове́рчиво, почти́ вражде́бно, но, когда́ Ве́ра дошла́ до того́, как у неё возни́кла мысль посади́ть куст, он сде́лался внима́тельнее и не́сколько раз сочу́вственно 25 улыба́лся.

— Ну, де́лать не́чего,— согласи́лся садо́вник, когда́ Ве́ра ко́нчила расска́зывать: — скажи́те, каки́е вам мо́жно бу́дет посади́ть кусты́?

Одна́ко изо всех поро́д, каки́е бы́ли у садо́вника, 30 ни одна́ не ока́зывалась подходя́щей: во́лей-нево́лей пришло́сь останови́ться на куста́х сире́ни.

Напрасно Алмазов уговаривал жену отправиться домой. Она поехала вместе с мужем за город, всё время, пока сажали кусты, горячо суетилась и мешала рабочим, и только тогда согласилась ехать домой, когда удостоверилась, что дёрн около кустов совершенно нельзя отличить от травы, покрывавшей всю седловинку.

На другой день Вера никак не могла усидеть дома и вышла встретить мужа на улицу. Она ещё издали, по одной только живой и немного подпрыгивающей походке узнала, что история с кустами кончилась благополучно… Действительно, Алмазов был весь в пыли и едва держался на ногах от усталости и голода, но лицо его сияло торжеством одержанной победы.

— Хорошо! Прекрасно!— крикнул он ещё за десять шагов в ответ на тревожное выражение женина лица.— Представь себе, приехали мы с ним к этим кустам. Уж глядел он на них, глядел, даже листочек сорвал и пожевал. «Что это за дерево?»— спрашивает. Я говорю:— «Не знаю, ваше-ство».— «Берёзка, должно быть?» говорит. Я отвечаю:— «Должно быть, берёзка, ваше-ство». Тогда он повернулся ко мне и руку даже протянул.—«Извините, говорит, меня, поручик. Должно быть, я стареть начинаю, коли забыл про эти кустики». Славный он, профессор, и умница такой. Право, мне жаль что я его обманул. Один из лучших профессоров у нас. Знания — просто чудовищные. И какая быстрота и точность в оценке местности — удивительно!

Но Вере было мало того, что он рассказал. Она заставляла его ещё и ещё раз передавать ей в подробностях весь разговор с профессором. Она интересовалась самыми мельчайшими деталями: какое было выраже́ние лица́ у профе́ссора, каки́м то́ном он говори́л про свою́ ста́рость, что чу́вствовал при э́том сам Ко́ля...

И они́ шли домо́й так, как бу́дто кро́ме них никого́ на у́лице нѐ бы́ло: держа́сь зà руки и беспреста́нно 5 смея́сь. Прохо́жие с недоуме́нием остана́вливались, что́бы ещё раз взгляну́ть на э́ту стра́нную па́рочку...

Никола́й Евгра́фович никогда́ с таки́м аппети́том не обе́дал, как в э́тот день... По́сле обе́да, когда́ Ве́ра принесла́ Алма́зову в кабине́т стака́н ча́ю,— муж и жена́ 10 вдруг одновре́менно засмея́лись и погляде́ли друг на дру́га.

— Ты — чему́?— спроси́ла Ве́ра.

— А ты чему́?

— Нет, ты говори́ пе́рвый, а я пото́м.

15 — Да та́к, глу́пости. Вспо́мнилась вся э́та исто́рия с сире́нью. А ты?

— Я то́же глу́пости и то́же — про сире́нь. Я хоте́ла сказа́ть, что сире́нь тепе́рь бу́дет навсегда́ мои́м люби́мым цветко́м...

ЛЕОНИД АНДРЕЕВ

ГОСТИНЕЦ

— Так ты приходи!— в третий раз попросил Сениста, и в третий раз Сазонка торопливо ответил:

— Приду, приду, ты не бойся. Ещё бы не прийти, конечно приду.

5 И снова они замолчали. Сениста лежал на спине, до подбородка укрытый серым больничным одеялом, и упорно смотрел на Сазонку; ему хотелось, чтобы Сазонка подольше не уходил из больницы и чтобы своим ответным взглядом он ещё раз подтвердил обе-
10 щание не оставлять его в жертву одиночеству, болезни и страху. Сазонке же хотелось уйти, но он не знал, как сделать это без обиды для мальчика, шмурыгал носом, почти сползал со стула и опять садился плотно и реши-тельно, как будто навсегда. Он бы ещё посидел, если
15 бы было о чём говорить; но говорить было нè о чем, и мысли приходили глупые, от которых становилось смешно и стыдно. Так, его всё время тянуло называть Сенисту по имени и отчеству — Семёном Ерофеевичем, что было отчаянно нелепо: Сениста был мальчишка-
20 подмастерье, а Сазонка был солидным мастером и пьяницей и Сазонкой звался только по привычке. И ещё двух недель не прошло с тех пор, как он дал Сенисте последний подзатыльник, и это было очень дурно, но и об этом говорить тоже нельзя.

25 Сазонка решительно начал сползать со стула, но, не доведя дела до половины, так же решительно всполз назад и сказал не то в виде укоризны, не то утешения:

— Так вот какие дела. Болит, а?

Сениста утвердительно качнул головой и тихо ответил:

— Ну, ступай. А то он бранить будет.

5 — Это верно,— обрадовался Сазонка предлогу.— Он и то приказывал: «ты, говорит, поскорее. Отвезёшь — и той же минутой назад. И чтобы водки ни-ни». Вот чорт!

Но вместе с сознанием, что он может теперь уйти каждую минуту, в сердце Сазонки вошла острая жалость к большеголовому Сенисте. К жалости призывала вся необычная обстановка: тесный ряд кроватей с бледными, хмурыми людьми; воздух, до последней частицы испорченный запахом лекарств и испарениями больного человеческого тела; чувство собственной силы и здоровья. И, уже не избегая просительного взгляда, Сазонка наклонился к Сенисте и твёрдо повторил:

— Ты, Семён... Сеня, не бойся. Приду. Как ослобонюсь, так и к тебе. Разве мы не люди? Господи! Тоже и у нас понятие есть. Милый! Веришь мне аль нет?

И с улыбкой на почерневших, запёкшихся губах, Сениста ответил:

— Верю.

— Вот!— торжествовал Сазонка.

25 Теперь ему было легко и приятно, и он уже мог поговорить о подзатыльнике, случайно данном две недели назад. И он осторожно намекнул, касаясь пальцем Сенина плеча:

— А ежели тебя кто по голове бил, так разве это со зла? Господи! Голова у тебя очень такая удобная, большая да стриженая.

Сениста опять улыбнулся, и Сазонка поднялся со стула. Ростом он был очень высок, волосы его, все в мелких кудряшках, расчёсанные частой гребёнкой, подымались пышной и весёлой шапкой, и серые при-
5 пухшие глаза искрились и безотчётно улыбались.

— Ну, прощевай!—сказал он, но не тронулся с места.

Он нарочно сказал «прощевай», а не «прощай», потому что так выходило душевнее, но теперь ему показалось этого мало. Нужно было сделать что-то ещё более
10 душевное и хорошее, такое, после которого Сенисте весело было бы лежать в больнице, а ему легко было бы уйти. И он неловко топался на месте, смешной в своём детском смущении, когда Сениста опять вывел его из затруднения.

15 — Прощай!—сказал он своим детским, тоненьким голоском, за который его дразнили «гуслями», и совсем просто, как взрослый, высвободил руку из-под одеяла и, как равный, протянул её Сазонке.

И Сазонка, чувствуя, что это именно то, чего не
20 хватало ему для полного спокойствия, почтительно охватил тонкие пальчики своей здоровой лапищей, подержал их и со вздохом опустил. Было что-то печальное и загадочное в прикосновении тонких горячих пальцев: как будто Сениста был не только равным всем
25 людям на свете, но и выше всех, и всех свободнее, и происходило это оттого, что принадлежал он теперь неведомому, но грозному и могучему хозяину. Теперь его можно было назвать Семёном Ерофеевичем.

— Так приходи же,— в четвёртый раз попросил Се-
30 ниста, и эта просьба прогнала то страшное и величавое, что на миг осенило его своими бесшумными крылами.

Он снова стал мальчиком больным и страдающим, и снова стало жаль его,— очень жаль.

Когда Сазонка вышел из больницы, за ним ещё долго гнался запах лекарств и просящий голос:

5 — Приходи же.

И, разводя руками, Сазонка отвечал:

— Милый! Да разве мы не люди?

Подходила Пасха, и портновской работы было так 10 много, что только один раз в воскресенье вечером Сазонке удалось напиться, да и то не допьяна. Целые дни, по-весеннему светлые и длинные, от петухов до петухов, он сидел на подмостках у своего окна, по-турецки поджав под себя ноги, хмурясь и неодобритель-15 но посвистывая. С утра окно находилось в тени, но к полудню солнце прорезывало узенькую жёлтую полоску, в которой светящимися точками играла припод-нятая пыль. А через полчаса уж весь подоконник с набросанными на нём обрезками материй и ножница-20 ми, горел ослепительным светом, и становилось так жар-ко, что нужно было, как летом, распахнуть окно. Внизу у завалинки рылись куры и блаженно кудахтали, нежась в круглых ямках; на противоположной, уже просохшей стороне улицы играли в бабки ребята, и их пёстрый, 25 звонкий крик и удары чугунных плит о костяжки звуча-ли задором и свежестью. Езды по улице, находи-вшейся на окраине Орла, было совсем мало, и только изредка шажком проезжал пригородный мужик; телега подпрыгивала в глубоких колеях, ещё полных жидкой 30 грязи, и все части её стучали деревянным стуком, напо-минающим лето и простор полей.

Когда́ у Сазо́нки начина́ло ломи́ть поясни́цу, и оде-
ревяне́вшие па́льцы не держа́ли иглы́, он босико́м вы-
ска́кивал на у́лицу, гига́нтскими скачка́ми перелета́л
лу́жи и присоединя́лся к игра́ющим ребя́там.

— Ну́-ка, дай уда́рить,— проси́л он, и деся́ток гря́з-
ных рук протя́гивали ему́ пли́ты... По́сле не́скольких
уда́ров Сазо́нка отдыха́л и говори́л ребя́там:

— А Сени́ста-то ещё в больни́це, ребя́та.

Но, за́нятые свои́м интере́сным де́лом, ребя́та при-
нима́ли изве́стие хо́лодно и равноду́шно.

— На́добно ему́ гости́нца отнести́. Вот ужо́ отнесу́,
— продолжа́л Сазо́нка.

На сло́во «гости́нец» отозвали́сь мно́гие. Ми́шка Поросёнок подёргивал одно́й руко́й штани́шки — друга́я
держа́ла в подо́ле руба́хи ба́бки—и серьёзно сове́товал:

— Ты ему́ гри́венник дай.

Гри́венник была́ та су́мма, кото́рую обеща́л дед
самому́ Ми́шке, и вы́ше её не шло его́ представле́ние о
челове́ческом сча́стье. Но до́лго разгова́ривать о гости́н-
це бы́ло не́когда, и таки́ми же гига́нтскими прыжка́ми
Сазо́нка перебира́лся к себе́ и опя́ть сади́лся за рабо́ту.
Глаза́ его́ припу́хли, лицо́ ста́ло бле́дно-жёлтым, как у
больно́го, и весну́шки у глаз и на носу́ каза́лись осо́бен-
но ча́стыми и тёмными. То́лько тща́тельно расчёсанные во́лосы подыма́лись всё той же весёлой ша́пкой, и
когда́ хозя́ин смотре́л на них, ему́ непреме́нно пред-
ставля́лся ую́тный кра́сный кабачо́к и во́дка, и он
ожесточённо сплёвывал и руга́лся.

В голове́ Сазо́нки бы́ло сму́тно и тяжело́, и по це́лым
часа́м он неуклю́же воро́чал каку́ю-нибудь одну́ мы́сль:
о но́вых сапога́х и́ли гармо́нике. Но ча́ще всего́ он

думал о Сенисте и о гостинце, который он ему отнесёт. Машинка монотонно и усыпляюще стучала, покрикивал хозяин — и всё одна и та же картина представлялась усталому мозгу Сазонки: как он приходит к Сенисте в
5 больницу и подаёт ему гостинец, завёрнутый в ситцевый каёмчатый платок. Часто в тяжёлой дрёме он забывал, кто такой Сениста, и не мог вспомнить его лица; но каёмчатый платок, который нужно ещё купить, представлялся живо и ясно, и даже казалось, что узелки на
10 нём не совсем крепко завязаны. И всем: хозяину, хозяйке, заказчикам и ребятам, Сазонка говорил, что пойдёт к мальчику непременно на первый день Пасхи.

— Уж так нужно,— твердил он.— Причешусь, и той же минутой к нему. На, милый, получай!
15 Но, говоря это, он видел другую картину: распахнутые двери красного кабачка и в тёмной глубине их залитую сивухой стойку. И его охватывало горькое сознание своей слабости, с которой он не может бороться, и хотелось кричать громко и настойчиво:
20 «К Сенисте пойду. К Сенисте».

И на первый день Пасхи, и на второй Сазонка был пьян, дрался, был избит и ночевал в участке. И только на четвёртый день удалось ему выбраться к Сенисте.

Улица, залитая солнечным светом, пестрела яркими
25 пятнами кумачёвых рубах и весёлым оскалом белых зубов, грызущих подсолнухи; играли вразброд гармоники, и голосисто орал петух, вызывая на бой соседского петуха. Но Сазонка не глядел по сторонам. Лицо его, с подбитым глазом и рассечённой губой, было мрачно
30 и сосредоточенно, и даже волосы не вздымались пыш-

ной гри́вой, а ка́к-то расте́рянно торча́ли отде́льными ко́смами... Но чем бли́же подходи́л он к больни́це, тем ле́гче ему́ станови́лось, и глаза́ ча́ще опуска́лись вниз, где бе́режно висе́л в руке́ узело́к с гости́нцем. И лицо́ Сени́сты ви́делось тепе́рь совсе́м жи́во и я́сно с запёкшимися губа́ми и прося́щим взгля́дом.

— Ми́лый, да ра́зве? Ах, Го́споди — говори́л Сазо́нка и кру́пно надбавля́л ша́гу.

Вот и больни́ца — жёлтое, грома́дное зда́ние, с чёрными ра́мами о́кон, отчего́ о́кна походи́ли на тёмные угрю́мые глаза́. Вот и дли́нный коридо́р, и за́пах лека́рств, и неопределённое чу́вство жу́ти и тоски́. Вот и пала́та и посте́ль Сени́сты.

Но где же сам Сени́ста?

— Вам кого́? — спроси́ла воше́дшая сле́дом сиде́лка.

— Ма́льчик тут оди́н лежа́л. Семён. Семён Ерофе́ев. Вот на э́том ме́сте, — Сазо́нка указа́л па́льцем на пусту́ю посте́ль.

— Так ну́жно допре́жде спра́шивать, а то ло́мится зря, — гру́бо сказа́ла сиде́лка. — И не Семён Ерофе́ев, а Семён Пусто́шкин.

— Ерофе́ев э́то по оте́честву. Роди́теля зва́ли Ерофе́ем, так вот он и выхо́дит Ерофе́ич, объясни́л Сазо́нка, ме́дленно и стра́шно бледне́я.

— По́мер ваш Ерофе́ич. А то́лько мы э́того не зна́ем: по оте́честву. По-на́шему — Семён Пусто́шкин. По́мер, говорю́.

— Вот как-с! — благопристо́йно удиви́лся Сазо́нка, бле́дный насто́лько, что весну́шки вы́ступили ре́зко, как черни́льные бры́зги. — Когда́ же-с?

— Вчера́ по́сле вече́рен.

— А мне можно?..— запинаясь, попросил Сазонка.

— Отчего нельзя?— равнодушно ответила сиделка.

— Спросите, где мертвецкая, вам покажут. Да вы не убивайтесь. Квёлый он был, не жилец.

5 Язык Сазонки расспрашивал дорогу вежливо и обстоятельно, ноги твёрдо несли его в указываемом направлении, но глаза ничего не видели. И видеть они стали только тогда, когда неподвижно и прямо они уставились в мёртвое тело Сенисты. Тогда же ощутился
10 и страшный холод, стоявший в мертвецкой, и всё кругом стало видно: покрытые сырыми пятнами стены, окно, занесённое паутиной; как бы ни светило солнце, небо через это окно всегда казалось серым и холодным, как осенью. Где-то с перерывами беспокойно жужжала
15 муха; падали откуда-то капельки воды; упадёт одна — кап!— и долго после того в воздухе носится жалобный, звенящий звук.

Сазонка отступил на шаг назад и громко сказал:

— Прощевай, Семён Ерофеич.

20 Затем опустился на колени, коснулся лбом сырого пола и поднялся.

— Прости меня, Семён Ерофеич,— так же раздельно и громко выговорил он и снова упал на колени, и долго прижимался лбом, пока не стала затекать голова.

25 Муха перестала жужжать, и было так тихо, как бывает только там, где лежит мертвец. И через равные промежутки падали в жестяной таз капельки, падали и плакали — тихо, нежно.

Тотчас за больницей город кончался, и начиналось
30 поле, и Сазонка побрёл в поле. Ровное, не нарушаемое

ни де́ревом, ни строе́нием, оно́ приво́льно раски́дыва-
лось вширь, и са́мый ветеро́к каза́лся его́ свобо́дным и
тёплым дыха́нием. Сазо́нка сперва́ шёл по просо́хшей
доро́ге, пото́м сверну́л вле́во и прямико́м по па́ру и про-
шлого́днему жнитву́ напра́вился к реке́. Места́ми земля́
была́ ещё сырова́та, и там по́сле его́ прохо́да остава́лись
следы́ его́ ног с тёмными углубле́ниями каблуко́в.

На берегу́ Сазо́нка улёгся в небольшо́й, покры́той
траво́ю ложби́нке, где во́здух был неподви́жен и тёпел,
как в парнике́, и закры́л глаза́. Со́лнечные лучи́ прохо-
ди́ли сквозь закры́тые ве́ки тёплой и кра́сной волно́й;
высоко́ в возду́шной синеве́ звене́л жа́воронок, и бы́ло
прия́тно дыша́ть и не ду́мать... В полудремо́те Сазо́нка
откину́л ру́ку—под неё попа́ло что́-то твёрдое, обёрнутое
мате́рией. Гости́нец.

Бы́стро подня́вшись, Сазо́нка вскри́кнул:

— Го́споди! Да что же э́то?

Он соверше́нно забы́л про узело́к и испу́ганными
глаза́ми смотре́л на него́: ему́ чу́дилось, что узело́к сам
свое́й во́лей пришёл сюда́ и лёг ря́дом, и стра́шно бы́ло
до него́ дотро́нуться. Сазо́нка гляде́л,— гляде́л, не
отрыва́ясь,— и бу́рная, клоко́чущая жа́лость и нейсто́-
вый гнев подыма́лись в нём. Он гляде́л на каёмчатый
плато́к — и ви́дел, как на пе́рвый день, и на второ́й, и на
тре́тий Сени́ста ждал его́ и обора́чивался к две́ри, а он
не приходи́л. У́мер одино́кий, забы́тый — как щено́к,
вы́брошенный на помо́йку. То́лько бы на день ра́ньше
— и потуха́ющими глаза́ми он уви́дел бы гости́нец, и
возра́довался бы де́тским свои́м се́рдцем, и без бо́ли,
без ужаса́ющей тоски́ одино́чества полете́ла бы его́
душа́ к высо́кому не́бу.

Сазонка плакал, впиваясь руками в свои пышные волосы и катаясь по земле. Плакал и, подымая руки к небу, жалко оправдывался:

— Господи! Да разве мы не люди?

5 И прямо рассечённой губой он упал на землю — и затих в порыве немого горя. Лицо его мягко и нежно щекотала молодая трава; густой, успокаивающий запах подымался от сырой земли, и была в ней могучая сила и страстный призыв к жизни. Как вековечная мать, зем-

10 ля принимала в свои объятия грешного сына и теплом, любовью и надеждой поила его страдающее сердце.

А далеко в городе нестройно гудели весёлые праздничные колокола.

ИВАН БУНИН

ЗОЛОТОЕ ДНО

Тишина — и запустение. Не оскудение, а запустение.

Не спеша бегут лошади среди зелёных холмистых полей; ласково веет навстречу ветер, и убаюкивающе звенят трели жаворонков, сливаясь с однообразным то-
5 потом копыт. Вот с одного из косогоров ещё раз показалась далеко на горизонте низким синеющим силуэтом станция. Но, обернувшись через минуту, я уже не вижу её. Теперь вокруг тарантаса — только пары, хлеба и лощинки с дубовым кустарником...

10 — Ну, что новенького, Корней? — спрашиваю я кучера, молодого загорелого мужика с умными, слегка прищуренными глазами.

— Новенького? — сдержанно отвечает Корней, не оборачиваясь. — Нового у нас ничего нету.

15 — Значит живёте по-старому?

— Это правильно. Плохо живём...

Не много нового узнаю я и в имении сестры, где я всегда делаю остановку на пути к Родникам. Кажется, что ещё год тому назад усадьба не была так ветха.
20 Полы и потолки в зале ещё немного покосились и потемнели, ветви запущенного палисадника лезут в окна, тесовые крыши служб серебрятся и дают кое-где трещины... А по двору, держа в поводу худого стригуна, запряжённого в водовозку, еле бредёт полуслепой и
25 глухой Антипушка, и рассохшиеся колёса водовозки порою так неистово взвизгивают, что больно слушать.

— Так плóхи, говори́шь, делá?— спрáшиваю я сестру́, котóрая заду́мчиво смóтрит куда́-то вдаль, на косогóры за лугáми и рéчкой.

— Совсéм, совсéм плóхи!— поспéшно, как бу́дто
5 дáже с удовóльствием подтверждáет сестрá. — Будь капитáл, ещё, мóжет быть, мóжно бы́ло бы попрáвиться. Ведь земля́-то су́щее золотóе дно. Но банк, банк!

— Затó тишина́-то кака́я!— говорю́ я.

— Уж э́того хоть отбавля́й!— с угрю́мой ирóнией
10 соглаша́ется племя́нник-студéнт.— Действи́тельно, тишина́, и прескве́рная, чорт её дери́, тишина́. Врóде высыха́ющего пруда́. Издали — хоть карти́ну пиши́. А подойди́ — зáтхлостью понесёт, и́бо воды́-то в нём на вершóк, а ти́ны — нà две сажéни, и караси́ все подóх-
15 ли... Дно-то, действи́тельно, золотóе, тóлько до негó сам чорт не докопáется!

Дорóга вьётся сперва́ по перелéскам. Потóм пропадáет в большóм кологри́вовском закáзе. В прéжнее врéмя она́ далекó обходи́ла егó; тепéрь éздят пря́мо, пò
20 двору́ уса́дьбы, раски́нувшейся по бокáм леснóго оврáга свои́м одича́вшим са́дом и кирпи́чными слу́жбами. Как тóлько в лес врыва́ется громыха́ние бубéнчиков, из уса́дьбы отвеча́ет ему́ угрю́мый лай овча́рок, веду́щих свой род от тех свирéпых псов, что сторожи́ли когда́-то
25 не мéнее свирéпую и угрю́мую жизнь старика́ Кологри́-вова. Пока́ тарантáс, сопровожда́емый ла́ем, с грóхотом ка́тится по мóстикам чéрез оврáги, смотрю́ на гру́ды кирпичéй, остáвшихся от сгорéвшего дóма и потону́вших в бурья́не, и ду́маю о том, что сдéлал бы стари́к Кологри́вов, éсли бы уви́дел наха́лов, скáчущих пò двору́ егó

усадьбы. В детстве я слыхал про него поистине ужасы. Одна из любовниц пыталась опоить его какими-то колдовскими травами,— а он заточил её своим судом в монастырь. Когда объявили волю, он «тронулся», как говорили, «в отделку» и с тех пор почти никогда не показывался из дому. Медленно разоряясь, он по ночам, дрожа от страха, что его убьют, сидел в шапочке с мощей угодника и громко читал заговоры, псалмы и покаянные молитвы собственного сочинения. Осенью однажды его нашли в молельной мёртвым...

— Не знаешь, не продали ещё?— спрашиваю я Корнея.

— Продали,— отвечает он.— И продали-то, говорят, за трынку! Живёт тут приказчик от наследников, а ему что ж? Не своё доброе. Без хозяина, известно, и товар — сирота. А земля тут — прямо золотое дно!

— Хороша?

— Аршин чернозёму. А лес-то!

Правда, славный лес. Горько и свежо пахнет берёзами, весело отдаётся под развесистыми ветвями громыхание бубенчиков, птицы сладко звенят в зелёных чащах... На полянах, густо заросших высокой травой и цветами, просторно стоят столетние берёзы по две, по три на одном корню. Предвечерний, золотистый свет наполняет их тенистые вершины. Внизу, между белыми стволами, он блестит яркими длинными лучами, а по опушке бежит навстречу тарантасу стальными просветами. Просветы эти трепещут, сливаются, становятся всё шире... И вот опять мы в поле, опять веет сладким ароматом зацветающей ржи, и пристяжные на бегу хватают пучки сочных стеблей...

— А вон и Батурино,— насмешливо говорит Корней.

И я уже́ понима́ю его́.

— Что, и тут пло́хо?

— Да уж молоды́е-то уе́хали. А стару́ха дом продаёт. Доби́лась до после́днего.

5 — А как бы загляну́ть туда́?

— Да скажи́те, что, мол, дом себе́ для Роднико́в присма́триваю…

В Бату́рине — э́то больша́я дере́вня, но уже́ изве́стно, что тако́е «ба́рская» дере́вня!— в Бату́рине ти́хо. Ску́ч- 10 но лосни́тся на со́лнце ме́лкий дли́нный пруд жёлтой гли́нистой водо́й; ба́ба во́зле наво́зной плоти́ны лени́во бьёт валько́м по мо́кpому се́рому холсту́… С плоти́ны доро́га поднима́ется в го́ру ми́мо бату́ринского са́да. Сад ещё до сих пор густ и живопи́сен, и как на идилли́- 15 ческом пейза́же, стои́т за ним се́рый большо́й дом под бу́рой, ржа́вой кры́шей. Но уса́дьба, уса́дьба. Це́лая поэ́ма запусте́ния! От варка́ оста́лись то́лько сте́ны, от людско́й избы́ — раскры́тый о́стов без о́кон, и всю́ду, к са́мым поро́гам, подступи́ли лопухи́ и глуха́я крапи́ва. 20 А на «чёрном» крыльце́ стои́т и в стра́хе гляди́т на меня́ слезя́щимися глаза́ми кака́я-то стару́ха. Поня́в из мои́х нело́вких объясне́ний, что я хочу́ посмотре́ть дом, она́ спеши́т предупреди́ть ба́рыню.

— Я доложу́-с, доложу́-с,— бормо́чет она́, скрыва́ясь 25 в тёмных сеня́х.

Бо́льно, должно́ быть, Бату́риной, выходи́ть по́сле таки́х докла́дов! И пра́вда,— когда́ че́рез не́сколько мину́т отворя́ется дверь, я ви́жу растеря́нное ста́рческое лицо́, винова́тую улы́бку голубы́х кро́тких глаз… Де́- 30 лаем вид, что мы о́чень ра́ды друг дру́гу, что э́тот осмо́тр дома — вещь самая обыденная, и Батурина любезным жестом приглашает войти, а другой дрожащей рукой старается застегнуть ворот своей тёмной кофточки из дешёвенького нового ситцу.

Бормоча что-то притворное, я вхожу в переднюю... О, да это совсем ночлежка! Темно, душно, стены закопчены дымом махорки, которую курит бывший староста Батуриных, Дрон, не покинувший усадьбу и доныне... Направо — дверь в его каморку, прямо — комната старух, скудно освещённая окном с двойными рамами, с радужными от старости стёклами...

— Мы ведь в пристройке теперь живём,— виновато поясняет Батурина.— Ведь знаете, какие года-то пошли, да и теплее тут зимою...

— Но, может быть я беспокою вас?

Старуха трясёт головой и смотрит недоумевающе и вопросительно.

— Не беспокою ли я вас?— говорю я громче.

— Нет-с, нет-с,— отвечает она с ласковой снисходительностью.— Пожалуйте-с.

И отворяет дверь в коридор...

Ещё мрачнее в этих пустых комнатах! Первая, в которую я заглядываю из коридора, была когда-то кабинетом, а теперь превращена в кладовую: там ларь с солью, кадушка с пшеном, какие-то бутылки, позеленевшие подсвечники... В следующей, бывшей спальне, возвышается пустая и огромная, как саркофаг, кровать... И старуха отстаёт от меня и скрывается в кладовой, якобы чём-то озабоченная. А я медленно прохожу в большой гулкий зал, где в углах свалены книги, пыльные акварельные портреты, ножки столов...

Галка вдруг срывается с криво висящего над ломберным столиком зеркала и на лету ныряет в разбитое окно... Вздрогнув от неожиданности, я отступаю к стеклянной двери на рассохшийся балкон, с трудом отворяю её —
5 и прикрываю глаза от низкого яркого солнца. Какой вечер! Как всё цветёт и зеленеет, обновляясь каждую весну, как сладостно журчат в густом вишеннике, перепутанном с сиренью и шиповником, кроткие горлинки, верные друзья погибающих помещичьих гнёзд!

10 Вечер в поле встречает нас целым архипелагом пышных золотисто-лиловых облаков на западе, необыкновенной нежностью и яркостью далей.

— Дядя, дай сернечка!— кричит один из мальчишек, стерегущих на парах лошадей и, вскочив с межи,
15 бегом догоняет тарантас.

Но Корней суров и задумчив. Он с наслаждением вытягивает мальчишку кнутом и сдержанно покрикивает на лошадей.

— О чём он думает?— думаю я, глядя на его выго-
20 ревший на солнце картуз.

И Корней слегка повёртывается на облучке и, следя задумчивым взглядом за мелькающими подковами пристяжной, начинает говорить...

— Всем не мёд,— говорит он. — Не одним госпо-
25 дам... Хрестьянский банк, мол, помогает! Да нет, в долг-то не проживёшь! Купят мужики сто-двести десятин, — конечно, компанией, не сообразясь с силой, и запутляются, и норовят слопать друг друга. А пойдут свары — дело и совсем изгадится, и хоть на перемёт с
30 обрывком лезь!

— Однако,— говорю я,— крупных-то господ осталось три-четыре на уезд,— значит расходится земля по народу.

— По городским купчишкам да лавошникам,— поправляет Корней.— По ним, а не по народу... И опять же земля без настоящего хозяина остаётся: им ведь только бы купить, благо дёшево, а жить-то они ведь тут не станут! Ну, вот их-то, чертей, и зажать бы в тесном месте!

— Следовало бы?

Но Корней отводит глаза в сторону.

— Попоить пора,— говорит он деловым тоном.

— На Воргле попоим...

— Ну, на Воргле так на Воргле... Эй, не рано!

Свежеет, и блеск вечера меркнет. Меланхолично засинели поля, далеко-далеко на горизонте уходит за черту земли огромным мутно-малиновым шаром солнце. И что-то старо-русское есть в этой печальной картине, в этой синеющей дали с мутно-малиновым щитом. Вот он ещё более потускнел, вот от него остался только сегмент, потом — дрожащая огневая полоска... Быстро падает синеватый сумрак летней ночи, точно кто-то незримо сеет его; в лужках уже холодно, как в погребе, и резко пахнет росистой зеленью,— только изредка повевает откуда-то теплом... В сумраке мелькают придорожные лозинки, и на них, нахохлившись, спят вороны... А на востоке медленно показывается большая голова бледного месяца.

Как печальны кажутся в это время тёмные деревушки, мёртвую тишину которых будит звук рессор и бубенчиков! Как глуха и пустынна кажется старая большая

доро́га, давно́ забы́тая и неéзженная! Слáва Бóгу, хоть
мéсяц всхóдит! Всё веселéе...

Вóргол — нежилóй ху́тор покóйной тётки, степнáя
деревýшка на мéсте снесённой дéдовской усáдьбы и
5 большóго селá, три чéтверти котóрого ушлó в Сибúрь,
на нóвые местá. Дорóга дóлго идёт под úзволок; когдá
ужé станóвится совсéм светлó от мéсяца, тарантáс шúбко
подкáтывает по густóй росúстой травé к одинóкому
флúгелю на скáте котловúны средú косогóров. Звон
10 бубéнчиков замирáет, и нас охвáтывает гробовóе мол-
чáние.

— Уж и глýхо же тут!— говорúт Корнéй, слезáя с
кóзел, и гóлос егó стрáнно звучúт вóзле пусты́х стен.

— Посидúте тут на крылéчке, а я лошадéй попою́ и
15 овёсца им кúну.

И мéдленно отвóдит громыхáющих бубéнчиками лошадéй пóд гору, к колóдцу. А я поднимáюсь на дере-
вя́нное крыльцó флúгеля и сажу́сь на ступéньку...

Но жу́тко здесь, в э́той котловúне, со всех сторóн
20 зáмкнутой холмáми, спускáющимися к пересóхшему
рýслу Вóргла, и блéдно освещённой невéрным мéсячным
свéтом! Пустóй ширóкий двор переxóдит в мужúцкий
вы́гон, а за вы́гоном чернéет семь призéмистых избу́шек,
глубокó затаúвших в себя́ свою́ ночну́ю жизнь...

25 — Корнéй,— говорю́ я, как тóлько Корнéй покáзы-
вается с лошадьмú из-под горы́:— нáдо éхать! Поéдем
шажкóм, а уж покóрмим дóма.

Корнéй останáвливается.

— Ай соску́чились?

30 — Соску́чился. Ну егó к чóрту... Éдем.

— Это ещё ми́лость,— говори́т Корне́й насме́шливо.
— Вы бы о́сенью и́ли зимо́й зае́хали!

— И как вы то́лько живёте тут!

Корне́й завёртывает цыга́рку, гля́дя в зе́млю, и до́лго
5 молчи́т. Пото́м сде́ржанно отвеча́ет:

— Живём пока́...

— То-есть как «пока́»? А пото́м-то что ж?

— Пото́м — что Бог даст. Всё что́-нибудь да бу́дет...

— Что же?

10 — Да что́-нибудь бу́дет... Не век же тут сиде́ть, чер-
тя́м обо́рки вить! Разойдётся наро́д по други́м места́м,
ли́бо ещё как...

— А как?

При све́те ме́сяца я́сно ви́дно лицо́ Корне́я, но, опус-
15 ка́я го́лову, он сдвига́ет бро́ви и отво́дит глаза́ в сто́-
рону.

— Как ина́че-то?

— Там ви́дно бу́дет,— отвеча́ет Корне́й уже́ совсе́м
хму́ро.— Пое́демте, ба́рин, не ра́но!

20 И мо́лча ле́зет на ко́злы.

МАКСИМ ГОРЬКИЙ

ТОВАРИЩИ

I

Горячее солнце июля ослепительно блестело над Смолкиной, обливая её старые избы щедрым потоком ярких лучей. Особенно много солнца было на крыше старостиной избы, недавно перекрытой заново гладко вы-
5 строганным тёсом, жёлтым и пахучим. Воскресенье, и почти все люди вышли на улицу, поросшую травой, усеянную кочками засохшей грязи. Перед старостиной избой собралась большая группа мужиков и баб: иные сидели на завалине избы, иные прямо на земле, другие
10 стояли; среди них гонялись друг за другом ребятишки, то и дело получая от взрослых сердитые окрики и щелчки.

Центром толпы служил высокий человек с большими, опущенными вниз усами. По его коричневому лицу,
15 покрытому густой сивой щетиной и сетью глубоких морщин, по седым клочьям волос, выбившимся из-под грязной соломенной шляпы,— этому человеку можно было дать лет пятьдесят. Он смотрел в землю, и ноздри его большого хрящеватого носа вздрагивали, а когда он
20 поднимал голову, бросая взгляды на окна старостиной избы, видны были его глаза — большие, печальные,— они глубоко ввалились в орбиты, а густые брови кидали от себя тень на тёмные зрачки. Одет он был в коричневый, рваный подрясник монастырского послушника,
25 едва закрывавший ему колени и подпоясанный верёв-

кой. За спино́й у него́ кото́мка, в пра́вой руке́ дли́нная па́лка с желе́зным наконе́чником, ле́вую он держа́л за па́зухой. Окружа́вшие осма́тривали его́ подозри́тельно, с презре́нием и, наконе́ц, с я́вной ра́достью, что им удало́сь пойма́ть во́лка ра́ньше, чем он успе́л нанести́ вред их ста́ду.

Он проходи́л че́рез дере́вню и, подойдя́ к окну́ ста́росты, попроси́л напи́ться. Ста́роста дал ему́ ква́су и заговори́л с ним. Но прохо́жий отвеча́л, про́тив обыкнове́ния стра́нников, о́чень неохо́тно. Ста́роста спроси́л у него́ докуме́нт, докуме́нта не оказа́лось. И прохо́жего задержа́ли, реши́в отпра́вить в во́лость. Ста́роста вы́брал в конво́йры ему́ со́тского и тепе́рь, в избе́ у себя́, напу́тствовал его́, оста́вив аре́ста́нта среди́ толпы́, — она́ гру́бо потеша́лась над ним.

Но вот на крыльце́ избы́ яви́лся подслепова́тый стари́к с ли́сьим лицо́м и седо́й, клинообра́зной боро́дкой. Он степе́нно опуска́л но́ги в сапога́х со ступе́ньки на ступе́нь, и кру́глый его́ живо́тик соли́дно колыха́лся под дли́нной си́тцевой руба́хой. А из-за его́ плеча́ высо́вывалось борода́тое, четырёхуго́льное лицо́ со́тского.

— По́нял, Ефи́мушка? — спроси́л ста́роста у со́тского.

— Чего́ тут не поня́ть? Всё по́нял. Обя́зан, зна́чит, я проводи́ть э́того челове́ка к станово́му и — бо́льше никаки́х. — Проговори́в свою́ речь разде́льно и с коми́ческой ва́жностью, со́тский подмигну́л пу́блике.

— А бума́га?

— А бума́га, — она́ за па́зухой у меня́ живёт.

— Ну то́-то! — вразуми́тельно сказа́л ста́роста и доба́вил, кре́пко почеса́в себе́ бок:

— С Бо́гом, зна́чит, а́йдате!

— Пошли́! Шага́ем, что́-ли, о́тче?— улыбну́лся со́тский ареста́нту.

— Вы бы хоть подво́ду да́ли — глу́хо отве́тил тот на 5 предложе́ние со́тского. Ста́роста ухмыльну́лся.

— Подво́-оду? Ишь ты! Ва́шего бра́та, проходи́мца, мно́го тут шны́ряет по поля́м, по деревня́м… лошаде́й про всех не хва́тит. Прошага́ешь и пехту́рой.

— Ничего́, оте́ц, идём!— ободря́юще заговори́л со́т- 10 ский. — Ты ду́маешь дале́че нам? Дай Бог два деся́тка вёрст. Мы с тобо́й, о́тче, жи́во дока́тим. А там ты и отдохнёшь…

— В холо́дной,— поясни́л ста́роста.

— Это ничего́,— торопли́во заяви́л со́тский,— чело- 15 ве́ку, кото́рый е́жели уста́л, и в тюрьме́ о́тдых. А пото́м — холо́дная-то — она́ прохла́дная,— по́сле жа́ркого дня в ней куда́ хорошо́!

Ареста́нт суро́во огляну́л своего́ конво́йра — тот улыба́лся ве́село и откры́то.

20 — Ну́-ка, а́йда, оте́ц честно́й! Проща́й, Васи́ль Гаври́лыч! Пошли́!

— С Го́сподом, Ефи́мушка… Смотри́ в о́ба.

— А зри — в три!— подки́нул со́тскому како́й-то молодо́й па́рень из толпы́.

25 — Н-ну! Ма́лый я ребёнок, а́ли что?

И они́ пошли́, держа́сь бли́зко к и́збам, чтобы идти́ в полосе́ те́ни. Челове́к в ря́се шёл впереди́, разви́нченной но спо́рой похо́дкой привы́чного к ходьбе́. Со́тский, со здоро́вой па́лкой в руке́, сза́ди него́.

30 Ефи́мушка был мужичо́к ни́зенького ро́ста, корена́стый, с широ́ким до́брым лицо́м в ра́ме ру́сой, сваля́

вшейся в кло́чья бороды́, начина́вшейся от его́ се́рых,
я́сных глаз. Он всегда́ почти́ улыба́лся чему́-то, пока́зы-
вая жёлтые зу́бы и так нама́рщивая перено́сье — то́чно
он хоте́л чихну́ть. Оде́т он был в азя́м, за́ткнув его́
полы за́ пояс, чтоб они́ не пу́тались в нога́х, на голове́
у него́ торча́л темнозелёный карту́з без козырька́, напо-
мина́я ареста́нтскую фура́жку.

Шли они́ по у́зкой просёлочной доро́ге; она́ вьюно́м
вила́сь в волни́стом мо́ре ржи, и те́ни пу́тников ползли́
по зо́лоту коло́сьев.

На горизо́нте сине́ла гри́ва ле́са, вле́во, бесконе́чно
далеко́ вглубь, расстила́лись засе́янные поля́; среди́ них
лежа́ло тёмное пятно́ дере́вни, за ней опя́ть поля́, тону́-
вшие в голубова́той мгле.

Спра́ва, из-за ку́пы вётел, вонзи́лся в си́нее не́бо
оби́тый же́стью и ещё не вы́крашенный шпиль коло-
ко́льни — он так я́рко блесте́л на со́лнце, что на него́
бы́ло бо́льно смотре́ть.

В не́бе звене́ли жа́воронки, во ржи улыба́лись василь-
ки, и бы́ло жа́рко — почти́ ду́шно. Из-под ног пу́тни-
ков взлета́ла пыль.

Ефи́мушка, отха́ркнувшись, затяну́л фальце́том:
Ге-эх-да-и с чего́-й-то-о-...

— Не хвата́ет го́лосу-то, дуй его́ горо́й. Н-да... а
быва́ло пел я... Ви́шенский учи́тель ска́жет — ну́-ка,
Ефи́мушка, заводи́. И зальёмся мы с ним. Пра́вильный
па́рень был он...

— Кто он?— глухи́м ба́сом спроси́л челове́к в ря́се.

— А ви́шенский учи́тель.

— Ви́шенский — фами́лия?

— Ви́шенки, э́то, брат, село́. А то учи́тель Павл

Михалыч. Первый сорт человек был. Помер в третьем году...

— Молодой?

— Тридцати годов нè было...

5 — С чего помер?

— С огорчения, надо полагать.

Собеседник Ефимушки искоса взглянул на него и усмехнулся.

— Дело, видишь ты, милый человек, такое вышло —
10 учил он, учил годов семь кряду, и начал кашлять. Кашлял, кашлял да и затосковал... Ну, а с тоской, известно, начал пить водку. Отец Алексей не любил его, и как запил он, отец-то Алексей в город бумагу и спосылал — так, мол, и так — пьёт учитель-то, это — со-
15 блазн. А из города в ответ тоже бумагу прислали и учительшу. Длинная такая, костлявая, нос большущий. Ну, Павл Михалыч видит, дело швах. Огорчился — дескать, учил я, учил... ах, вы, черти. Отправился из училища прямо в больницу, да через пять дён и отдал
20 душу Богу... Только и всего...

Некоторое время шли молча. Лес всё приближался к путникам, с каждым шагом вырастая на глазах и из синего становясь зелёным.

— Лесом пойдём?— спросил ефимушкин спутник.

25 — Краюшек захватим, с полверсты этак. А что? А? Ишь ты! Гусь ты, отец честной, погляжу я на тебя!

Ефимушка засмеялся, качая головой...

— Ты чего?— спросил арестант.

30 — Да так, ничего. Ах ты! Лесом, говорит, пойдём? Прост ты, милый человек, другой бы не спросил, кото-

рый поумне́е е́жели. Тот бы пря́мо пришёл в лес, да и того́...

— Чего́?

— Ничего́! Я, брат, тебя́ наскво́зь ви́жу. Эх ты, душа́ ты моя́, то́нка ду́дочка! Нет,— ты э́ту ду́му — насчёт ле́са — брось! А́ли ты со мной сла́дишь? Да я трои́х таки́х уберу́, а на тебя́ на одну́ ле́вую ру́ку вы́йду... По́нял?

— По́нял. Дура́к ты!— кра́тко и вырази́тельно сказа́л ареста́нт.

— Что? Угада́л я тебя́?— торжествова́л Ефи́мушка.

— Чу́чело! Чего́ ты угада́л?— кри́во усмехну́лся ареста́нт.

— Насчёт ле́су... Понима́ю я! Де́скать, я — э́то ты-то,— как придём в лес, тя́пну там его́,— меня́-то зна́чит,— тя́пну да и залью́сь по поля́м, да по леса́м? Так ли?

— Глу́пый ты,— пожа́л плеча́ми уга́данный челове́к.

— Ну, куда́ я пойду́?

— Уж куда́ хо́чешь,— э́то твоё де́ло.

— Да куда́?— ефи́мушкин спу́тник не то серди́лся, не то о́чень уж жела́л услы́шать от своего́ конво́йра указа́ние, куда́ и́менно он мог бы идти́.

— Я-те говорю́, куда́ хо́чешь!— споко́йно заяви́л Ефи́мушка.

— Не́куда мне, брат, бежа́ть, не́куда!— ти́хо сказа́л его́ спу́тник.

— Н-ну!— недове́рчиво произнёс конво́йр и да́же махну́л руко́й.— Бежа́ть всегда́ есть куда́. Земля́-то, она́ велика́. Одному́ челове́ку на ней всегда́ ме́сто бу́дет.

— Да тебе что? Хочется что ли, чтоб я убежал?—полюбопытствовал арестант, усмехаясь.

— Ишь ты! Больно ты хорош! Разве это порядок? Ты убежишь, а заместо тебя кого в острог сажать будут? Меня посадят. Нет, я так это, для разговору...

— Блаженный ты... а впрочем, кажется, хороший мужик,— сказал, вздохнув, ефимушкин спутник. Ефимушка не замедлил согласиться с ним.

— Это точно, называют меня блаженным некоторые люди... И что хороший я мужик — это тоже верно. Простой я, главная причина. Иные люди говорят всё с подходцем да с хитрецой, а мне — чего? Я человек один на свете. Хитровать будешь — умрёшь, и правдой жить будешь — умрёшь. Так я всё напрямики больше.

— Это хорошо!— равнодушно заметил спутник Ефимушки.

— А как же. Для че я стану кривить душой, коли я один, весь тут? Я, браток, свободный человек. Как желаю так и живу, по своему закону прохожу жизнь... Н-да... А тебя как звать-то?

— Как? Ну... Иван Иванов...

— Так! Из духовных, что ли?

— Н-нет...

— Ну? А я думал — из духовных...

— Это по одёжде, что ли?

— Вот, вот! Совсем ты вроде как бы беглый монах, а то расстриженный поп... А вот лицо у тебя неподходящее, с лица ты вроде как бы солдат... Бог тебя знает, что ты за человек?— И Ефимушка окинул странника любопытным взглядом. Тот вздохнул, поправил шляпу на голове, вытер потный лоб и спросил сотского:

— Таба́к ку́ришь?

— Ах ты, сде́лай ми́лость! Коне́чно, курю́!

Он вы́тащил из-за па́зухи заса́ленный кисе́т и, наклони́в го́лову, но не остана́вливаясь, стал набива́ть таба́к в гли́няную тру́бку.

— На́-ко, заку́ривай!— Аресте́нт останови́лся и, наклоня́сь к зажжённой конво́йром спи́чке, втяну́л в себя́ щёки. Си́ний дымо́к поплы́л в во́здухе.

— Так из каки́х ты бу́дешь-то? Меща́ни́н, что ли?

— Дворяни́н,— кра́тко сказа́л аресте́нт и сплю́нул в сто́рону на коло́сья хле́ба, уже́ подёрнутые золоты́м бле́ском.

— Э-э! Ло́вко! Как же э́то ты без па́чпорта гуля́ешь?

— А так и гуля́ю.

— Ну-ну́! Дела́! Не свы́чна, чай, э́такая во́лчья жизнь для твоего́ дворя́нства? Э́-эх ты, горю́н!

— Ну ла́дно, бу́дет болта́ть-то,— су́хо сказа́л горю́н. Но Ефи́мушка с возраста́ющим любопы́тством и уча́стием огля́дывал беспа́спортного челове́ка и, заду́мчиво кача́я голово́й, продолжа́л:

— А-я́й! Как судьба́ с челове́ком-то игра́ет, е́жели поду́мать! Ведь оно́, пожа́луй, и ве́рно, что ты из дворя́н, потому́ оса́нка у тебя́ великоле́пная. Давно́ ты живёшь в тако́м о́бразе?

Челове́к с великоле́пной оса́нкой су́мрачно взгляну́л на Ефи́мушку и отмахну́лся от него́ руко́й, как от назо́йливой осы́.

— Брось, говорю́! Что ты приста́л, как ба́ба?

— А ты не серди́сь!— успокои́тельно проговори́л Ефи́мушка.— Я по чи́стому се́рдцу говорю́... се́рдце у меня́ до́брое о́чень...

— Ну, и — твоё сча́стье... А вот, что язы́к у тебя́ без у́молку ме́лет — э́то моё несча́стье.

— Ну, ин ла́дно! Я ко́ли и помолчу́... мо́жно и по-олча́ть, е́жели челове́к не хо́чет слу́шать твоего́ разго-во́ру. А се́рдишься, всё-таки, без причи́ны... А́ли моя́ вина́, что тебе́ на бродя́жьем положе́нии пришло́сь жить?

Аре́ста́нт останови́лся и так сжал зу́бы, что его́ ску́лы вы́дались двумя́ о́стрыми угла́ми, а седа́я щети́на на них вста́ла ершо́м. Он сме́рил Ефи́мушку с ног до го-ловы́ загоре́вшимися зло́бой, прищу́ренными глаза́ми.

Но ра́ньше, чем Ефи́мушка заме́тил э́ту ми́мику, он сно́ва на́чал ме́рять зе́млю широ́кими шага́ми.

На лицо́ болтли́вого со́тского лёг отпеча́ток рассе́ян-ной заду́мчивости. Он посма́тривал вверх, отку́да ли-ли́сь тре́ли жа́воронков, и подсви́стывал им сквозь зу́бы, пома́хивая па́лкой в такт свои́х шаго́в.

Подходи́ли к опу́шке ле́са. Он стоя́л неподви́жной и тёмной стено́й — ни зву́ка не несло́сь из него́ навстре́чу пу́тникам. Со́лнце уже́ сади́лось, его́ косы́е лучи́ окра́-сили верши́ны дере́вьев в пу́рпур и зо́лото. От дере́вьев ве́яло паху́чей сы́ростью; су́мрак и сосредото́ченное молча́ние, наполня́вшие лес, рожда́ли жу́ткое чу́вство.

Когда́ лес стои́т пе́ред глаза́ми тёмен и неподви́жен, когда́ весь он погружён в таи́нственную тишину́, и ка́ж-дое де́рево то́чно чу́тко прислу́шивается к чему́-то,— тогда́ ка́жется, что весь лес по́лон чём-то живы́м и лишь вре́менно притаи́вшимся. И ждёшь, что в сле́дующий моме́нт вдруг вы́йдет из него́ не́что грома́дное и непо-ня́тное челове́ческому уму́, вы́йдет и заговори́т могу́чим го́лосом о вели́ких та́йнах тво́рчества приро́ды...

II

Подойдя́ к опу́шке ле́са, Ефи́мушка и его́ спу́тник реши́ли отдохну́ть и усе́лись на траву́ о́коло широ́кого дубо́вого пня. Ареста́нт ме́дленно стащи́л с плеч кото́мку и равноду́шно спроси́л со́тского:

— Хле́ба хо́чешь?

— Дашь, так пожу́ю,— отве́тил Ефи́мушка, улыба́ясь.

Они́ мо́лча ста́ли жева́ть хлеб. Ефи́мушка ел ме́дленно и всё вздыха́л, посма́тривая куда́-то в по́ле, вле́во от себя́, а его́ спу́тник, весь углубя́сь в проце́сс насыще́ния, ел ско́ро и зву́чно ча́вкал, измеря́я глаза́ми краюху хле́ба. По́ле темне́ло, хлеба́, потеря́в свой золоти́стый блеск, ста́ли розова́то-жёлтыми; с ю́го-за́пада плы́ли лохма́тые ту́чки, от них на по́ле па́дали те́ни и ползли́ по коло́сьям к ле́су. И от дере́вьев то́же ложи́лись на зе́млю те́ни, а от тене́й ве́яло на́ ду́шу гру́стью.

— Сла́ва тебе́, Го́споди!— возгласи́л Ефи́мушка, собра́в с полы́ азя́ма кро́шки хле́ба и слиза́в их с ладо́ни языко́м.— Госпо́дь напита́л — никто́ не вида́л, а кто и ви́дел, так не оби́дел! Друг! Посиди́м здесь часо́к? Успе́ем в холо́дную-то…

Друг кивну́л голово́й.

— Ну, вот!.. Ме́сто бо́льно хоро́шее, па́мятное мне ме́сто… Вон там, вле́во, госпо́д Тучко́вых уса́дьба была́…

— Где?— бы́стро спроси́л ареста́нт, обора́чиваясь туда́, куда́ Ефи́мушка махну́л руко́й.

— А э́вона — за тем мыско́м. Тут всё вокру́г и́хнее. Богате́йшие господа́ бы́ли, но по́сле во́ли свихну́лись… Я то́же и́хний был,— мы все тут бы́вшие и́хние. Больша́я семья́ была́… Полко́вник сам-то — Алекса́ндр

Ники́тич Тучко́в. Де́ти бы́ли: че́тверо сынове́й — куда́
все тепе́рь подева́лись? Сло́вно ве́тром разнесло́ люде́й,
как ли́стья по о́сени. Оди́н то́лько Ива́н Алекса́ндрович
цел,— вот я тебя́ к нему́ и веду́, он у нас становы́м-то...
5 Ста́рый.

Аре́стант засмея́лся. Смея́лся он глу́хо, каки́м-то осо́-
бенным вну́тренним сме́хом,— грудь и живо́т у него́
колыха́лись, но лицо́ остава́лось неподви́жным, то́лько
сквозь оска́ленные зу́бы вырыва́лись глухи́е, то́чно
10 ла́ющие зву́ки.

Ефи́мушка боязли́во поёжился и, подви́нув свою́ па́л-
ку побли́же к руке́, спроси́л у него́:

— Чего́ э́то ты? Нахо́дит на тебя́, что ли?..

— Ничего́... э́то так!— сказа́л аре́стант отры́висто,
15 но ла́сково.— Расска́зывай знай...

— Н-да... Так вот, зна́чит, каки́е дела́,— бы́ли э́то
господа́ Тучко́вы, и не́ту их... Кото́рые по́мерли, а
кото́рые пропа́ли, так ни слу́ху, ни ду́ху о них и не́ту.
Особли́во оди́н тут был... са́мый меньшо́й. Ви́ктором
20 зва́ли... Ви́тей. Това́рищи мы с ним бы́ли... В ту по́ру
бы́ло нам с ним лет по четы́рнадцати... Э́кий ма́льчик
был, помяни́ Го́споди добро́м его́ ду́шеньку! Руче́й
чи́стый! Так вот весь день и стреми́тся, так э́то и жур-
чи́т... Где́-то он тепе́рь? Жив и́ли уж нет?

25 — Чем бо́льно хоро́ш был?— ти́хо спроси́л Ефи́муш-
ку его́ спу́тник.

— Всем!— воскли́кнул Ефи́мушка.— Красото́й, ра́зу-
мом, до́брым се́рдцем... Ах ты стра́нный челове́к,
душа́ ты моя́, спе́ла я́года! Посмотре́л бы тогда́ на нас
30 двои́х... ай, ай, ай! В каки́е и́гры мы игра́ли, кака́я раз-
весёлая жизнь была́,— лю́ли мали́на! Быва́ло кри́кнет:

«Ефи́мка! Идём на охо́ту!» Ружьё у него́ бы́ло — оте́ц
подари́л в имени́ны — и мне, быва́ло, ста́щит ружьё.
И зака́тимся мы э́то в леса́, да — дня на́ два, на́
три! Придём домо́й — ему́ пробо́рка, мне по́рка; гля-
ди́шь, на друго́й день сно́ва: «Ефи́мка — по грибы́!»—
Пти́цы мы с ним погуби́ли — ты́сячи. Грибо́в э́тих
собира́ли — пуды́! Ба́бочек, жуко́в он лови́л, быва́ло,
и в коро́бки их, на була́вки наса́живал... За́нятно! Гра́-
моте меня́ учи́л... «Ефи́мка», говори́т, «я тебя́ учи́ть
бу́ду». «Валя́йте!» Ну и на́чал... «Говори́, говори́т, —
а!» Я ору́ «а-а!» Сме́хи! Снача́ла-то мне в шу́тку э́то
де́ло бы́ло — на что она́, гра́мота-то, крестья́нину... Ну,
он меня́ увещева́ет: «на то, говори́т, тебе́, дураку́, и во́ля
дана́, чтобы ты учи́лся... Бу́дешь, говори́т, гра́моте
знать,— узна́ешь, как жить на́до и где пра́вду иска́ть...»
— Изве́стно, ма́лое дитя́ — переи́мчиво, наслу́шался,
ви́дно, у ста́рших э́таких рече́й и сам на́чал то́же гово-
ри́ть... Пусто́е, коне́чно, всё... В се́рдце она́, гра́мота-то,
се́рдце и насчёт пра́вды ука́жет... Оно́ — глаза́стое...
Так вот, у́чит он меня́... так присоса́лся к э́тому де́лу,—
дохну́ть мне не даёт! Мая́та́! Я — моли́ть! «Ви́тя,
говорю́, мне гра́мота не в моготу́, не могу́ я её одоле́ть...»
Так он на меня́ ка-ак ря́вкнет! «Па́пиной нага́йкой
запорю́ — учи́сь!» Ах ты, сде́лай ми́лость! Учу́сь... Раз
сбежа́л с уро́ка, пря́мо вскочи́л да и дра́ла! Так он
меня́ с ружьём иска́л весь день — застрели́ть хоте́л.
По́сле говори́т мне — «кабы́», говори́т, «встре́тил я тебя́
в тот день — застрели́л бы», говори́т! Вот како́й был
ре́зкий! Непрекло́нный, настоя́щий ба́рин... Люби́л он
меня́; пла́менная душа́... Раз мне тя́тька спи́ну во́жжами
расписа́л, а как он, Ви́тя-то, увида́л э́то, пришёдши к нам

в избу,—батюшки мой—что вышло! побледнел весь, за-
трясся, сжал кулаки и к тятеньке на полати лезет. «Это»,
говорит, «ты как смел?» Тятька говорит — «я-де отец!»
Ага! «Ну хорошо, отец, один я с тобой не слажу, а
5 спина у тебя будет такая же, как у Ефимки». Заплакал
после этих слов и убёг... И что ж ты скажешь, отче? Ис-
полнил, ведь, своё слово. Дворню, видно, подговорил, что
ли, только однажды тятенька пришёл домой, кряхтит;
стал было рубашку снимать, ан она присохла к спине-
10 то у него... Рассердился на меня отец в ту пору —«из-за
тебя», говорит, «терплю, барский ты прихвостень». И
здоровенную задал мне теребачку... Ну, а насчёт бар-
ского прихвостня это он напрасно,— я таким не был...

— Верно, Ефим, не был!— утвердительно сказал аре-
15 стант и весь вздрогнул.— Это видно и сейчас, не мог ты
быть барским прихвостнем,— как-то торопливо доба-
вил он.

— То-то и оно!— воскликнул Ефимушка.— Просто
я любил его, Витю-то... Такой это таланный ребёнок
20 был, все его любили, не один я... Бывало речи он говорит разные... не помню я их, тридцать годов, поди,
прошло с той поры... Ах, Господи! Где-то он теперь?
Чай, коли жив, высокое место занимает или... в самом
омуте кипит... Жизнь людская растаковская! Кипит
25 она, кипит, а всё ничего путного не сварится... А люди
пропадают... жалко людей, до смерти жалко!— Ефимушка, тяжело вздохнув, поник головой на грудь... С
минуту длилось молчание.

— А меня тебе жалко?— весело спросил арестант,
30 и всё лицо у него было освещено хорошей, доброй
улыбкой...

— Да ведь, чуда́к-челове́к!— воскли́кнул Ефи́мушка, — как же тебя́ не жале́ть? Что ты тако́е, е́жели поду́мать? Ко́ли ты бро́дишь, так, ви́дно, нет у тебя́ ничего́ своего́ на земле́-то, ни угла́, ни ще́почки... А мо́жет ещё и вели́к грех ты но́сишь с собо́й — кто тебя́ зна́ет? Горю́н ты — одно́ сло́во...

— Так, — сказа́л арестáнт.

И они́ сно́ва замолча́ли. Со́лнце уже́ се́ло, и те́ни ста́ли гу́ще. В во́здухе па́хло вла́жной землёй, цвета́ми и лесно́й пле́сенью... До́лго сиде́ли мо́лча.

— А как тут ни хорошо́ — всё-таки на́до идти́... Нам ещё вёрст во́семь оста́лось... А́йда-ка, о́тче, подыма́йся!

— Посиди́м ещё немно́го,— попроси́л о́тче.

— Да я ничего́, я сам люблю́ но́чью о́коло ле́са быть... То́лько когда́ ж мы придём в во́лость-то? Заруга́ют меня́ — по́здно-де.

— Ничего́, не заруга́ют...

— Ра́зве ты слове́чко замо́лвишь,— усмехну́лся со́тский.

— Могу́.

— Ой ли?

— А что?

— Шутни́к ты! Он те, станово́й-то, зада́ст пе́рцу!

— Дерётся ра́зве?

— Лют! И ло́вок — а́хнет кулако́м в у́хо, а выхо́дит всё равно́, как бы косо́й по нога́м.

— Ну, мы ему́ сда́чи дади́м,— уве́ренно сказа́л ареста́нт, дру́жески потрепа́в своего́ конвои́ра по плечу́.

Э́то бы́ло фамилья́рно и не понра́вилось Ефи́мушке. Как-ника́к, а он всё-таки нача́льство, и э́тот гусь не до́лжен забыва́ть, что у Ефи́мушки за па́зухой есть мéдная бля́ха! Ефи́мушка встал на́ ноги, взял в ру́ки свою́ па́лку, вы́весил бля́ху на са́мую середи́ну груди́ и стро́го сказа́л:

— Встава́й, идём!

5 — Не пойду́!— сказа́л ареста́нт.

Ефи́мушка смути́лся и, вы́таращив глаза́, с полмину́ты молча́л, не понима́я — с чего́ э́то ареста́нт вдруг стал тако́й?

— Ну, не вала́ндайся, идём!— мя́гче сказа́л он.

10 — Не пойду́!— реши́тельно повтори́л ареста́нт.

— То-есть, как не пойдёшь?— закрича́л Ефи́мушка в изумле́нии и гне́ве.

— Так. Хочу́ здесь ночева́ть с тобо́й... Ну́-ка, разжига́й костёр...

15 — Я те дам ночева́ть! Я те тако́й костёр на спине́ у тебя́ разожгу́ — лю́бо-до́рого!— грози́л Ефи́мушка. Но в глубине́ души́ он был изумлён. Говори́т челове́к «не пойду́», а сопротивле́ния никако́го не ока́зывает, в дра́ку не ле́зет, лежи́т себе́ на земле́ и бо́льше ничего́. Как 20 тут быть?

— Не ори́, Ефи́м,— споко́йно посове́товал ареста́нт.

Ефи́мушка сно́ва замолча́л и, переминая́сь с ноги́ на́ ногу над свои́м ареста́нтом, смотре́л на него́ больши́ми глаза́ми. И тот на него́ смотре́л, смотре́л и улыба́лся. 25 Ефи́мушка тяжело́ сообража́л — как же тепе́рь ну́жно поступа́ть?

И с чего́ э́тот бродя́га, тако́й угрю́мый и злой, вдруг разба́ловался? А что, е́сли навали́ться на него́, скрути́ть ему́ ру́ки, дать ра́за два по ше́е, да и всё? И са́мым 30 стро́го-нача́льническим то́ном, како́й то́лько был в его́ распоряже́нии, Ефи́мушка сказа́л:

— Ну, ты,ога́рок, вот что — покочевря́жился, и бу́дет! Встава́й! А то я тебя́ свяжу́, так тогда́ пойдёшь, небо́йсь! По́нял? Ну? Смотри́ — бить бу́ду!

— Меня́-то? — усмехну́лся ареста́нт.

— А ты что ду́маешь?

— Ви́тю-то Тучко́ва, ты, Ефи́м, бить бу́дешь?

— Ах ты — пострели́т-те горо́й,— изумлённо воскли́кнул Ефи́мушка,— да что ты в са́мом де́ле? Что ты мне представле́нья-то представля́ешь? На́кося!

— Ну, бу́дет крича́ть, Ефи́мушка, пора́ тебе́ узна́ть меня́,— споко́йно улыба́ясь, сказа́л ареста́нт и встал на́ ноги,— здра́вствуй, что ли!

Ефи́мушка попя́тился наза́д от протя́нутой к нему́ руки́ и во все глаза́ смотре́л в лицо́ своего́ ареста́нта. Пото́м гу́бы у него́ затрясли́сь и всё лицо́ смо́рщилось...

— Ви́ктор Алекса́ндрович... и впрямь, что ли, вы э́то! — шо́потом спроси́л он.

— Хо́чешь — докуме́нты покажу́? А то — всего́ лу́чше — старину́ напо́мню... Ну́-ка — по́мнишь, как ты в Ра́менском бору́ в во́лчью я́му попа́л? А как я за гнездо́м поле́з на де́рево и пови́с на сучке́ вниз голово́й? А как мы у стару́хи-моло́чницы Петро́вны сли́вки кра́ли? И ска́зки она́ нам говори́ла?

Ефи́мушка гру́зно сел на зе́млю и растеря́нно засмея́лся.

— Пове́рил? — спроси́л его́ ареста́нт и то́же сел ря́дом с ним, загля́дывая ему́ в лицо́ и положи́в на плечо́ его́ свою́ ру́ку. Ефи́мушка молча́л. Вокру́г них ста́ло совсе́м темно́. В лесу́ роди́лся сму́тный шум и шо́пот. Далеко́, где́-то в ча́ще, застона́ла ночна́я пти́ца.

— Что же, Ефи́м,— не рад встре́че? И́ли рад? Эх

ты... святая душа! Как был ты ребёнком, так и остался... Ефим? Да говори что ли, чудовище милое!

Ефимушка начал усиленно сморкаться в полу азяма...

— Ну, брат! Ай, ай, ай!— укоризненно закачал головой арестант.— Что это ты? Стыдись! Чай, тебе на шестой десяток годы идут, а ты этаким пустяковым делом занимаешься? Брось!— И он, обняв сотского за плечи, легонько потряс его. Сотский засмеялся дрожащим смехом и, наконец, заговорил, не глядя на своего соседа:

— Да разве я что?.. Рад я... Так это вы и есть? Как мне в это поверить? Такое дело! Витя... и в этаком образе! В холодную... Пачпорту нет... Хлебом питаетесь... Табаку нет... Господи! Это разве порядок? Ежели бы это был я... а вы бы хоть сотский... и то легче! А теперь что же вышло? Как мне смотреть в глаза вам? Я всегда про вас с радостью помнил... Витя,— думаешь, бывало... Так даже сердце защекочет. А теперь — на-ко! Господи... ведь это ежели людям рассказать — не поверят.

Он бормотал, упорно глядя на свои ноги, и всё хватался рукой то за грудь, то за горло.

— А ты людям про всё это и не говори, не надо. И перестань... Насчёт меня не беспокойся... Бумаги у меня есть, я не показал их старосте, чтобы не узнали меня тут... В холодную меня брат Иван не посадит, а, напротив, поможет мне на ноги встать... Останусь я у него, и будем мы с тобой снова на охоту ходить... Видишь, как хорошо всё устраивается?

Витя говорил это ласково, тем тоном, которым взрослые утешают огорчённых детей. Навстречу туче из-за ле́са всходи́ла луна́, и края́ ту́чи, посеребрённые её луча́ми, при́няли мя́гкие опа́ловые отте́нки. В хлеба́х крича́ли перепела́, где́-то треща́л коросте́ль... Мгла но́чи станови́лась всё гу́ще.

— Это действи́тельно...— ти́хо на́чал Ефи́мушка,— Ива́н Алекса́ндрович родно́му бра́ту порадее́т и вы, зна́чит, сно́ва приспосо́битесь к жи́зни. Это всё так... И на охо́ту пойдём... То́лько всё не то... Я ду́мал, вы каки́х дело́в в жи́зни наде́лаете! А оно́ — вон что...

Ви́тя Тучко́в засмея́лся.

— Я, брат Ефи́мушка, наде́лал дело́в доста́точно... Име́ние, свою́ часть, про́жил, на слу́жбе не ужи́лся, был актёром, пото́м сам держа́л актёров... пото́м прогоре́л дотла́, всем задолжа́л, впу́тался в одну́ исто́рию...эх! Всего́ бы́ло... и всё прошло́!

Ареста́нт махну́л руко́й и добро́душно засмея́лся.

— Я, брат Ефи́мушка, тепе́рь уж не ба́рин... вы́лечился от э́того. Тепе́рь мы с тобо́й так заживём! да, ну! очни́сь!

— Я ведь ничего́...— заговори́л Ефи́мушка пода́вленным го́лосом,— сты́дно мне то́лько. Говори́л я вам тут ра́зное тако́е... несура́зные слова́ и вообще́... Мужи́к, изве́стное де́ло... Так, говори́те, заночу́ем тут? Я ин костёр разложу́...

— Ну́-ка, де́йствуй!..

Ареста́нт вы́тянулся на земле́ кве́рху гру́дью, а со́тский исче́з в опу́шке ле́са, отку́да то́тчас же разда́лся треск су́чьев и шо́рох. Ско́ро Ефи́мушка появи́лся с оха́пкой хво́роста, а че́рез мину́ту по ма́ленькому хо́лмику из ме́лких су́чьев уже́ ве́село ползла́ змейка огня́.

Старые товарищи задумчиво смотрели на неё, сидя друг против друга и поочерёдно куря трубку.

— Совсем как тогда,— грустно говорил Ефимушка.

— Только времена не те,— сказал Тучков.

5 — Н-да, жизнь-то стала круче характером... Эвона как вас... обломала...

— Ну, это ещё неизвестно — она меня или я её...— усмехнулся Тучков.

Замолчали...

10 Сзади них возвышалась тёмная стена тихо шептавшего о чём-то леса, весело трещал костёр, вокруг него бесшумно плясали тени, над полем лежала непроглядная тьма.

АЛЕКСЕЙ ТОЛСТОЙ

АВАНТЮРИСТ

По тёмной степи тянуло дымком. Кашевар сгрёб кучкой золу — под ней тлели угольки сухого навоза. Тишина была такая, что слышно за версту, как потыркивает сверчок; а ещё далее, в лощине, в стороне, где недавно догорела вечерняя заря, хрипел дергач. Летел бы, дура, к Дону, в плавни,— здесь много не наковыряешь носом. В степи земля тёплая, сухая, было бы что подложить под голову только,— и так лежат мужики у костра, а кто — под телегой с поднятыми к звёздам оглоблями. Звёзды просторно раскинулись над степью. Один человек сидит, другие слушают.

— Да, товарищи, пришлось...

— Хлебнул?

— А что же ты думаешь,— конечно, хлебнул горя...

— Расскажи по порядку, дяденька.

— А по порядку рассказывать, будет так: в каком это году забыл я,— в шестнадцатом... Ну, ладно... Вошли мы, русские войска, в Париж. А были мы, солдаты, взятые для этой экспедиции, как на подбор: рослые, молодые, ужасно все бойкие. Идём по Парижу, колонна за колонной, сорок тысяч человек — это ты шутишь! И поём мы песни во всю глотку. По дороге, на кораблях, спелись: с жизнью прощаться ведь неохота на чужой стороне... Да и бабы на тротуарах — видимо-невидимо,— глядят на нас... Хороший... Ах, чистые, хорошие дамочки у них...

— Ну?

— Это кто там сказал «ну»,— под телегой?

— Будет вам, слушайте, ребята.

— Да. Идём мы через город Париж и поём песни. Запеваем по очереди, поротно,— в каждой роте запевала и подголосок, мы подхватываем — стёкла трещат... Начальство нарочно подбирало голосистых в эту экспедицию, чтобы удивить иностранцев: какой у нас народ весёлый; вся армия сытая, мордастая, в бой, так в бой, ей хоть бы что,— с песней грудью за отечество. Так и в газетах французы писали: «Русский, мол, солдат умирает с песней на устах».

— Как это? (Опять из-под телеги.) Вот ведь, ребята, а?..

Рассказчик покосился под телегу, но разобрать ничего было нельзя — так темно. Месяц ещё не всходил над степью.

— Как же им нас не хвалить: нас пригнали помирать за их отечество... Ну, конечно, языка они нашего не понимали, русского,— от этого много зависело... Когда проходили под Триумфальной аркой, дамочки стали бросать в нас цветы — розы. Мы, будто эти розы нам обыкновенное дело,— груди выпячиваем, будто такие уродились орлы, да и грянули свою, солдатскую: «Дррррищем дёгтем, дррррищем дёгтем, дёгтем, дёгтем, табаком»... Так что же вы думаете?— У дамочек на глазах — слёзы, и руки к нам протягивают... А наши господа офицеры только косоротятся, но ничего не поделаешь — парад...

— Здорово это вы — про табак... Показали...

— Мы бы не то ещё показали,— не прогони нас прямо на фронт в тот же день... У них народ малорослый.

Умо́м одни́м беру́т, образова́нием. А культу́ра у них
высока́.

— Высока́?

— Не́мцы ещё у́мственней, а англича́не всех покры-
ва́ют... Я э́того не люблю́, когда́ под теле́гой смею́тся
на то, что я говорю́. Недо́лго и за виски́ отту́да вы́та-
щить. Я э́того не люблю́, ребя́та, когда́ над культу́рой
смею́тся. Вы что же ду́маете — у нас степь велика́, так
нас ниче́м и не возьмёшь? Нет, мы про́бовали ша́пками
заки́дывать. Не те времена́. Ки́нули нас на фронт,
че́рез две неде́ли — бой. Офице́ры — в но́вых ла́ковых
сапога́х, на́чисто вы́бриты, чи́стые, и нам — по ча́рке
коньяку́ и папиро́с. В зу́бы, коне́чно, никто́ не бьёт, но
команди́ры говоря́т серьёзно: «Ребя́та, не посрами́м
ру́сского ору́жия! Отступа́ть невозмо́жно, потому́ что,
ме́жду про́чим, на за́дних пози́циях — францу́зы с пулемётами»...

— Э́то францу́зы, свои́ же по свои́м?

— А ты как ду́мал?.. Ну, хорошо́. Мы в то вре́мя о
культу́ре ещё ничего́ не зна́ли. Прика́з — наступле́ние.
Зна́чит — музыка́нты вперёд, а мы — уррра́! и вся не-
долга́, гру́дью в штыки́... А нас — и бомбомётами, и
огнемётами, и пулемётами, и га́зом, и во́нью, и с аэро-
пла́нов све́рху, и с та́нков в лоб... А сза́ди — францу́зы:
вали́! вали́! Вот тебе́ ру́сский челове́к и попа́л в Ев-
ро́пу... Вам хорошо́ в степи́ портка́ми трясти́, а вас туда́
бы... Апропо́,— как францу́зы говоря́т,— апропо́, ис-
кроши́ли всю на́шу диви́зию. Нам, коне́чно, оби́дно
э́то, врага́ мы всё-таки вы́били. За́няли пози́цию. А на
друго́й день — прика́з: отступи́ть. Был э́то не бой, а
демонстра́ция.

— Это что же такое?

— Ну, вроде — репетиции.

— А это что?

— С вами, ребята, образованному человеку говорить нельзя. Ну, вроде — напоказ.

— Ага!

— Нам, конечно, растолковали, будто немцы испугались, и теперь войне конец. Кто умнее, этому не поверил. Искрошить дивизию мы бы и дома могли. А вот начальство большие награды получило за этот бой.

— Поддержали славу оружия.

— Вот то-то, что... Нас отвели в тыл. Действительно, и вино, и говядина, и табаку — вдоволь. Но в России заминка с деньгами, или неудача на фронте — союзники начинают воротить морду; нас опять кидают на позиции, и мы — грудью идём на немцев. Нет, ребята, не страшно умирать, а страшно умирать зря. Иной мужик и в городе уездном сроду нé был, а ему приказ — умирать за морем; там ему отрывают руки и ноги и прожигают газом, и французская дамочка кладёт ему на могилу цветок. Солдатики плакали втихомолку — вот до чего обидно. Но мы оттого безропотные, что у нас культуры нет,— у нас одни песни. И многие в ту пору стали дружить с сенегальцами, с чёрными людьми, обучали их по-русски, те нас — по-африкански. Вместе горевали. Звали их к нам, в степи.

— Это как-так — чёрные?— спросили из-под телеги.

— А как дёготь, и здоровые мужики. И среди них есть очень дельные мужики. Мы расспрашивали — то же самое, что у нас: кукурузу сеют, просо, свиней у них много. А вот птицы у них не те.

— Не те?

— У нас, ска́жем, э́та ме́лочь — воробьи́, скворцы́, воро́ны. А у них — пелика́н-пти́ца, с носи́щем в полтора́ арши́на.

Хоть и темно́ бы́ло, но расска́зчик почу́вствовал, как оди́н из слу́шателей усмехну́лся, друго́й покача́л голово́й. Он помолча́л небольшо́е вре́мя, разрыва́я в золе́ уголёк, раскури́л тру́бку.

— Да. По́мню — сижу́ в бара́ке. Два земляка́, Ива́н Ры́ндин — монтёр, шофёр, электри́чик, сло́вом, на все ру́ки — да Алексе́й Костоло́бов, пи́шут письмо́ в ро́дину. А у меня́ живо́т боле́л. На во́ле — дождь, ве́тер,— ску́ка. Вдруг вхо́дит пра́порщик, весь мо́крый, в грязи́: «Здоро́во, това́рищи солда́ты. Я, мол, пря́мо из Пари́жа, привёз вам ра́достную весть: поздравля́ю с вели́кой бескро́вной револю́цией»... И пошёл, и пошёл чеса́ть... Мы то́лько перегля́дываемся. А Ива́н Ры́ндин смекну́л. Выступа́ет и говори́т без обиняко́в: «Э́того мы давно́ ждём, отпусти́те нас тепе́рь скоре́е на ро́дину, потому́ что там без нас зе́млю поде́лят». Пра́порщик как вспы́хнет: «Ах, су́кины вы де́ти, говорю́ э́то вам в после́дний раз... Нет, ваш свяще́нный долг тепе́рь сража́ться до после́дней ка́пли кро́ви за свобо́ду!» Хло́пнул две́рью и ушёл. Диви́зию на́шу сейча́с же перекину́ли в глубо́кий тыл и там дава́й обраба́тывать на ми́тингах, что́бы мы домо́й не проси́лись, а проси́лись в бой. А мы ра́зве им мо́жем возрази́ть без культу́ры? У нас да́же винто́вки отобра́ли. Зна́чит,— опя́ть умира́ть.

— А я бы убёг,— сказа́ли под теле́гой.

— Ду́ра. Геогра́фии не зна́ешь. И, что я вам скажу́: э́ти господа́ в шля́пах, кото́рые к нам приезжа́ли рука́ми

махать на митингах, хуже нам были военного начальства. Ей-Богу. Несут чепуху — махнёт тебе рукой на виноградники: «Вы,— говорит,— не забывайте, что эта почва породила Дантона и Камилла Демулена»...
А нам всё равно, кого она породила, мы правду хотим знать. Кто русской землёй распоряжается? Кто теперь хозяин? Почему нас во Франции гноят? Зачем вы нас обманываете, раз мы — некультурные?

— Так мы зубами и лязгали до самых большевиков. А в ноябре, здорово живёшь, загнали нас за проволоку. Поставили пулемёты. Голодный паёк. И эти дамочки: мимо нас идёт — погрозит кулачишком. Мы, конечно, бунт. Нас из пулемётов, из броневиков. Зачинщиков расстреляли, по ихнему обычаю, у столбов. Вот тебе и русские орлы!

С земли поднялась рослая фигура с бородой от ушей, заслонила звёзды. Поддёрнув портки, сказала:

— Я, ребята, сам за французов кровь проливал.

— Где это тебя угораздило?

— А на Мазурских озёрах. Наших там тысяч сто побили.

Мужики помолчали. Дергач перелетел поближе и тыркал, казалось, где-то за телегой. Над краем степи в одном месте как будто просветлело — это должна была скоро показаться луна.

— Сидели мы без малого год за проволокой на положении пленных,— опять заговорил рассказчик.— А у французов большая нехватка в рабочих руках... По причине примерного поведения отпустили меня на подённую работу, где я захочу. Надоумили поехать в Марсель. Там встретился я с Алексеем Костолобовым

и с Иваном Рындиным.— Стали мы грузить пароходы.
Заработали в скором времени на этой погрузке четыре
тысячи двести франков, но опять-таки через свою некуль-
турность: спины здоровы. Иван Рындин и говорит:
5 «Не век нам, ребята, ящики таскать, давайте подыщем
работу почище». Гимнастёрки мы побросали, спра-
вили чистую одежду, рубашки с галстуками, шляпы.
На это хлопнули без малого тысячу. Но на улице нас
уже не толкают, придёшь в кафе: «Гарсон, вянблан!»—
10 Подбегает половой: «Кескевуле?»— значит — чего же-
лаете? И тащит белого вина. И мы стараемся между
собой говорить по-французски, не иначе.

Под телегой фыркнули. Затем кто-то, видимо, в
темноте щёлкнул того по затылку. Рассказчик продол-
15 жал:

— Доехали мы по железной дороге до Тулузы. Пере-
сели на узкоколейку, вылезли на одной станции и пошли
пешком в уездный город, в глушь. Идём по шоссе, в
холодке, под деревьями. Кругом — поля, виноградни-
20 ки. Земля, как сад, разделана. На хуторки заглядишь-
ся. Живут тихо, сытно, и народ в этих местах живёт
старый. Молодых совсем мало.

— Перебиты?

— Которые перебиты, а которые в города уходят.
25 Деревенская работа им теперь не нравится — тяжела.
Каждому хочется поскорее схватить, веселее пожить.
Война, как ложкой, весь народ перемешала. Мы так и
думали, что Рындин привёл нас в эти места на сельскую
работу: на нас все поглядывали из-за палисадников —
30 старики и старушки, особенно на Алексея Костолобова
— длинный мужик, здоровенный. Но нет. Сели

отдохнуть у канавы, Рындин и говорит: «Про эти места
мне давно рассказывали. Здесь такая скука — люди
на ходу засыпают. Конечно, в Париже, например, нам
без культурного образования пробиться трудно, там нас
5 всякий зашибёт. Но здесь легко можем сойти за столич-
ных авантюристов».

— А это что же такое?

— Авантюрист — по-нашему — мастер на руки, другие работают, он пенки снимает[1].

10 — Есть такие.

— За границей, между прочим, они большие отла-
мывают дела. На культуре всё основано. Ты там, под
телегой, знаешь, что такое акция?

— Чего это? (Сквозь смех.) А ну тебя...

15 — Акция это, брат ты мой, такая бумага: купил её —
тебе за это платят, продал — опять деньги платят. Ты
год будешь спину ломать — авантюрист в минуту больше заработает. Он мигнул кому-то: «Покупаю, мол,
акцию»... А у самого — заметь — в кармане — битая
20 вошь. Всё дело, кому мигнуть... И ему несут деньги...

После этих слов опять началось качанье головами.
Кто-то закряхтел, вспомнив, должно быть, что и ему
приходилось иметь дело с иностранцами и не далее, как
под Новороссийском. Рассказчик, очень довольный,
25 похрипывал трубочкой.

— Так-то, — сидим на канаве и ахаем, а Рындин
рассказывает. Обдумали наше предприятие со всех
сторон. Под вечер пришли в город. Красивый городок

---

[1] Рассказчик употребляет слово «авантюрист» не совсем в
обычном смысле, очевидно избегая слова «спекулянт», как слиш-
ком узкого понятия. (А. Т.)

— ре́чка, сады́, ка́менные доми́шки с зелёными ста́вня-
ми, в ка́ждом на дворе́ — голубя́тня. На у́лицах —
чи́сто. Тишина́ и ску́ка. И мы э́той ску́ке ра́ды... До
обе́да обошли́ го́род круго́м три ра́за. И у са́мой реки́,
5 неподалёку от база́рной пло́щади, Ры́ндин указа́л на
оди́н амба́р — ка́менный, стари́нный, кре́пкой стро́йки:
«Здесь,— говори́т,— на́ше сча́стье». Амба́р э́тот мы
арендова́ли на́ год за са́мые пусты́е де́ньги... Ры́ндин
взял две ты́сячи, вы́дал нам роспи́ску и уе́хал в Пари́ж.
10 Отту́да присла́л телегра́мму: «Уда́ча, всё доста́л, пиши́-
те вы́веску». Мы тем вре́менем му́сор вы́везли, о́коло
амба́ра подмели́, посы́пали песо́чком и заняли́сь писа́ть
вы́веску. Че́рез неде́лю Ры́ндин верну́лся с двумя́ я́щи-
ками. «Ну, ребя́та, за́втра открыва́емся». И но́чью мы
15 пове́сили вы́веску. На у́тро весь го́род а́хнул. «В е р с а́ л ь.
Но́вость! Пе́рвый раз в го́роде. Кинемато́граф из Па-
ри́жа. Весёлое и поле́зное развлече́ние для лиц обо́его
по́ла. Для нача́ла бу́дет пока́зано: (1) Кошма́рная дра́-
ма из жи́зни пари́жских банди́тов. (2) Умори́тельные
20 приключе́ния одного́ до́ктора. (3) В переры́ве вы́сту-
пит ру́сский велика́н Алексе́й Костоло́бов с лома́нием
об го́лову до́сок и други́х предме́тов».

Для э́того но́мера Ры́ндин привёз вя́заные штаны́,
фуфа́йку и трубу́. К семи́ часа́м у нас всё бы́ло гото́во:
25 аппара́т поста́вили, ле́нты прове́рили, Алексе́я оде́ли в
кра́сную вя́занку, научи́ли скрипе́ть зуба́ми, когда́ дой-
дёт де́ло — лома́ть до́ски. Ры́ндин сел в ка́ссу, я стал
внутри́ — проверя́ть биле́ты, сажа́ть на места́, выкли-
ка́ть карти́ны, Костоло́бов зареве́л в трубу́ — за ре́чкой
30 слы́шно. Смо́трим — потяну́лись францу́зы.

Три́ста фра́нков собра́ли в пе́рвый ве́чер, да́ли три

сеанса, и четвёртый бы дали, но Костолобов отказался
ломать доски — голову намял. Французам очень понра-
вился наш театр — действительно, до того времени к
ним ни один кинематограф не заезжал,— глушь. Риско-
5 вать боялись. А у нас дело пошло хорошо. Рындин
привёз вторую серию — и к нам с хуторов стали прихо-
дить. Особенно дивились на Костолобова. «Это,—
говорят,— монстра, о ля ля!» Действительно, здоровый
мужик: берёт он доску в полтора дюйма и хрясть её об
10 голову — дамочки вскакивают и его щупают. Деньги
у нас не переводятся. В гостинице — почёт. Гуляешь
по городу — не поспеваешь кланяться. И стали мы
жиреть, стали скучать. На разное баловство потянуло.
И пьём мы один бенедиктин. А тут зима пришла,
15 дожди, сумерки. Костолобов как напьётся, так — пла-
кать: «Не видать, — говорит, — мне сроду тихого Дону,
лучше бы я жил в степях бобылём каким-нибудь без-
лошадным, чем перед французами выламываться. Это
неприлично». Так и сидим долгий вечер, три мужика
20 в гостинице, пьём бенедиктин, говорим по-французски, а ветер за окошком надрывается, ветер зовёт в
степи.

— По кизячку заскучали.

— По гнезду.

25 — А у нас тут были дела, покуда вы прохлаждались
с тиятром. Не то, что сейчас,— одни верхоконные
носились по степи. Пушечки постреливали...

— Как столб телеграфный, так, смотри, и человек
висит.

30 — Повторяю,— продолжал рассказчик,— будь мы
культурные, мы бы денежки прикопили и — в Париж,

например, акциями бы занялись, стали бы ходить с дамочками по роскошным ресторанам. Словом — развлекались. А у нас — только и разговоров, что про деревню — как там, да что, да живы ли... Может, и России-то уж больше нет.

— Гы! (Под телегой).

— А что ты думаешь... Рындин привозил из Парижа газеты, там прямо писали: «Россия пропала: одни кресты, и народ разбрёлся, кто куда». В зимние вечера много выпили ликёру под эту тоску. Поговорить нè с кем, ни поругаться, ни пошуметь... Вот приезжает как-то на масленой Рындин из Парижа. Сеанс отслужили. Электричество погасили. И Рындин повёл нас за амбар нà берег. «Ну, ребята,— говорит,— хотите ехать на родину?»— «Как? Что?»— «Генерал Деникин вызывает добровольцев, дают экипировку, проездные и подъёмные».— «Против кого же воевать?» спрашиваем.— «Против большевиков, потому что они у крестьян, у казаков землю отняли и хлеб отнимают, и эти большевики — на германской службе, распродают Россию, хотят её передать германцам. Говорил мне это верный человек в комитете. А вот и газеты,— и показывает нам газеты, — в них то же сказано». Недолго мы с Костолобовым думали: «Едем. И ты с нами?»— «Нет,— он говорит, — я вас потом догоню, надо дело ликвидировать». И мы, два дурака, не поняли, что он нас обманывает: жадность его заела — с нами барышами жалко делиться, и он нас спроваживает. У него уж был нанят на место Костолобова француз, фокусник-шпагоглотатель, человек-змея,— бродяга, зà пять франков в вечер. А мы: «Едем и едем». Так что же вы думаете: французы узнали, что мы с Костолобовым уезжаем воевать, пришли с нами прощаться. Явился в гостиницу городской голова, подпоясанный, как при исполнении обязанностей, трёхцветным шарфом, и с ним депутация. Вызвали нас. Голова подаёт нам бумагу с печатями и говорит: «В этой бумаге официально город благодарит вас за насаждение культурного развлечения в виде театра «Версаль». Мы сами, говорит, до этого не додумались, что у нас от войны головы скружились, и мы скучали, а вы развлекли нас, соединив приятное с полезным». Я в ответ: «Мерси, домой приедем, оттуда вам напишем». Костолобов говорить, конечно, не мастер — только плакал. Ну, выпили с депутацией…

— И что же — попали на фронт?

— Через месяц высадились в Новороссийске. Подплыли к родной земле — что было… Так бы эту винтовку и кинул в море. Нас ехало добровольцев человек двести, и мы сговорились — покуда не пообсмотримся — зря не стрелять.

— Ведь по своим же.

— Конечно. Мы это понимали, не дураки. Высадились. Смотр. Командующий, как полагается, говорит: «Здорово, орлы, постоим грудью за единую, неделимую!»— «Эге,— думаем,— про этих орлов мы уже семь лет слышим». И мы начинаем замечать, что — нет, не туда попали: опять генералы, опять господа, и мы, будто бы, не при чём, опять мы — серая скотинка. А господ видимо-невидимо, больше, чем мужиков,— плюнуть негде. Так. Вот попали мы с Костолобовым в наряд за дровами — с нами ещё человек двадцать — в гору поднялись, в лес, офицерика прикололи, царствие

ему небесное, и перебегли к зелёным. А оттуда —
пообсмотрелись — и — по деревням...

— Тут вас в красную армию и закрючили.

— Само собой.

— И под Варшаву.

— А что ж такое... Теперь-то мы уж знали — за что
воевать. Я так скажу — мы горя хлебнули, но видели
много полезного. Ни в каком случае нам нельзя без
культуры — пропадём... Я почему не люблю, когда под
телегой смеются. Ты смейся над смешным, вихрастый,
а тебе рассказывают про обиды над человеческим до-
стоинством... Тут надо над собой задуматься...

Над степью взошла луна, посеребрила траву. Неподалёку отсвечивали металлом пласты пашни. Забелела
дорога, и на ней, бросая длинную тень, показался верховой. Он ехал шагом, без седла, вёз мешок с хлебами.
Тем, кто лежал на земле, он казался великаном, за
спиной его поднимался желтоватый лунный шар. Чей-
то голос сказал негромко:

— Ну и чортушко.

Другой:

— Он не то, что доску об голову — ось переломит.

Рассказчик позвал подъехавшего верхового:

— Алёша, она где у тебя? В телеге что ли, в сумке?

— Кто? — спросил верховой густым голосом: —
Тпру! Кто?

— Фотография. Мы с ним снялись на крыльце, тут —
разные животные, и мы сидим с книжками. Послали
во Францию городскому голове.

АЛЕКСАНДР ЯКОВЛЕВ

КИТАЙСКАЯ ВАЗА

I

На зéмлях грáфа Орлóва усéлось два селá и семь деревéнь. Легкó ли? Сóрок тысяч десятúн — огрóмная палестúна. Бывáло, éдешь цéлый день по шихáнской дорóге — спрóсишь ýтром, спрóсишь вéчером: «Чья
5 земля?» И отвéт бýдет одúн: «Грáфская!»

И когдá пришлá та бýрная делёжная óсень, и на всех концáх уéзда запылáли пожáры, так вот эти два селá и семь деревéнь едвá не передралúсь мéжду собóй.

Шихáны кричáли:
10 — Граф наш! Мы должны громúть егó!

Ключú кричáли:

— Граф наш! Мы спокóн векóв на негó хрип гнýли, мы и должны громúть...

И дерéвни тóже — всяк в свою стóрону тянýл.
15 Орýжия тóже вездé мнóго быýло — с фрóнта принеслú; покричáли, покричáли, да и к винтóвкам ужé дéло дошлó.

Спасúбо, нашёлся в Ключáх ýмный человéк:

— Зачéм,— говорúт,— нам дрáться да стрáду при-
20 нимáть? Мы раздéлим всё по-мúрному.

— Как по-мúрному?

— А так... по-едокáм. Все нáши едокú на грáфа рабóтали, вот и раздéлим...

И что же? убедúл: согласúлись поделúть грáфа
25 по-едокáм, так сказáть, по-брáтски.

Сосчитали, сколько народу в двух сёлах и семи деревнях, разделили на курмыш — двадцать два курмыша вышло — так на двадцать две кучи и делили.

Стулья и диваны — на двадцать две кучи.

Посуда и овцы — на двадцать две кучи.

Машины и жеребцы — на двадцать две кучи.

Стёкла из рам выставили — тоже на двадцать две кучи разделили. Ключёвский стекольщик, Семён Едрейкин, своим собственным алмазом все стёкла перекромсал — по самой точной братской справедливости.

Опять же крышу железную с дома и построек — всю разняли по листам.

И листы справедливо — на двадцать две кучи.

И остался дом без крыши и без рам, вроде лошадиный череп в степи у дороги белеет в зелёной траве, а чёрные провалы глаз глядят со смиренным укором. Ходили по дому мужики и бабы, выискивали, нельзя ли ещё что унести да поделить — на двадцать две кучи. А делить-то уже и нечего было. Только в дальней комнате, которую все называли «галдареей», остались на стенах картины да посредине комнаты огромная, точно кадушка, китайская ваза на подставке из красного дерева, да ещё в углах — в одном углу белый статуй, а в другом белая статуиха. Стояли они совсем голые, как есть всё у них наружу, хоть бы тряпочкой закрыть кто догадался. На первых порах, когда только-только народ в барский дом хлынул, срамно было войти в эту галдарею, особливо женскому полу.

Справедливый человек Степан Михалыч упреждал всех:

— Ба́бы, де́вки, не ходи́те туда́, там го́лый стату́й стои́т.

А ины́е мужики́ подзу́живали:

— Иди́те, ба́бы, иди́те, де́вки, там са́мая сласть.

5 И пе́рвых два делёжных дня ни одна́ ба́ба, ни одна́ де́вка туда́ не ходи́ли. Лишь мужики́ да па́рни зайду́т — пря́мо гро́мом грохо́чут:

— А,— говоря́т,— гляди́те, всё вида́ть!..

Пото́м и ба́бы пошли́. Сперва́ закрыва́лись стыдли́во
10 платка́ми, плева́лись: пото́м ничего́, попривы́кли...
Туда́-сюда́, изла́зили всё, оты́скивая, нельзя́ ли что ещё унести́ и подели́ть. Карти́ны? Ма́ленькие подели́ли. Но ма́леньких немно́го бы́ло. А то всё больши́е. Ина́я в це́лую сте́ну — не то́лько в мужи́чьей избе́, на дворе́
15 мужи́чьем и то не уме́стишь.

И оста́лись так: по стена́м карти́ны, ва́за посреди́не, а в двух угла́х стату́й и статуи́ха стоя́т го́лые, всё у них нару́жу.

А о́кна пусты́е, без стёкол — и октя́брьский ве́тер
20 сви́щет в них на просто́ре.

Справедли́вый челове́к Степа́н Миха́лыч все э́ти дни — са́мые делёжные — из ба́рской уса́дьбы совсе́м не уходи́л: он вро́де за ста́росту был от села́ Шиха́ны, смотре́л, чтобы всё бы́ло по-бра́тски. Так и пое́сть ему́
25 приноси́ли из до́ма в уса́дьбу. И вся́кий раз, передава́я еду́, Мико́лка говори́л:

— Тятя́ша, тебя́ де́душка Илья́ зовёт.

— Заче́м зовёт?

— А я не зна́ю. «Покли́чь,— говори́т,— Степа́шу».
30 — Ну, подождёт. Небольша́я е́кстренность у него́. Не́когда сейча́с.

То́лько на седьмо́й день Степа́н Миха́лыч заяви́лся домо́й. И не успе́л он отпря́чь ло́шадь, на крыльцо́ вы́шла Ду́ня, сказа́ла:

— Степа́н, иди́-ка скоре́й к де́душке, зовёт тебя́ чево́й-то. По ноча́м и то не спит, дожида́ется.

Степа́н Миха́лыч со двора́ прошёл к де́ду — в пристро́ечке он жил, где ку́хонька — весь бе́лый — в посконной бе́лой руба́хе, в поско́нных бе́лых порта́х сиде́л дед на ко́ннике, худо́й и смо́рщенный, а голова́ сло́вно в бе́лой ша́пке — седа́я да кудла́тая.

— Ты что, де́душка? — гро́мко кри́кнул Степа́н Миха́лыч.

Дед поверну́л к нему́ го́лову, и в ту́склых глаза́х у него́ что́-то заблесте́ло. Он потёр одну́ босу́ю но́гу о другу́ю, зашевели́лся, заши́пел:

— Ва́-зу бы мне... Ва́зу бы погляде́ть.

— Каку́ю ва́зу? — удиви́лся Степа́н Миха́лыч.

— Ва́зу, что у гра́фа в дому́. Погляде́ть бы. Где она́?

— Ва́за пока́ там сто́ит, в галдаре́е.

— Погляде́ть бы. Отвези́ меня́.

— Да заче́м тебе́? — спроси́л Степа́н Миха́лыч и усмехну́лся.

Дед помаха́л руко́й и заша́мкал:

— Царь подари́л её... гра́фу-то на́шему. Из Петербу́рга на тро́йке везли́. Шу́бами оку́тали. По́мню я. На саня́х. Три дня мужики́ вино́ пи́ли, пра́здновали. Как же? Погляде́ть бы опя́ть...

Степа́н Миха́лыч рассмея́лся, кри́кнул:

— Что же, за́втра пое́дем, покажу́!

II

Смея́лись в Шиха́нах, смея́лись на доро́гах, когда́ узнава́ли, куда́ и заче́м повёз Степа́н Миха́лыч де́да Илью́. А в уса́дьбе, где толкло́сь мно́жество наро́ду из 5 двух сёл и семи́ дереве́нь, теле́гу Степа́на Миха́лыча окружи́ли венцо́м. Шу́тками да прибау́тками встре́тили де́да Илью́.

— Ого́, сто пять годо́в ему́, а он, гляди́те-ка, прие́хал име́ние дели́ть!

10 — Стар да умён — сло́во не упу́стит.

— Ва́зу, ва́зу ему́ жела́тельно.

— Крепостно́е пра́во по́мнит. Как же? Ему́ тепе́рь пе́рвое ме́сто.

Дед Илья́ вы́лез из теле́ги и одеревяне́лыми нога́ми 15 заша́ркал к ба́рскому пара́дному крыльцу́. Толпа́ с шу́мом повали́ла за ним. Де́да подпира́ли и спра́ва и сле́ва — почти́ на рука́х его́ потащи́ли.

— Сто пять годо́в жил, а в э́тих хоро́мах нѐ был. Иди́! Тепе́рь всё на́ше.

20 Привели́ де́да в галдаре́ю, пря́мо к ва́зе.

— Вот она́, гляди́.

Ора́ли, то́пали, смея́лись.

Дед, опира́ясь на подожо́к, вы́прямился и погляде́л на ва́зу. Глаза́ у него́ бы́ли се́рые, прозра́чные, совсе́м 25 вы́цвели, как ста́рое стекло́. Он смотре́л на ва́зу мо́лча.

— Э́та, что ли?— кри́кнул у него́ над у́хом ры́жий мужи́к.

Илья́, ничего́ не отве́тив, заша́ркал в сто́рону, что́бы погляде́ть на ва́зу с друго́го бо́ка. Останови́лся, опя́ть 30 погляде́л при́стально и мо́лча. Пото́м проскрипе́л:

— Э́та... са́мая.

И его ответ, как нечто очень смешное, вызвал хохот в толпе.

— Верно! Эта самая!

Дед Илья зашамкал беззубым ртом:

— Когда царь подарил графу-то... три дня праздновали. Вино пили... на барском дворе. Потом, когда привезли в усадьбу... ещё пили три дня... вино.

— А за что подарил? Ты не слыхал?— опять крикнул у деда над ухом рыжий мужик.

— Как не слыхал? Слыхал. Наш граф замиренье сделал с какой-то державой — не то с китайцем, не то с арапами. Не упомню я. Ну вот и подарил... Везли из Петербурга в санях её. Закутали шубами. И на перинах. Как барыню какую.

— Э, гляди, чем тешились буржуи.

— Кровушку нашу пили, а сами вазы на перинах возили.

— Вазы ещё ничего. А вот гляди — статуя со статуйхой тоже здесь поставили.

— Ребята, а ну, покажите деду статуйху. Пущай поглядит, чем господа тешились.

— Веди его. Веди.

С усмешками подвели деда к статуйхе, поставили, как надо. Дед молча и очень пристально посмотрел на статуйху — от ног до головы. Кругом жадно шептали:

— Разглядывает.

— Не ослеп бы совсем.

— Не ослепнет. Глаза только прочистит.

Дед, словно ошеломлённый, оглянулся кругом, потом опять уставился на статуйху, глянул минуту молча и вдруг —«Тьфу!»— плюнул.

Толпа́ гро́хнула хо́хотом, так что пыль полете́ла с облу́пленных стен. Смешли́вый ры́жий мужи́к, исступлённо хохоча́, поскользну́лся на парке́те, растяну́лся во весь рост.

5   — Ребя́та!— заора́л он, поднима́ясь с по́ла:— Пожёртвуем де́ду Илье́ ва́зу. На кой она́ нам? Всё равно́ здесь зря бу́дет стоя́ть.

И мно́жество голосо́в откли́кнулось сра́зу:

— Ве́рно! Же́ртвуем! Ура́!

10 Справедли́вый челове́к Степа́н Миха́лыч замаха́л изо всех сил рука́ми:

— Куда́ она́ нам? Нет уж, уво́льте. Я и не свезу́ её. В ней, мо́же, сто пудо́в бу́дет.

— А мы подмо́жем. Ребя́та, подмо́жем?

15 — Подмо́жем! Подмо́жем!— закрича́ли со́тней гло́ток.

— То́лько пусть уж и статуя со статуи́хой возьмёт. Одно́ к одному́.

И тако́е ди́кое весе́лье заполони́ло дом и уса́дьбу, 20 како́го здесь от ве́ка веко́в не быва́ло. Напра́сно Степа́н Миха́лыч крути́л голово́й, маха́л рука́ми... Мужики́ са́ми — всем га́мозом — вы́несли че́рез пара́дный ход сперва́ кита́йскую ва́зу, пото́м ста́туи, уложи́ли в соло́му на теле́ги, повезли́ в Шиха́ны,— к де́ду Илье́.

25 Сам дед Илья́ вме́сте со Степа́н Миха́лычем е́хал впереди́. Це́лым обо́зом е́хали, а круго́м, шлёпая по осе́нней грязи́, шла густа́я толпа́ и громоно́сно хохота́ла.

Ду́ня, узна́в, что везу́т не то́лько кита́йскую ва́зу, но и статуя со статуи́хой, заперла́ воро́та, взяла́ па́лку, и 30 вы́шла навстре́чу толпе́.

— Э́то вы что же? — закрича́ла она́, когда́ толпа́ и

обо́з останови́лись у двора́.— Э́то вы что же, срами́ть наш двор хоти́те? У меня́ де́ти ма́лые, у меня́ де́вка на вы́даньи, а вы ко мне голяко́в везёте? Не пущу́!

— Нельзя́, нельзя́!— загалде́ла толпа́.— Мир постанови́л пожертвовать вам, отказа́ться нельзя́. Принима́й!

Ду́ня подняла́ па́лку, зашага́ла к теле́ге, где из соло́мы выгля́дывали бе́лые мра́морные ру́ки.

— Разобью́ всё в черепки́!— закрича́ла она́.

Степа́н Миха́лыч пойма́л её за́ руку, стро́го погляде́л в глаза́, сказа́л вполго́лоса:

— Ве́чером спра́вимся. А сейча́с молчи́.

— Что э́то в са́мом де́ле? Ай мы ху́же други́х? Вон к Костарёву не везу́т э́ту срамоти́щу. Почему́ везу́т к нам?

— Молчи́!— опя́ть стро́го проговори́л Степа́н Миха́лыч и пошёл отворя́ть воро́та.

Под ру́готню Ду́ни и под весёлые кри́ки толпы́ возы́ въе́хали во двор. Толпа́ — са́мые здоро́вые мужики́ — са́ми внесли́ ва́зу на крыльцо́. Хоте́ли внести́ в избу́ — Ду́ня ничего́ не говори́ла про́тив,— но ва́за не проле́зла в дверь. Так на крыльце́ её и поста́вили. А ста́туи, с просолёнными шу́тками да прибау́тками, помести́ли в уголке́ под сара́ем. Двор битко́м наби́лся наро́дом — крик да смех на всё село́. Степа́н Миха́лыч закры́л ста́туи рого́жей и соло́мой. И то́лько по́сле э́того весёлая толпа́ ста́ла расходи́ться.

III

Прошло́ ме́сяца три, и уже́ по всей окру́ге ста́ли забыва́ть о том, как дели́ли гра́фа. Мужики́ и ба́бы, старики́ и де́ти,— все, все, кто жил в гра́фских двух сёлах и семи́ дере́внях, тепе́рь ду́мали то́лько об одно́м: как разде́лят весно́й гра́фскую зе́млю? Иму́щество что? Иму́щество не суть. Суть в земле́. Не́што ва́жно, кому́ что доста́лось при пе́рвой делёжке: кому́ жеребе́ц «Корса́р», кому́ шлёнские о́вцы, кому́ кита́йская ва́за? Ва́жно вот, кому́ доста́нется ози́мой клин, что у Ко́зьего боло́та — земля́ там, как ва́кса, оди́н урожа́й це́лое село́ мо́жет обогати́ть.

И в ду́мах о земле́ мужики́ ка́ждый ве́чер озабо́ченно собира́лись по се́льским сове́там и до утра́ спо́рили и крича́ли. И справедли́вый челове́к Степа́н Миха́лыч на таки́х собра́ниях крича́л не ху́же други́х... Возвраща́ясь домо́й по́здно но́чью, когда́ по селу́ уже́ труби́ли петухи́, он на крыльце́ остана́вливался пе́ред кита́йской ва́зой, о́щупью достава́л из неё берёзовый ве́ничек, обива́л ве́ничком снег с ва́ленок и заходи́л в избу́. Ва́за уже́ отодви́нулась в у́гол на крыльце́, тепе́рь никому́ не меша́ла, все к ней привы́кли, и в неё кла́ли ве́ники, кото́рыми подмета́ли избу́ и се́ни. Лишь иногда́, зайдя́ под сара́й, Степа́н Миха́лыч и́здали смотре́л на ста́туи. Его́, челове́ка справедли́вого, да́же в э́ти забо́тные дни глода́ла ду́ма, как бу́дто к де́лу неподходя́щая. Вгля́дываясь в бе́лый мра́мор, он всё прики́дывал: «Как э́то господа́ держа́ли у себя́ таку́ю па́кость? Мужику́ внести́ в избу́ и то срам». И в недоу́мке пока́чивал голово́й. Он по́мнил, что де́лала Ду́ня в те пе́рвые дни, когда́ привезли́ ста́туи.

— Разбе́й и разбе́й!

То́лько и слов её бы́ло.

— Подожди́, ду́ра, разби́ть успе́ем. На́до сперва́ поня́ть,— успока́ивал её Степа́н Миха́лыч.

— И понимать тут нечего. Господа распутниками были,— кричала Дуня.— И ты хочешь распутником быть? Ишь ты, голую бабу под сараем держит. Срам сказать.

Степан Михалыч только крякал, сам смущённый и полный недоумения. Он и с дедом советовался:

— Гляди-ка, срам какой у господ-то был.

Дед Илья шамкал в ответ:

— Известно, господа. Им что? У них стыду нет.

— Не у всех, чай. Сама графиня-то... церковь у нас выстроила, богомольной была, а видишь, дома на голого каменного мужика глядела. Как это?

— Они чудные, господа-то. Вот один граф был... лягушек ел. Баловство.

— Ну да, а вот статуй-то со статуихой. Нехорошо ведь. Грех.

— Кто же их знает? А може... оно и не грех.

Ещё советовался Степан Михалыч со псаломщиком Алексеем Николаевичем.

— Зачем графья у себя голяков держали?

Алексей Николаич подумал и сказал:

— Для приятной разгулки времени.

Так и не добился Степан Михалыч настоящего толку.

Раз, уже перед масленой, он ехал мимо разгромлённой усадьбы. Кругом всё было занесено снегом. Липовую аллею, что протянулась от парадного крыльца до ворот, ещё не рубили, хотя тогда же кричали — при делёжке, что срубить надо непременно, а то липы окончательно перестоятся и ни на какое дело не будут годны. Сбоку аллеи Степан Михалыч заметил торную тропку.

«Что ж э́то в уса́дьбе де́лают?»— заинтересова́лся Степа́н Миха́лыч. Он привяза́л ло́шадь у воро́т и прошёл в дом. Сугро́бы сне́га лежа́ли на парке́те. Обо́дранные сте́ны покры́лись тёмными пя́тнами. На потолке́ то́н-
5 ким сло́ем лежа́л и́ней. Степа́н Миха́лыч прошёл по пусты́м ко́мнатам в галдаре́ю — и́менно туда́ вела́ тро́п-ка. В галдаре́йке шурша́ла пила́. Степа́н Миха́лыч осторо́жно гля́нул в дверь. Кто́-то в но́вом полушу́бке и за́ячьем треу́хе пили́л одноручной пило́й золоту́ю ра́му.
10 Карти́н на стена́х уже́ не́ было. Да́же не́ было тех здоро́вых крюко́в, на кото́рых карти́ны висе́ли,— вме́сто них в штукату́рке видне́лись огро́мные вы́боины.

— Бог в по́мощь!— насме́шливо кри́кнул Степа́н Миха́лыч.

15 Челове́к, пили́вший ра́му, вздро́гнул и ре́зко оберну́лся. Э́то был ме́льник Ива́н Дрю́нин.

— Ах, чтоб тебя́!— засмея́лся он.— Испуга́л-то как. Заче́м нелёгкая принесла́?

— А погляде́ть, что в ба́рском дому́ де́лается.

20 — Гляди́ вот. Последнюю ра́му допи́ливаю. Вишь, тепе́рь окромя́ стен ничего́ не остаётся.

— А карти́ны где?

— Где ж им быть? К ме́сту определи́лись. Ба́бы тепе́рь из них штаны́ да руба́хи шьют.

25 — Да как же так? Ведь э́то же неспосо́бно.

— Кому́ неспосо́бно, а кому́ и в са́мый раз.

И нетороплв́во и по-мужи́чьи делови́то ме́льник Дрю́нин рассказа́л: всё из до́ма вы́везли, а карти́ны вися́т. Како́й-то мужи́к а́хнул с доса́ды по са́мой большо́й
30 карти́не кулако́м, провали́л дыру́ в пол-арши́на — кло́чья пови́сли. Одна́ ба́ба подошла́: «Ай,— говори́т,—

батюшки, холст-то хоро́ший. На штаны́ годи́тся». Сейча́с же ножа́ми да ко́сами все карти́ны из рам вы́резали, на куски́ подели́ли, унесли́.

— Ну, а кра́ску-то как же?

— И кра́ску научи́лись своди́ть. Ба́ба — де́ло хи́трое. В корча́гу, в щёлок, да в пе́чку. Три ра́за прокипятя́т — всю кра́ску отъе́ст.

— И незаме́тно?

— У ино́го заме́тно. Гляди́шь, на спине́ рука́ аль на штани́не глаз. Да что же? Изно́сят. Ны́не хоть кака́я мате́рия — сойдёт.

— Всё, зна́чит, пошло́ в де́ло?

— Как же? Вот я после́днюю ра́му допи́ливаю.

— А для чего́ тебе́ она́?

— Под карни́зом на избу́ прибью́. С одного́ бо́ка уже́ приби́л — хорошо́ выхо́дит. Краси́во. Кто ни е́дет, всяк на мою́ избу́ смо́трит.

— Да,— протяну́л Степа́н Миха́лыч,— краси́во... У́мные лю́ди всему́ де́ло даду́т. А я вот ни ва́зе, ни статуя́м ме́ста не найду́.

— Не всё вдруг. Придёт о́сень, в ва́зе огурцы́ посоли́ть мо́жно. А ста́туи на огоро́д поста́вить — заме́сто чу́чела. О́чень про́сто... Ты не приду́маешь, сообща́ приду́маем. Мирско́й ум — вели́кое де́ло.

IV

Что ж, проро́ком оказа́лся ме́льник Дрю́нин. Весну́ простоя́ла ва́за без де́ла, ле́то простоя́ла, а в а́вгусте-густое́де, на са́мую Евдоке́ю-огуре́шницу, на семе́йном сове́те Лимарёвы пореши́ли засоли́ть в ва́зе огурцы́.

— Зна́мо, засоли́ть,— сказа́ла Ду́ня.— Чего́ ве́щия без де́ла стои́т?

Справедли́вый челове́к Степа́н Миха́лыч всё же покрича́л на́ ухо де́ду Илье́:

5 — Огурцы́ хоти́м соли́ть в ба́рской-то ва́зе.

Дед Илья́ помота́л голово́ю, прохрипе́л:

— Нет, я не пое́ду. Спина́ что́-то ло́мит.

— Я не зову́ е́хать. Я говорю́: огурцы́ в твое́й ва́зе соли́ть хоти́м. Э, глуха́я тете́ря!

10 Так и не доби́лся ничего́. Совсе́м стар Илья́, не слы́шит, не ви́дит — умира́ть пора́. Ве́чером, вы́бравшись на крыльцо́, Илья́ до́лго гляде́л на пусто́й у́гол, о чём-то ду́мая. Но ничего́ не спроси́л, бу́дто забы́л, что здесь стоя́ла ва́за.

15 Лишь сосе́дки верте́ли языка́ми:

— Дуня́ша, да куда́ вы ва́зу де́ли?

— В по́греб спусти́ли. Огурцы́ засоли́ли. Вот, ма́тушки мои́, стра́ды-то при́няли, когда́ опуска́ли. В ней, мои́ ми́лые, не ина́че, как два́дцать пудо́в.

20 — И не разби́ли?

— Ни кро́шечки не разби́ли. Хоть бы край како́й, и то цел оста́лся. Боя́лись разби́ть. Е́жели тре́щина — беда́ ведь: весь рассо́л вы́течет.

— А статуя́-то со статуи́хой куда́ де́ли?

25 — В конопля́нник за ба́ню отнесли́. Хоте́ли разби́ть, да ключёвский оди́н говори́т, вишь торго́вцы е́здят, покупа́ют заба́вки ба́рские. Мо́же, и до нас дое́дут. Хотя́ бы прода́ть скоре́е, а то срамота́.

Но должно́ жа́дностью э́той накли́кала ба́ба несча́-
30 стье и на село́, и на дом на свой: не успе́ли огурцы́ просоли́ться, глядь, из го́рода прие́хали в Шиха́ны каки́е-

то три молодца́ в ке́пках и с револьве́рами. И пря́мо в се́льский сове́т. И пря́мо председа́теля допра́шивать:

— Куда́,— спра́шивают,— ва́ши крестья́не де́ли кита́йскую ва́зу?

Председа́тель туда́-сюда́, хоте́л ка́к-нибудь глаза́ отвести́. Не ту́т-то бы́ло. Молодцы́ не сдаю́тся.

— Мы,— говоря́т,— коми́ссия са́мая стро́гая. Мы,— говоря́т,— должны́ отбира́ть у вас все худо́жественные ве́щи, взя́тые в гра́фском име́нии.

И показа́ли председа́телю таку́ю бума́гу, что не отда́й ве́щи,— иди́ пря́мо под расстре́л.

Тут председа́тель и сказа́л:

— Ва́за у Степа́на Лимаре́ва в по́гребе.

Когда́ коми́ссия — в ке́пках и с револьве́рами — пришла́ на лимаре́вский двор да уви́дела ва́зу с огурца́ми в по́гребе, дво́е пря́мо гро́мом загрохота́ли — смешно́ им показа́лось. А тре́тий — бри́тый, с бубу́кающим го́лосом, аж позелене́л от зло́сти, закрича́л:

— А, с истори́ческой ве́щью так обраща́ться? Позо́р! Сейча́с же выва́ливайте огурцы́ прочь!

Здесь и Степа́н Миха́лыч вступи́лся.

— Нет, граждани́н-това́рищ, прошли́ те времена́, когда́ мужи́чье добро́ на́ землю вали́ли. Ва́зу я не отда́м, пока́ мы огурцы́ не съеди́м.

А тот одно́ своё.

— Выкида́й огурцы́ прочь!

И пря́мо к но́су суёт одно́й руко́й бума́гу, а друго́й — револьве́р.

— Мо́жно переложи́ть огурцы́ в каду́шку,— сказа́л смешли́вый член коми́ссии.

— И переложи́ть нельзя́,— упо́рно сказа́л Степа́н

Миха́лыч:— огурцы́ пропаду́т, е́жели их в нача́ле засо́-
ла перекла́дывать.

А коми́ссия ничего́ не слу́шает, суёт бума́жку да
револьве́р — и шаба́ш.

5   И Ду́ня угова́ривать бы́ло приняла́сь прие́зжего:

— Вы лу́чше у нас статуя со статуйхой возьми́те,
то́лько ва́зу оста́вьте.

Ничего́ не помогло́: пришло́сь переложи́ть огурцы́ в
каду́шку. И коми́ссия не то́лько ва́зу взяла́, но и ста́туи.
10 И да́же по всему́ селу́ прошла́ из до́ма в дом: где что
бы́ло — всё подмела́ под чи́стую: дива́ны, сту́лья, часы́,
посу́ду... Стеко́льщик Едре́йкин золочёный буди́льник
в наво́з бы́ло спря́тал, так и в наво́зе отыска́ли. Пятна́д-
цать подво́д в селе́ взя́ли — повезли́ в го́род... И на
15 пере́дней, оку́танную в ковры́ да в се́но, везли́ кита́й-
скую ва́зу...

Справедли́вый челове́к Степа́н Миха́лыч три дня
по́сле э́того ходи́л сам не свой: серди́лся.

— Должно́, но́вые господа́ в го́роде прояви́лись...
20 Го́лых баб им с ва́зами ста́ло на́до...

Ещё прошло́ шесть лет. Уже́ у́мер де́душка Илья́ и
его́ пра́внук Мико́лка учи́лся после́дний год в шко́ле.
Весно́й, в па́мять оконча́ния учёбы, шко́льники вме́сте
с учи́телем Петро́м Петро́вичем е́здили в уе́здный го́род
25 посмотре́ть городски́е дико́винки. Вороти́лся Мико́лка
домо́й о́чень удивлённый:

— Тя́тя,— говори́т,— госпо́дская-то ва́за в музе́е. И
статуи там же.

Справедли́вый челове́к Степа́н Миха́лыч о́чень уди-
30 ви́лся.

— Статуи? Ишь ты. Закрыты, поди, чем-нибудь?

— Ничем не закрыты. Стоят голые.

Отец и мать переглянулись. Расспросить бы, да как расспрашивать мальчишку, если... если статуи голые? Уже когда ушёл Миколка, ушёл на улицу рассказывать приятелям о городских диковинках, Степан Михалыч раздумчиво сказал жене:

— А, Дуня, дела-то какие. Ничего не поймёшь. Мы стыдились статуйхи, а другие люди в музей её ставят. Почему такое?

— Балует народ. Распустились,— сказала Дуня.

— Нет, тут что-то другое. Тут не одно баловство. Надо бы дознать. И господа вот... образованный народ был, а голых статуй не боялись. Почему?

В первое же воскресенье — с возом масла, яиц и молока — Степан Михалыч и Дуня поехали в город. Молочный ряд кончается как раз против угольного круглого дома, где прежде была городская дума. Теперь на этом здании висела голубая широкая вывеска с золотыми буквами: «Городской музей». Продавая с воза молоко и масло, Степан Михалыч всё посматривал на ворота: кто идёт в этот музей? Прошли ребята гурьбой — мальчишки и девочки — с женщиной в шляпе — должно быть, ученики с учительницей. Прошла женщина в очках и с нею мужчина с острой седенькой бородкой. Потом семеро мужчин в пиджаках, но с чумазыми руками — рабочие с завода. И ещё, и ещё народ...

Степан Михалыч слез с воза, отряхнул со штанов приставшую солому, поправил рубаху и сказал нерешительно:

— Ты вот что, Дуня́ша... Ты посмотри́ здесь.

— А ты куда́?

— А я... вот в музе́й схожу́... Погляжу́. Мо́жет, Мико́лка врёт.

5 Нереши́тельно, всё дожида́ясь, что подойду́т к нему́ сторожа́ и кри́кнут: «Ты куда́, мужи́к, прёшь?» — Степа́н Миха́лыч вошёл в музе́й. Но сторже́й нѐ было. Де́вица в очка́х сиде́ла у две́ри, отбира́ла гри́венники, дава́ла биле́тики. Она́ сказа́ла не стро́го:

10 — Проходи́те в э́ту дверь.

Осторо́жно, то́чно боя́сь слома́ть ме́дную ру́чку, Степа́н Миха́лыч отвори́л дверь и про себя́ а́хнул: пря́мо про́тив две́ри, на кра́сной подста́вке, стоя́ла бе́лая статуи́ха. Во́зле неё ходи́ла же́нщина в очка́х и муж-
15 чи́на с о́строй боро́дкой и при́стально и вме́сте споко́йно рассма́тривали статуи́ху со всех сторо́н. А среди́ за́лы, на са́мом почётном ме́сте, то́же на кра́сной подста́вке, стоя́ла кита́йская ва́за. Степа́н Миха́лыч усмехну́лся: вспо́мнил про огурцы́.

20 Ва́за тепе́рь была́ вы́чищена, така́я, что не дотро́нься. На бе́лом карто́не печа́тными бу́квами бы́ло напи́сано... напи́сано как раз то, что, быва́ло, расска́зывал де́душка Илья́ про э́ту ва́зу...

В друго́м углу́ стоя́л статуй — совсе́м неприкры́тый.
25 И хо́дят лю́ди — вот э́ти рабо́чие с чума́зыми рука́ми, шко́льники с учи́тельницей, мужчи́ны, же́нщины — и, вида́ть, никому́ не со́вестно. Степа́н Миха́лыч осмотре́л все ко́мнаты: ме́бель, карти́ны, ковры́ — ещё мра́морные голя́чки есть... И чего́-то... каки́м-то ду́хом на него́
30 пове́яло — э́ти чи́стые ко́мнаты, э́ти карти́ны, и све́ту везде́ мно́го...

Осторо́жно ступа́я по блестя́щему ско́льзкому по́лу, Степа́н Миха́лыч верну́лся в пе́рвую ко́мнату, где стоя́ли кита́йская ва́за и ста́туи. И ему́ показа́лось: от бе́лой ста́туи идёт ла́сковый свет. И под ло́жечкой шевельну́лась ра́достная смеши́нка. «Что тако́е?» Вот бу́дто весно́й, у́тром, вы́ехал в по́ле... а день тако́й пого́жий. А в пого́жий день весно́й, кому́ не быва́ет хорошо́?

М. ЗОЩЕНКО

СТРАДАНИЕ МОЛОДОГО ВЕРТЕРА

Я ехал однажды на велосипеде. У меня довольно хороший велосипед. Английская марка — Б. С. А. Приличный велосипед, на котором я иногда совершаю прогулки для успокоения нервов и для душевного равновесия.

5 Очень хорошая, славная современная машина. Жалко только — колёсья не все. То есть колёсья все, но только они сборные. Одно английское, другое московское. И руль украинский. Но всё-таки ехать можно. В сухую погоду.

10 Конечно, откровенно говоря, ехать сплошное мученье, но для душевной бодрости, и когда жизнь не особенно дорога,— я выезжаю.

И вот, стало быть, еду однажды на велосипеде.

Каменноостровский проспект. Бульвар. Сворачиваю 15 на боковую аллею вдоль бульвара и еду себе.

Осенняя природа разворачивается передо мной. Пожелтевшая травка. Грядка с увядшими цветочками. Жёлтые листья на дороге. Чухонское небо надо мной.

Птички щебечут. Ворона клюёт мусор. Серенькая 20 собачка лает у ворот.

Я гляжу на эту осеннюю картинку, и вдруг сердце у меня смягчается, и мне неохота думать о плохом. Рисуется замечательная жизнь. Милые, понимающие люди. Уважение к личности. И мягкость нравов. И 25 любовь к близким. И отсутствие брани и грубости.

И вдруг от таких мыслей мне захотелось всех обнять, захотелось сказать что-нибудь хорошее. Захотелось крикнуть: «Братцы, главные трудности позади. Скоро мы заживём, как фон-бароны».

Но вдруг раздаётся вдалеке свисток.

«Кто-нибудь проштрафился,— говорю я сам себе,— кто-нибудь, верно, не так улицу перешёл. В дальнейшем, вероятно, этого не будет. Не будем так часто слышать этих резких свистков, напоминающих о проступках, штрафах и правонарушениях».

Снова недалеко от меня раздаётся тревожный свисток и какие-то окрики и грубая брань.

«Так грубо, вероятно, и кричать не будут. Ну, кричать-то, может быть, будут, но не будет этой тяжёлой, оскорбительной брани».

Кто-то, слышу, бежит позади меня. И кричит осипшим голосом:

— Ты чего ж это удираешь, чорт твою двадцать! Остановись на минуту.

«За кем-то гонятся» — говорю я сам себе и тихо, но бодро еду.

— Лёшка,— кричит кто-то,— забегай слева. Не выпущай его из виду!

Вижу — слева бежит парнишка. Он машет палкой и грозит кулаком.

Я оборачиваюсь назад. Седоватый почтенный сторож бежит по дороге и орёт, что есть мочи.

— Хватай его, братцы, держи! Лёшка, не выпущай из виду!

Лёшка прицеливается в меня, и палка его ударяет в колесо велосипеда.

Тогда́ я начина́ю понима́ть, что де́ло каса́ется меня́. Я соска́киваю с велосипе́да и стою́ в ожида́нии.

Вот подбега́ет сто́рож. Хрип раздаётся из его́ груди́. Дыха́нье с шу́мом вырыва́ется нару́жу.

5   — Держи́те его́! — кричи́т он.

Челове́к де́сять доброхо́тов подбега́ют ко мне и начина́ют хвата́ть меня́ за́ руки. Я говорю́:

— Бра́тцы, да что вы, обалде́ли! Что вы с ума́ спя́тили совме́стно с э́тим постаре́вшим болва́ном?

10   Сто́рож говори́т:

— Как я тебе́ а́хну по зуба́м — бу́дешь оскорбля́ть при исполне́нии служе́бных обя́занностей... Держи́те его́ кре́пче... Не выпуща́йте его́, наха́ла.

Собира́ется толпа́. Кто́-то спра́шивает:

15   — А что он сде́лал?

Сто́рож говори́т:

— Мне пятьдеся́т три го́да, — он, су́ка, пря́мо загна́л меня́. Он е́дет не по той доро́ге... Он е́дет по доро́жке, по кото́рой на велосипе́дах прое́зду нет... И виси́т,
20 ме́жду про́чим, вы́веска. А он, как ненорма́льный, е́дет... Я ему́ свищу́. А он нога́ми кру́жит. Не понима́ет, ви́дите ли. Как бу́дто он с луны́ свали́лся... Хорошо́, мой помо́щник успе́л останови́ть его́.

Лёшка проти́скивается сквозь толпу́, впива́ется свое́й
25 клешнёй в мою́ ру́ку и говори́т:

— Я ему́, гадю́ке, хоте́л ру́ку переби́ть, чтоб он не мог е́хать.

— Бра́тцы, — говорю́ я, — я не знал, что здесь нельзя́ е́хать. Я не хоте́л удира́ть.

30   Сто́рож, запыха́ясь, восклица́ет:

— Он не хоте́л удира́ть! Вы ви́дели на́глые ре́чи.

Веди́те его́ в мили́цию. Держи́те его́ кре́пче. Таки́е у меня́ завсегда́ убега́ют.

Я говорю́:

— Бра́тцы, я штраф заплачу́. Я не отка́зываюсь. Не верти́те мне ру́ки.

Кто́-то говори́т:

— Пуща́й предъя́вит докуме́нты, и возьми́те с него́ штраф. Чего́ его́ зря волочи́ть в мили́цию.

Сто́рожу и не́скольким доброво́льцам охо́та волочи́ть меня́ в мили́цию, но под давле́нием остально́й пу́блики сто́рож, стра́шно руга́ясь, берёт с меня́ штраф и с ви́димым сожале́нием отпуска́ет меня́ восвоя́си.

Я иду́ со свои́м велосипе́дом, пока́чиваюсь. У меня́ шуми́т в голове́, и в глаза́х мелька́ют круги́ и то́чки. Я бреду́ с разворо́ченной душо́й.

Я по доро́ге сгоряча́ произношу́ по́шлую фра́зу: «Бо́же мой». Я масси́рую себе́ ру́ки и говорю́ в простра́нство: «Фу!»

Я выхожу́ на на́бережную и сно́ва сажу́сь на свою́ маши́ну, говоря́:

«Ну ла́дно, чего́ там. Поду́маешь,— нашёлся фон-баро́н, ру́ки ему́ не верти́».

Я ти́хо е́ду по на́бережной. Я позабыва́ю грубова́тую сце́ну. Мне рису́ются преле́стные сце́нки из недалёкого бу́дущего.

Вот я, предположи́м, е́ду на велосипе́де с колёсьями, похо́жими друг на дру́га, как две ка́пли воды́.

Вот я свора́чиваю на э́ту злосча́стную алле́йку. Чей-то смех раздаётся. Я ви́жу — сто́рож идёт в мя́гкой шля́пе. В рука́х у него́ цвето́чек — незабу́дка и́ли там осе́нний тюльпа́н. Он ве́ртит цвето́чком и, смея́сь, говори́т:

— Ну, куда́ ты зае́хал, дружо́чек? Чего́ э́то ты с ду́ру не туда́ су́нулся? Э́кий ты, ми́лочка, ротозе́й. А ну, валя́й обра́тно, а то я тебя́ оштрафу́ю — не дам цветка́.

Тут, ти́хо смея́сь, он подаёт мне незабу́дку. И мы, 5 полюбова́вшись друг дру́гом, расстаёмся.

Э́та ти́хая сце́нка услажда́ет моё страда́ние. Я бо́дро е́ду на велосипе́де. Я верчу́ нога́ми. Я говорю́ себе́: «Ничего́. Душа́ не разорвётся. Я мо́лод. Я согла́сен сто́лько уго́дно ждать».

10 Сно́ва ра́дость и любо́вь к лю́дям заполня́ют моё се́рдце. Сно́ва хо́чется сказа́ть им что́-нибудь хоро́шее и́ли кри́кнуть:

«Това́рищи, мы стро́им но́вую жизнь, мы победи́ли, мы перешагну́ли че́рез грома́дные тру́дности,— дава́йте 15 всё-таки ка́к-нибудь уважа́ть друг дру́га».

ЛЕОНИД ЛЕОНОВ

ЗАПИСКИ КОВЯКИНА

Переполох моей души

...Бросил кто-то книжечку в уголок, а я подобрал и прочитал ночью вприсест. Объяснялось, будто всё существование от обезьяны. Потому, мол, и вышел человек таким, что он от обезьяны! Я прочёл, закрыл страничку, и так мне тут обидно стало, сам не знаю отчего. Что ж, думаю, значит, и волос прикрывать не надо, если от обезьяны? Зачем же, думаю, хвастаться-то человеческим голышом? И так сидел я всю ночь, как в столбняке. Поясницу ломит, а мысли бегут и бегут всё. Даже мне тут холодно стало: какую ещё дулю, думаю, поднесут мне, что же это за эпизоды такие?! И вдруг на рассвете четырнадцатого сентября 1918 года понял я целиком, что стишки мой — это чушь! Я даже понял, что и всё чушь! И я чушь, и братец чушь! И всякое, что пищит, тоже чушь, потому что от обезьяны! Цвели на полянке вот там одуванчики, но их вытоптала чушь. Прав ты был, незабвенный благодетель мой, что всё на свете есть чушь, плавающая в тумане жизни. Дивлюсь я только, как это над чушью такое небо голубое висит, как не стыдно! Должно быть, я стал сходить с ума...

Что ж, думаю, за дело такое? Где же судьба людей? И вдруг припомнил я Терлюкова, что он ещё поране меня над обезьяной голову ломал. Побежал я к нему. Он сидел и пришивал карман к шубе медным проводом (медным — чтоб крепче). Вбегаю к нему, спрашиваю: «Димитрий Никанорович, как же,— говорю,— если всё от обезьяны?» А он мне: «Точно,— говорит,— от обезьяны. Но только человек-то от волка повёлся!» Обалдел я весь, спрашиваю его тихо, а у самого в горле так и хрипит: «А волк откуда вышел? Отвечай, Димитрий Никанорыч, дай ответ сердцу, миленький!» — «А волк,— говорит,— полагаю, от червя, или там от блохи какой!»— и сам хмурится. «А блоха, блоха,— откуда она, мёрзкая, свой корень имеет?»— «Блоха? Полагаю — от сырости блоха завелась»,— отвечает Димитрий Никанорыч и начинает палец грызть. «А сырость откуда получилась? Не молчи, не молчи, терзай до конца!»— кричу я ему в смятении души. «А сырость от скуки, полагаю, завелась. Было скучно, стало сыро, вот и началась игра…»

Я и глаза раскрыл. Не знаю — реветь, не знаю — драться. Вылетел я от Терлюкова, помчался прямым ходом к о. Геннадию. «Геннадий,— ещё в дверях кричу, — неужто мы с тобой от скуки завелись? Разреши сомненья, где тут суть?» А Геннадий засмеялся: «От скуки, говоришь? Это наврал тебе Терлюков. Начало всему есть Вышний! А в Терлюкове это толчок неопытного беса!» Ага, думаю, изобретатель одноглазый!— и полетел к Терлюкову. Бегу к нему через весь город, спотыкаюсь и зубами поскрежещиваю: «Врёшь ты,— кричу я ему, едва прибежал,— перпетун несчастный! Я от Вышнего, а это ты от скуки завёлся!» А он, Димитрий-то Никанорыч, смеётся да так и пронзает меня цельным своим глазом: «Тебе поп наврал, чтоб власть над тобою взять. В наше время всегда так будет: кто лучше врёт, тот и властвует! Вышнего никакого нет, а Вышний твой тоже от скуки завёлся...»

Поняв, что небылицу городил мне всю мою жизнь Геннадий, осатанел я вконец. С криком, как бешеный, помчался я к нему стремглав. «Поп,— кричу,— нет никакого Вышнего! И сам твой Вышний от сырости произошёл. Зачем ты врал мне, Геннадий, которого я считал другом своего сердца?» А Геннадий усмехнулся тонко и говорит: «Что ж, в голенище на небо смотреть, так не то что Вышнего, а и луны иной раз не увидишь...»

Я тут хотел «караул» кричать и собственным криком поперхнулся. Скакнул я в дверь, а Геннадий захохотал мне вслед. Даже не помню, как перескочил я через все геннадиевы пороги. А на другой день я и слёг. Сперва мутило, потом знобило, а потом как бы чуркой по голове. Я и провалился. Спасла меня бибинская супруга — добрейшая бабочка, жить ей кротко и безболезно сотню лет! Бывало, очнусь,— Катерина Андреевна рядом сидит, на сундучке. Печка трещит, за окном снег падает, а в голове пустота. И вся она, голубятня моя, дырява как мышеловка. Тут я снова провалюсь куда-то, и нет меня. Всё Наташу видел я в тёмной ямке моего бесчувствия, будто я ей стишки написал, а она всё отмахивается: «Какие уж тут стишки, всё это чушь в полнейшем виде целиком!»

Потом встал я через месяц, всё во мне клубилось. Ещё больше тоска меня стала прижимать, чем тогда, в те часы, как я от Геннадия к Терлюкову через весь Гогулёв петушком бегал. Ах, хуже это Помпеевых трясений — переполох людской души!

Пробовал я потом справки наводить, что это за человек такой был, что до обезьяны додумался? «Великий человек!»— отвечают. Тут я и пожалел о тех временах, когда ни одна личность великая Гогулёва не посещала, ни сном ни духом. По-моему, как я дошёл, чем больше личностей, тем хуже. Всякая личность такая крови требовала. А мне кажется, что больше капля крови человеческой стоит, чем вся личность с потрохами целиком. Ох, славно на земле жить будет, когда личности переведутся: тихо и безмятежно! Некому будет допытываться, от которой причины цветы цветут. И птичку никто резать не будет, чтоб узнать, которым она местом поёт. Поёшь — и пой, и очень превосходно!

МИХАИЛ ШОЛОХОВ

ТИХИЙ ДОН

(Часть 8, гл. 17)

...Григорий расседлал коней, стреножил их, положил под куст сёдла и оружие. Обильная густая роса лежала на траве, и трава от росы казалась сизой, и по косогору, где всё ещё таился утренний полумрак, она отсвечивала тусклой голубизной. В полураскрытых чашечках цветов дремали оранжевые шмели. Звенели над степью жаворонки, в хлебах, в душистом степном разнотравьи дробно выстукивали перепела: «Спать пора! Спать пора! Спать пора!» Григорий умял возле дубового куста траву, прилёг, положив голову на седло. И гремучая дробь перепелиного боя, и усыпляющее пение жаворонков, и тёплый ветер, наплывавший из-за Дона с неостывших за ночь песков,— всё располагало ко сну. Кому-кому, а Григорию, не спавшему много ночей подряд, пора было спать. Перепела уговорили его, и он, побеждённый сном, закрыл глаза. Аксинья сидела рядом, молчала, задумчиво обрывала губами фиолетовые лепестки пахучей медвянки.

— Гриша, а никто нас тут не захватит?— тихо спросила она, коснувшись стебельком цветка заросшей щеки Григория.

Он с трудом очнулся от дремотного забытья, хрипло сказал:

— Никого нету в степи. Заряз же глухая пора. Я усну, Ксюша, а ты покарауль лошадей. Потом ты уснёшь. Сон сморил меня... сплю... Четвёртые сутки... Потом погутарим...

— Спи, родненький, спи крепше!

Аксинья наклонилась к Григорию, отвела со лба его 5 нависшую прядь волос, тихонько коснулась губами щеки.

— Милый мой Гришенька, сколько седых волос-то у тебя в голове...— сказала она шопотом.— Стареешь, стало быть? Ты же недавно парнем был...— И с 10 грустной полуулыбкой заглянула в лицо Григорию.

Он спал, слегка приоткрыв губы, мерно дыша. Чёрные ресницы его, с сожжёнными солнцем кончиками, чуть вздрагивали, шевелилась верхняя губа, обнажая плотно сомкнутые белые зубы. Аксинья всмот-15 релась в него внимательнее, и только сейчас заметила, как изменился он за эти несколько месяцев разлуки. Что-то суровое, почти жестокое было в глубоких поперечных морщинах между бровями её возлюбленного, в складках рта, в резко очерченных скулах... И она 20 впервые подумала как, должно быть, страшен он бывает в бою, на лошади, с обнажённой шашкой. Опустив глаза, она мельком взглянула на его большие узловатые руки и почему-то вздохнула.

Спустя немного, Аксинья тихонько встала, перешла 25 поляну, высоко подобрав юбку, стараясь не замочить её по росистой траве. Где-то недалеко бился о камни и звенел ручеёк. Она спустилась в теклину лога, устланную замшелыми, покрытыми прозеленью, каменными плитами, напилась холодной родниковой воды, умы-30 лась и досуха вытерла порумяневшее лицо платком. С губ её всё время не сходила тихая улыбка, радостно

светились глаза. Григорий снова был с нею! Снова
призрачным счастьем манила её неизвестность... Много
слёз пролила Аксинья бессонными ночами, много горя
перетерпела за последние месяцы. Ещё вчера днём, на
огороде, когда бабы, половшие по соседству картофель,
запели грустную бабью песню,— у неё больно сжалось
сердце, и она невольно прислушалась:

> Тега-тега, гуси серые домой.
> Не пора ли вам наплаваться?
> Не пора ли вам наплаваться,
> Мне, бабёночке, наплакаться...—

выводил, жаловался на окаянную судьбу высокий
женский голос, и Аксинья не выдержала: слёзы так и
брызнули из её глаз! Она хотела забыться в работе, за-
глушить ворохнувшуюся под сердцем тоску, но слёзы
застилали глаза, дробно капали на зелёную картофель-
ную ботву, на обессилевшие руки, и она уже ничего не
видела и не могла работать. Бросив мотыгу, легла на
землю, спрятала лицо в ладонях, дала волю слезам...
Только вчера она проклинала свою жизнь, и всё окру-
жающее выглядело серо и безрадостно, как в ненастный
день, а сегодня весь мир казался ей ликующим и свет-
лым, словно после благодатного летнего ливня. «Най-
дём и мы свою долю!»— думала она, рассеянно глядя
на резные дубовые листья, вспыхнувшие под косыми
лучами восходящего солнца.

Возле кустов и на солнцепёке росли душистые пёст-
рые цветы. Аксинья нарвала их большую охапку, осторожно присела неподалёку от Григория и, вспомнив
молодость, стала плести венок. Он получился нарядный
и красивый. Аксинья долго любовалась им, потом

воткнула в него несколько розовых цветков шиповника, положила в изголовье Григорию......

Поздней ночью, когда зашёл месяц, они покинули Сухой Лог. Через два часа езды спустились с бугра к
5 Чиру. На лугу кричали коростели, в камышистых заводях речки надсаживались лягушки, и где-то далеко и глухо стонала выпь.

Сплошные сады тянулись над речкой, неприветно чернея в тумане.

10 Неподалёку от мостка Григорий остановился. Полночное безмолвие царило в хуторе. Григорий тронул коня каблуками, свернули в сторону. Ехать через мост он не захотел. Не верил он этой тишине и боялся её. На краю хутора они переехали речку вброд и только
15 что свернули в узкий переулок, как из канавы поднялся человек, за ним — ещё трое.

— Стой! Кто едет?

Григорий вздрогнул от окрика, как будто от удара, натянул поводья. Мгновенно овладев собой, он громко
20 отозвался: «Свой!»— и, круто поворачивая коня, успел шепнуть Аксинье:— «Назад! За мной!»

Четверо из заставы недавно расположившегося на ночёвку продотряда молча и неспеша шли к ним. Один остановился прикурить, зажёг спичку. Григорий с силой
25 вытянул плетью коня Аксиньи. Тот рванулся и с места взял в карьер. Пригнувшись к лошадиной шее, Григорий скакал следом. Томительные секунды длилась тишина, а потом громом ударил неровный, раскатистый залп, вспышки огня пронизали темноту. Григорий услышал
30 жгучий свист пуль и протяжный крик:

— В ружьё-ё-ё!..

Саженях в ста от речки Григорий догнал машисто уходившего серого коня,— поравнявшись, он крикнул:

— Пригнись, Ксюша! Пригнись ниже!

Аксинья натягивала поводья и, запрокидываясь, валилась набок. Григорий успел поддержать её, иначе она бы упала.

— Тебя поранили? Куда попало?! Говори же!..— хрипло спросил Григорий.

Она молчала и всё тяжелее наваливалась на его руку. На скаку прижимая её к себе, Григорий задыхался, шептал:

— Ради Господа-Бога! Хоть слово! Да что же это ты?!

Но ни слова, ни стона не услышал он от безмолвной Аксиньи.

Верстах в двух от хутора Григорий круто свернул с дороги, спустился к яру, спешился и принял на руки Аксинью, бережно положил её на землю.

Он снял с неё тёплую кофту, разорвал на груди лёгкую ситцевую блузку и рубашку, ощупью нашёл рану. Пуля вошла Аксинье в левую лопатку, раздробила кость и наискось вышла под правой ключицей. Окровавленными трясущимися руками Григорий достал из перемётных сум свою чистую исподнюю рубашку, индивидуальный пакет. Он приподнял Аксинью, подставил под спину ей колено, стал перевязывать рану, пытаясь унять хлеставшую из-под ключицы кровь. Клочья рубашки и бинт быстро чернели, промокали насквозь. Кровь текла также из полуоткрытого рта Аксиньи, клокотала и булькала в горле.

И Григорий, мертвея от ужаса, понял, что всё кончено, что самое страшное, что только могло случиться в его жизни,— уже случилось...

По крутому склону яра, по тропинке, пробитой в траве и усеянной овечьими орешками, он осторожно спустился в яр, неся на руках Аксинью. Безвольно опущенная голова её лежала у него на плече. Он слышал свистящее, захлёбывающееся дыхание Аксиньи и чувствовал, как тёплая кровь покидает её тело и льётся изо рта ему на грудь. Следом за ним сошли в яр обе лошади. Фыркая и гремя удилами, они стали жевать сочную траву.

Аксинья умерла на руках у Григория незадолго до рассвета. Сознание к ней так и не вернулось. Он молча поцеловал её в холодные и солёные от крови губы, бережно опустил на траву, встал. Неведомая сила толкнула его в грудь, и он попятился, упал навзничь, но тотчас же испуганно вскочил на ноги. И ещё раз упал, больно ударившись обнажённой головой о камень. Потом, не поднимаясь с колен, вынул из ножен шашку, начал рыть могилу. Земля была влажная и податливая.

Он очень спешил, но удушье давило ему горло, и чтобы легче было дышать — он разорвал на себе рубашку. Предутренняя свежесть холодила его влажную от пота грудь, и ему стало не так трудно работать. Землю он выгребал руками и шапкой, не отдыхая ни минуты, но пока вырыл могилу глубиною в пояс — ушло много времени.

Хоронил он свою Аксинью при ярком утреннем свете. Уже в могиле он крестом сложил на груди её мертвенно побелевшие смуглые руки, головным платком

прикры́л лицо́, чтобы земля́ не засы́пала её полуот-
кры́тые, неподви́жно устремлённые в не́бо и уже́ на-
ча́вшие тускне́ть глаза́. Он попроща́лся с не́ю, твёрдо
ве́ря в то, что расстаю́тся они́ ненадо́лго...

Ладо́нями стара́тельно примя́л на моги́льном хо́лмике
вла́жную жёлтую гли́ну и до́лго стоя́л на коле́нях во́зле
моги́лы, склони́в го́лову, ти́хо пока́чиваясь.

Тепе́рь ему́ не́зачем бы́ло торопи́ться. Всё бы́ло ко́н-
чено.

В ды́мной мгле суховея встава́ло над я́ром со́лнце.
Лучи́ его́ серебри́ли густу́ю седину́ на непокры́той голо-
ве́ Григо́рия, скользи́ли по бле́дному и стра́шному в
свое́й неподви́жности лицу́. Сло́вно пробуди́вшись от
тя́жкого сна, он по́днял го́лову и уви́дел над собо́й
чёрное не́бо и ослепи́тельно сия́ющий чёрный диск
со́лнца.

NOTES

References are to page and line

КУСТ СИРЕ́НИ

This neat little story (1894) is characterized in a sub-title as шу́тка—an anecdote or even a jest, but it shows in embryo the characters who were to appear in Kuprin's most famous novel of army life, *The Duel* (1905), in which a wife struggles amid the triviality and cruelty of her surroundings to raise her husband to a higher and more responsible place in life.

1.1 Никола́й Евгра́фович: adults are formally called by their Christian name and patronymic. The latter is derived from the father's Christian name with the addition of the suffixes -ович, -евич, -ич (*masc.*) or -овна, -евна, -(ин)ична (*fem.*).

1.13 в акаде́мии генера́льного шта́ба, 'at the Staff College'.

1.16 инструмента́льную съёмку, 'the scale plan' (*lit.* 'instrumental survey').

1.21 торже́ственно прова́ливался, 'achieved a resounding failure' (*lit.* 'failed triumphantly').

1.23 не будь жены́, 'had it not been for his wife'. The imperative singular is frequently used to express an unfulfilled condition. Cf. 20.5 Будь капита́л, 'if I had some capital'.

1.25 Ве́рочка: *dim.* of Ве́ра, 'Vera'.

2.6 репети́торшей: *fem.* of репети́тор, 'coach, tutor'; also 'trainer, rehearser' (of chorus, corps-de-ballet, &c.).

2.18 Ко́ля: *dim.* of Никола́й, 'Nicholas'.

2.28 всю э́ту дрянь хоть в пе́чку выбра́сывай тепе́рь, 'you might just as well throw all this rubbish in the fire now'. Хоть followed by an imperative often means 'you (we, &c.) may (might) as well . . .'. Cf. 20.9 Уж э́того хоть отбавля́й!; 24.29 хоть на перемёт с обры́вком лезь!; and (with different shade of meaning) 20.12 хоть карти́ну пиши, 'you might well make a picture of it'.

3.21 как свои́ пять па́льцев, 'like the palm of my hand' (*lit.* 'my own five fingers').

3.28 с трёхвёрстной ка́рты, 'from the three-verst map', i.e. that on a scale of three versts to the inch.

6.1 Нам э́то всё равно́-с, суда́рыня, 'It makes no difference to us, madam'. The particle -c (perhaps a contraction of суда́рь, 'sir' or суда́рыня, 'madam') appended to a word was used to express respectful politeness.

6.8 бе́лая петербу́ргская ночь, 'the St. Petersburg summer night'. In those northern latitudes in summer the night is no more than a long twilight.

7.19 ва́ше-ство: *coll.* contraction of ва́ше превосходи́тельство, 'Your Excellency', in Tsarist times the usual form of address for officers of the rank of major-general and for civilians of equivalent rank.

8.12 Ты — чему́? 'What are you laughing at?' Here, as in 32.29 Ты чего́? the verb смеёшься must be understood, чего́ here meaning 'why?' 'To laugh at' is expressed by смея́ться+*dat.* (*coll.*) or +на+*acc.*; смея́ться+над+*instr.* expresses sarcasm.

ГОСТИ́НЕЦ

This story, which belongs to the year 1901, is in Andreyev's early style, in the realistic humanitarian tradition. The story, avoiding the danger of cheap, forced sentimentality remains touching and appealing in its simplicity. It is set in Orel, the provincial town in which Andreyev was born and grew up.

9.1 Сени́ста, 10.18 Се́ня: *dims.* of Семён, 'Simon'.

9.2 Сазо́нка: *dim.* of Сазо́н or Созо́нтий.

9.18 по и́мени и о́тчеству, 'by his Christian name and patronymic' (see *note* 1.1). The Christian name alone was used between in timates or in addressing juniors and other inferiors, and Sazonka, as master workman, was entitled to the dignity of 'name and patronymic' although he was по привы́чке still called Sazonka.

10.18 Как ослобоню́сь, 'As soon as I can get away'; *pop.* for как то́лько освобожу́сь: освободи́ться, 'get free'.

11.16 за кото́рый его́ дразни́ли «гу́слями», 'on account of which he had been nicknamed "psaltery"'. The psaltery is an ancient stringed musical instrument, held on the knee and played by plucking with the fingers of both hands. Гу́сли зво́нкие is frequently mentioned in Russian folk-poetry.

12.22 у завáлинки: the *zavalinka* or *zavalina* is a low mound of beaten earth heaped as a protection against cold outside the walls of an *izba* or a poor (wooden) house in a small town.

12.27 на окрáине Орлá, 'on the outskirts of Orel', a town of central Russia.

12.30 стучáли деревя́нным сту́ком, напоминáющим лéто, 'made a wooden-sounding rattle, reminding one of summer'. The reference is to the contrast between the noisy bumping of cart-wheels and the soft gliding of sledge-runners over the winter snow.

13.13 Ми́шка Поросёнок, 'Mishka the Piglet'. Ми́шка: *dim.* of Михаи́л, 'Michael'.

14.8 каёмчатый платóк, 'a handkerchief with a coloured border'.

14.21 на пéрвый день Пáсхи, 'on Easter Sunday'.

15.22 Ерофéев э́то по отéчеству, 'Erofeyev was his patronymic'. Sazonka has confused the nurse by calling his friend, in the popular (and archaic) style, Семён Ерофéев instead of Ерофéевич (or, in the colloquial form he uses a moment later, Ерофéич); Erofeyev has the form of a surname, surnames of this type having in fact developed from patronymics. По отéчеству: illiterate for по óтчеству; отéчество, 'fatherland, native country'.

15.31 пóсле вечéрен: *pop.* for пóсле вечéрни, 'after vespers'.

16.20 косну́лся лбом сырóго пóла, 'touched the damp floor with his forehead' in the traditional Orthodox земнóй поклóн, 'bowing down to the ground, prostrating oneself'.

16.24 покá не стáла затекáть головá, 'until his head began to feel swollen' (from the blood flowing into it).

17.12 звенéл жáворонок, 'a lark was singing'. The verb is usual in this context. Cf. 19.4 звеня́т трéли жáворонков; 31.19, 87.6 звенéли жáворонки.

18.12 нестрóйно гудéли весёлые прáздничные колоколá, 'there was a cheerful, discordant humming of festival bells'. Throughout Easter week anybody who wished might ring the church bells.

ЗОЛОТÓЕ ДНО

Bunin's feeling for the dark antagonism between the peasants and the gentry, and the threat to both from the town, is well brought out in this story, written in 1903, of a melancholy journey to his sister's estate and visits to other country houses on the way; poverty and decay are everywhere. The land is rich indeed, but funds and skill to make proper use of it are absent, and everywhere it is being bought up for a song by merchants from the towns. The undemonstrative coachman points out that it is not the peasant who profits by such transactions and hints that somehow or other things will have to change. The situation is reminiscent of that in Chekhov's *Cherry Orchard* (first produced in January 1904).

Title. Золото́е дно, 'A Gold-mine' (*lit.* 'golden bottom'). The expression means 'gold-mine' only in the figurative sense.

19.4 звеня́т: see *note* 17.12.

19.8 таранта́с, 'tarantass', a four-wheeled springless travelling-carriage on a long wooden chassis.

19.19 уса́дьба: a country house with its outbuildings and gardens, 'manor'.

19.23 стригу́н (from стричь, 'to crop, cut'): a year-old horse, whose mane was usually cut.

19.25 Анти́пушка: *dim.* of Анти́п.

20.5 будь капита́л: see *note* 1.23.

20.7, 8, 13, 15 земля́-то, тишина́-то, воды́-то, дно-то: the neuter pronoun то may be appended as a particle to any noun, pronoun, infinitive, &c., for emphasis or distinction. Cf. 25.1 кру́пных-то господ; 25.7 жить-то; 25.8 их-то.

20.9 Уж э́того хоть отбавля́й! 'We could do with less of that!' Cf. *note* 2.28.

20.12 И́здали — хоть карти́ну пиши́, 'From a distance it's a regular picture'. Cf. *note* 2.28.

20.13 воды́-то в нём на вершо́к, а ти́ны — на́ две саже́ни, 'there's an inch and a half of water in it, and fifteen feet of mud'. Вершо́к (1·7 inches), саже́нь (about seven feet): old measures of length.

20.18 в большо́м кологри́вовском зака́зе, 'in the big Kologrivov estate'. Зака́з here means land to which access is prohibited, from the obsolete sense 'prohibition, veto'.

21.4 Когда́ объяви́ли во́лю, 'When the liberation (i.e. of the serfs) was proclaimed' (in February 1861). Cf. 37.27, по́сле во́ли.

21.7 с мощей уго́дника: tr. 'brought back from a pilgrimage'. Any object might be blessed by being laid on the relics of a saint.

H

21.12 И про́дали-то, говоря́т, за тры́нку! 'An₍ sold, so they say, for a song!' Тры́нка: originally a copeck, late₁ three copecks.

21.14 Не своё добро́, 'It's not *his* property'. The use of the neuter adjective instead of the noun добро́ is *pop.*

21.14 Без хозя́ина, изве́стно, и това́р — сирота́: adapted from the popular saying без хозя́ина (хозя́йки) и дом сирота́, 'without a master (mistress) the house itself is orphaned'.

21.17 Арши́н чернозёму, 'Two feet of black earth'. Арши́н: an old measure of length, 28 inches.

21.29 пристяжны́е, 'the side-horses', harnessed one on each side of the shaft-horse in a troika.

22.24 Я доложу́-с, 'I will announce you, sir'. Cf. *note* 6.1.

23.6 э́то совсе́м ночле́жка! 'this is no better than a doss-house!'

23.8 Дрон: form of Андро́н(ик), 'Andronicus'.

23.10 с двойны́ми ра́мами, 'with double frames', which are used to keep houses warm in winter.

23.13 зна́ете, каки́е года́-то пошли́, 'you know how hard times have been' (*lit.* 'what sort of years have come').

23.20 Пожа́луйте-с, 'Please come in'.

24.13 Дя́дя, 'Uncle': used as friendly familiar form of address to older men by children, &c.

24.25 Хресть́нский банк: the Peasants' Land Bank, set up in 1883 to assist by loans the buying of landlords' land by peasants. Хресть́нский is *pop.* for крестья́нский, 'peasants'', by a common confusion with христиа́нский, 'Christian'.

24.26 сто-две́сти десяти́н, 'four or five hundred acres'. Десяти́на: an old measure of land, rather less than $2\frac{3}{4}$ acres.

24.27 не сообразя́сь с си́лой, *coll.* 'overestimating their strength' (*lit.* 'not having reckoned with their strength').

24.28 запутл́ются: *pop.* for запу́таются, 'are getting into difficulties'.

24.29 хоть на переме́т с обры́вком (*sc.* верёвки) лезь! 'you might as well go hang yourself!' See *note* 2.28.

25.1, 7, 8 кру́пных-то, жить-то, их-то: see *note* 20.7.

25.4 ла́вошникам: *pop.* for ла́вочникам, 'shopkeepers'.

25.6 им ведь то́лько бы купи́ть, бла́го дёшево, 'buying because it's

cheap is all they are really interested in' (*lit.* 'they really only want
to buy, thanks to its being cheap').

25.8 вот их-то, чертей, и зажа́ть бы в те́сном ме́сте! A mild form
of imprecation, 'be hanged to them!'

26.29 Ай соску́чились? 'Bored, are you?' Ай, аль, а́ли: *pop.* forms
of и́ли. Cf. 33.6 А́ли ты со мной сла́дишь? 'You don't think
you can tackle me, do you?' 67.12 Ай мы ху́же други́х? 'Are we
worse than anybody else?'

27.1 Э́то ещё ми́лость, 'This is nothing' (*lit.* 'still mercy').

ТОВА́РИЩИ

This is one of Gorky's early stories (1897). Here he is still writing in
the old Russian tradition, where a village worthy must needs be fat-
bellied and a poor peasant sympathetic, kindly, and endowed with an
artistic nature. Gorky was soon to abandon such types. The restless
Tuchkov, on the other hand, is one of the earliest of Gorky's vagabonds, an uprooted seeker after truth and justice, who may well turn
into a revolutionary or end like the Baron in Gorky's own play,
The Lower Depths (1902).

28.3 на кры́ше ста́ростиной избы́, 'on the roof of the starosta's
izba'. Ста́роста: elected head of the householders of a *mir*; see *note*
67.4.

28.9 на зава́лине: see *note* 12.22.

29.8 ква́су, 'kvass', a drink made from fermented rye bread or rye
flour.

29.12 в во́лость: the *volost* ('canton'), the smallest administrative
division in pre-revolutionary Russia, had its own court.

29.12 вы́брал в конво́йры ему́ со́тского, 'had picked out the village
constable to escort him'. Со́тский: a peasant chosen by the village
to carry out minor police duties.

29.22 Ефи́мушка, 39.1 Ефи́мка (slightly derogatory): *dims.* of Ефи́м.

30.2 о́тче: old vocative of оте́ц, 'father'. Efimushka thinks his
prisoner is «из духо́вных» (34.22, 24). Cf. 34.26 Совсе́м ты вро́де
как бы бе́глый мона́х, а то расстри́женный поп.

30.8 Прошага́ешь и пехту́рой, 'You will get there well enough on
foot.' Пехту́ра, colloquial and derogatory for пехо́та, 'infantry'.

30.27 развинченной но спорой похо́дкой привы́чного к ходьбе́, 'with the loose but efficient gait of one used to walking'.

31.4 азя́м: *regional* for a kind of long homespun overcoat.

31.8 по у́зкой просёлочной доро́ге; она́ вьюно́м вила́сь, 'by a narrow country lane that turned and twisted'. Просёлочная доро́га, '(unmade) by-road, by-way'.

31.19 Звене́ли жа́воронки: see *note* 17.12.

31.24 дуй его́ горо́й: an individual form of mild imprecation, 'be hanged to it'. Cf. 43.7 пострели́т-те горо́й.

31.25 учи́тель ска́жет... И зальёмся мы с ним, 'the teacher would say. . . . And we would burst out singing'.

32.4 Тридцати́ годо́в нѐ было, 'He wasn't thirty'; годо́в: *pop.* for лет. Cf. 40.21 три́дцать годо́в... прошло́; 64.8 сто пять годо́в ему́; and also 32.19 че́рез пять дён (for дней); 45.11 наде́лал дело́в (for дел).

33.5 то́нка ду́дочка, 'you think you are clever' (*lit.* 'you are a thin pipe'). То́нка, спе́ла (38.29), archaic short forms of attributive adjectives.

33.6 А́ли ты со мной сла́дишь?: see *note* 26.29.

33.7 на тебя́ на одну́ ле́вую ру́ку вы́йду, 'I'll settle your hash with one hand tied behind my back' (*lit.* 'with my left hand alone').

34.6 Блаже́нный ты, 'You're a simpleton'. The sense 'simple, silly' is a colloquial development of the original, and still current, meaning of блаже́нный, 'blessed'.

35.9 из каки́х? 'what sort of people (i.e. what social class) do you come from?'

37.27 по́сле во́ли: see *note* 21.4.

37.27 свихну́лись, 'went to the bad'; a more usual meaning of the word is 'go off one's head'.

38.15 расска́зывай знай, 'go on with your story'.

38.20 Ви́тя: *dim.* of Ви́ктор, 'Victor'.

38.31 люли́ мали́на! refrain of a popular song. The general meaning is 'life is good, wonderful!'

39.2 в имени́ны, 'for his name-day', i.e. the day of the saint after whom he was named, which was usually celebrated rather than the birthday. The usual expression is на имени́ны.

39.6 Пти́цы: *gen.* The singular is to be understood as a collective.

39.21 Я — моли́ть! 'I would implore him'.

40.2 пола́ти: in an *izba*, a raised platform high up between the stove and the wall, for sleeping on.

40.12 здорове́нную за́дал мне тереба́чку, 'gave me a good hiding'. Тереба́чка seems to be an invented word.

40.23 Чай: *imper.* of the old verb ча́ять, 'hope', archaic for 'I expect, I dare say, probably, possibly'.

43.7 постре́лит-те горо́й: see *note* 31.24.

43.22 Петро́вна: cf. *note* 1.1. In popular speech the patronymic used alone frequently expressed familiar affection.

45.8 всё не то, 'it's not the same thing'. Cf. 46.4 времена́ не те, 'the times have changed'; 48.30 Мы бы не то ещё показа́ли, 'We would have shown them something else'; 56.26 Не то, что сейча́с, 'Not like now'; 58.26 не туда́ попа́ли, 'we have landed in the wrong place'; 79.7 не так у́лицу перешёл, 'crossed the road where (when) he should not, crossed at the wrong place or time'; 80.18 не по той доро́ге, 'by the wrong road'.

45.11 наде́лал дело́в, 'did great things' (*ironic*): see *note* 32.4.

46.4 времена́ не те: see *note* 45.8.

АВАНТЮРИ́СТ

The story given here (1927), describing in racy humorous language the adventures of Cossack soldiers sent to France during the war of 1914–18 and overtaken there by the news of the Revolution, is a brilliant and delightful example of Tolstoy's talent at its best.

47.5 пла́вни: low-lying marshy banks and islands, covered with reeds and undergrowth, along the lower reaches of the rivers Dnieper, Dniester, Don, &c.

48.24 Дрррри́щем дёгтем... The words are from a soldiers' song and hardly printable.

48.30 Мы бы не то ещё показа́ли: see *note* 45.8.

48.30 не прогони́ нас пря́мо на фронт в тот же день, 'if we hadn't been sent straight to the front that same day'. Cf. *note* 1.23.

49.4 ещё у́мственней: *pop.* for ещё умне́е, 'cleverer still'.

49.9 мы про́бовали ша́пками заки́дывать, 'we used to think we should have a walk-over' (*lit.* 'we tried throwing our caps').

51.11 письмо́ в ро́дину: *pop.* for на ро́дину.

51.25 дава́й обраба́тывать, 'began to work on us'. The *imper. sing.* of дава́ть may be used with an infinitive as a sort of past tense, instead of на́чал(и), ста́л(и), 'began'.

51.30 Ду́ра. The use of the feminine makes the word more emphatic and offensive. A similar use of the feminine instead of the masculine is very common in Czech.

52.4 э́та по́чва породи́ла Данто́на иКами́лла Демуле́на, 'this was the soil that bred Danton and Camille Desmoulins'.

52.20 на Мазу́рских озёрах, 'at the Masurian lakes', an area in what is now north-eastern Poland, where in 1914–15 the Russians were engaged in action against the Germans, with very heavy casualties.

53.9 Гарсо́н, вянбла́н... Кескевуле́? '*Garçon, vin blanc! Qu'est-ce que (vous) voulez?*' The soldier's few words of mangled French, displayed to impress his untravelled companions.

54.11 они́ больши́е отла́мывают дела́, 'they do big business'.

56.9 берёт он до́ску... и хрясть её об го́лову, 'he takes a plank ... and smashes it on his head'. The uninflected verbal form (from хря́стнуть) conveys the idea of dramatic suddenness and violence.

56.17 лу́чше бы я жил в степя́х бобылём каки́м-нибудь безлоша́дным, 'I would rather live like a beggar in the steppes, without a horse'. Бобы́ль: type of the completely deprived, the peasant without land, home, or wife and family.

57.10 мно́го вы́пили ликёру под э́ту тоску́, 'we washed down this heartache with many liqueurs'.

58.23 за еди́ную, недели́мую! — from the slogan of the White forces, Росси́я вели́кая, еди́ная, недели́мая, 'great Russia, one and indivisible'.

49.1 перебегли́ к зелёным. The 'Greens' were armed bands of peasants and deserters who fought during the civil war against both Whites and Reds. Перебегли́, *pop.* for перебежа́ли.

КИТА́ЙСКАЯ ВА́ЗА

One of the spontaneous manifestations of the revolution, preceding the formal establishment of any new government, was the seizure of private land by the villagers. In this story, written about 1923, Yakovlev depicts an episode of this kind with humour and sympathy and shows the gradual discovery of the claims of a community wider than the old vlllage and the realization of values formerly unknown.

60.1 два села́ и семь деревёнь, 'two villages and seven hamlets'. Село́, 'large village' (before the Revolution one having a church), usually an administrative centre.

60.3 палести́на, 'Palestine', used for (1) 'country, esp. native country'; (2) a wide and remote expanse of land.

60.12 спокóн векóв, 'time out of mind, from time immemorial'. The phrase, originally Church Slavonic, is now colloquial. Cf. 66.20 от вéка векóв, with the same meaning.

60.12 хрип гну́ли, 'worked hard' (*lit.* 'bent our backs').

60.16 к винтóвкам ужé дéло дошлó, tr. 'matters had all but reached the shooting stage'.

60.22 по-едокáм, 'fair shares all round'. Едоки́, 'mouths to feed'; in все нáши едоки́ it means little more than 'people': 'every one of us'.

61.2 курмы́ш: regional word for the row of *izbas* forming one side of a village street.

61.15 врóде лошади́ный чéреп в степи́... бéлеет в зелёной травé, 'like a horse's skull in the steppe, . . . glistening white in the green grass'. Врóде: *pop.* for врóде как.

61.20 в... кóмнате, котóрую все называ́ли «галдарéей». Галдарéя: *pop.* for галлерéя, 'gallery'. Other popular forms and phrases in this story include 61.24 статýй for стáтуя, 'statue'; 61.25 статуи́ха, 'statuess'; 61.28 срамнó for сты́дно, 'shameful, ashamed'; 62.30 éкстренность for э́кстренность, 'urgency'; 63.5 чевóй-то, 'for some reason'; 66.6 на кой (*sc.* чорт), 'what for, what use'; 66.13, 69.17, 72.27 мóже for мóжет быть, 'perhaps'; 66.14 подмóжем for помó-жем 'we'll help'; 67.12, 71.9 ай, аль for и́ли (see *note* 26.29); 69.20 графья́ for грáфы; 70.21 окромя́ for крóме, 'except, besides'; 71.22 замéсто for вмéсто, 'instead of'; 72.1 вéщия for вещь, 'thing';

72.29, 74.19 должнó for должнó быть, 'probably, perhaps'; 73.18 аж for дáже, 'even'.

61.26 хоть бы тря́почкой закры́ть кто догадáлся, 'nobody had so much as thought of covering them with a bit of rag' (*lit.* 'if only somebody had thought . . .').

62.23 врóде за стáросту, 'a sort of *starosta*': see *note* 28.3.

62.26 Микóлка: *pop. dim.* of Николáй, 'Nicholas'.

62.29 Степáша: *pop. dim.* of Степáн, 'Stephen'.

65.10 Наш граф замирéнье сдéлал, 'Our count had made a peace'. Сдéлать замирéнье: *pop.* for заключи́ть мир.

66.22 всем гáмозом, 'in a noisy swarm'. Гáмоз seems to be a compound of гам, 'noise of many voices' and гомози́ться, 'swarm, cluster in noisy excitement'.

67.4 мир: the village community, which had some administrative functions as well as moral responsibility for the repartition of land among the villagers, conscription, the guardianship of orphans, &c. Its authority was deeply respected. Cf. 71.24 Мирскóй ум — вели́кое дéло.

68.6 комý достáнется ози́мой клин, 'who was to get the winter-sown section'. Ози́мой: *pop.* for ози́мый. Клин: where there is rotation of crops, the land devoted to a particular crop in one season.

69.22 Для прия́тной разгýлки врéмени, 'To while away the time in pleasure'. Разгýлка is formed by confusion of прогýлка, 'walk', with разгýл, 'revelry, debauch'.

70.13 Бог в пóмощь! 'God speed you!' This phrase was habitually used in greeting somebody who was at work.

70.17 чтоб тебя́! 'drat you!'

70.18 Зачéм нелёгкая (*sc.* си́ла) принеслá? tr. 'What ill wind brings you here?' (*lit.* 'Why has the devil brought you?').

70.20 Вишь: colloquial contraction of ви́дишь, 2nd *pers. sing.* of ви́деть; 'you see, look!'.

71.26 в áвгусте-густоéде, на сáмую Евдокéю-огурéшницу: 'in August the bountiful, on St. Eudoxia's day' (4 August, when cucumbers are ripening). Евдокéя: *pop.* for Евдоки́я.

72.9 глухáя тетéря! 'deaf as a post!' (*lit.* 'deaf grouse'). The black grouse is reputed to be deaf during courtship.

72.16 Дуня́ша: *dim.* of Ду́ня, 'Dunya'.

74.4 и шаба́ш, 'and that was that'. Шаба́ш, 'Sabbath', *pop.* for 'enough, stop; that's all'.

СТРАДА́НИЕ МОЛОДО́ГО ВЕ́РТЕРА

War, revolution, and civil war inevitably brought with them a certain coarsening of manners and language, but it was not long before the authorities launched a campaign, reflected in the present story (1933), against bad manners and abusive vocabulary.

Title. The title is that of Goethe's novel, *The Sorrows of Young Werther*, with the difference that страда́ние is singular.

78.14 Каменноостро́вский проспе́кт: the avenue in Leningrad running to Kamenny Ostrov ('Stone Island'), now called Kirovsky Prospect.

78.15 е́ду себе́, tr. 'trundle gently along' (*lit.* 'ride to myself').

79.3 Ско́ро мы заживём, как фон-баро́ны, 'Soon we shall begin to live like lords'. The peculiar compound фон-баро́н is the result of prefixing the German particle of nobility, *von*, to the word баро́н, 'baron'.

79.7 не так у́лицу перешёл: see *note* 45.8.

79.18 чорт твою́ два́дцать: a crude form of swearing.

79.22 Лёшка: *pop. dim.* of Алексе́й, 'Alexis'.

80.18 Не по той доро́ге: see *note* 45.8.

80.21 нога́ми кру́жит: irregular for нога́ми кру́тит.

ЗАПИ́СКИ КОВЯ́КИНА

This chapter, entitled *Turmoil in my Soul* (Переполо́х мое́й души́), comes from *Notes on Certain Episodes, Made in the Town of Gogulev by Andrew Petrovich Kovyakin* (1924), a story in which Leonov resorts to the literary device of *skaz*, recounting in the style and language of his protagonist, a half-educated citizen of the small town of Gogulev, the way in which he is shaken by the events or, as he calls them, 'episodes' of his own life and the Revolution. The inarticulateness of this down-trodden, slightly comic human being, worried and bewildered by the unassimilated and crudely presented theory of evolution, is a plea for sympathy with the little man in his blind gropings for truth.

83.6 во́лос прикрыва́ть не на́до, 'there is no point in covering one's (body-)hair'.

83.7 Заче́м же... хва́статься-то челове́ческим голышо́м? 'And why . . . boast of human nakedness?'; this use of голы́ш seems to be peculiar to the speaker.

83.13 стишки́ мои́. The word стишки́, usually a derogatory way of describing poems, is here used seriously.

83.15 вся́кое, что пищи́т, 'every living thing' (*lit.* 'everything that squeaks').

83.17 незабве́нный благоде́тель мой, 'my unforgettable benefactor' —the merchant and manufacturer for whom he had worked in the past and by whom he had been cruelly exploited.

83.23 припо́мнил я Терлюко́ва, что он... над обезья́ной го́лову лома́л. This Terlyukov who had also puzzled over the theory of evolution was the son of a verger and had been expelled from a provincial university for liberalism.

84.7 Никано́рыч: simplified colloquial form of the patronymic Никано́рович; see *note* 1.1.

84.8 от блохи́ како́й, 'from some sort of flea'. Како́й: *coll.* for како́й-нибудь.

84.17 Не зна́ю — реве́ть, не зна́ю — дра́ться, 'I don't know whether to bawl or fight'.

84.19 о. Генна́дию: 'to Father Gennadius'—the local priest; о.: the usual written abbreviation of оте́ц.

84.24 изобрета́тель одногла́зый, 'the one-eyed inventor': Terlyukov had lost an eye when he produced an explosive while trying to invent a perpetual-motion machine.

84.27 перпету́н: term of abuse invented by Kovyakin from перпе́туум (-мо́биле), '*perpetuum mobile*, perpetual motion'.

85.17 би́бинская супру́га, 'Bibin's wife'. Bibin, the porter of a club, 'The Paris Commune', in whose house Kovyakin lodged.

85.21 голубя́тня моя́: Kovyakin frequently uses this word for his tiny attic room.

85.23 Ната́ша: *dim.* of Ната́лия, 'Natalie'. Natasha was the girl Kovyakin loved, who had married another man.

85.27 всё во мне клуби́лось, 'everything was seething within me'.

85.30 хýже… Помпéевых трясéний, 'worse than the Pompeian earthquakes'. Note the uneducated Помпéевые трясéния for помпéйские землетрясéния or землетрясéния Помпéи.

86.6 трéбовает: uneducated for трéбует, 3rd *pers. sing.* of трéбовать, 'demand, exact, claim'.

86.8 с потрохáми целикóм, 'with all his giblets': the phrase appears to be a variant of the jocular *pop.* expression со всéми потрохáми, 'completely, wholly, all'. Потрохá is used chiefly of the entrails of birds or fish, rarely of other animals.

86.11 от котóрой причúны цветы́ цветýт, 'what makes the flowers bloom'. От котóрой причúны for от какóй причúны or по какóй причúне. Similarly, 86.12 котóрым мéстом for какúм мéстом.

86.14 óчень превосхóдно: the use of óчень with the superlative превосхóдно is incorrect.

ТИ́ХИЙ ДОН

The long novel *Quiet Flows the Don* (Тúхий Дон) came out in three parts, in 1929, 1933, and 1940; the story itself covers the years 1912–1922. The central figure of the Melekhov family, whose history unfolds through the years of war and revolution, is the son Gregory; his impetuosity and personal and political vacillations are paralleled by his tragic love for a married woman, Aksinya. When he returns home to seek Aksinya, now a widow, he has served in the ranks of both Whites and Reds and finally fought as a Partisan against both, and is threatened with arrest. To escape this danger the lovers run away, and the extract given here (from Part VIII, chapter 17, 1940) begins during their flight.

87.6 Звенéли… жáворонки: see *note* 17.12.

87.13 Комý-комý, а Григóрию, не спáвшему мнóго ночéй подря́д, порá бы́ло спать, 'If ever it was time for a man to sleep, it was high time now for Gregory, who had not slept for many nights on end'. Комý-комý is used as a means of emphasizing the statement by reinforcing the name or other noun in the dative case.

87.19 Грúша, 88.7, Грúшенька: *dims.* of Григóрий, 'Gregory'.

87.24 Заря́з, *coll.* usually means 'at once'; here *pop.* for сейча́с, 'now'.

87.25 Ксю́ша: *dim.* of Акси́нья, Ксе́ния, 'Xenia'.

88.3 кре́пше, *pop.* for кре́пче.

88.27 в текли́ну ло́га: the place in the steppe where the lovers were resting was called Сухо́й лог, 'Dry Valley'.

89.8 те́га-те́га, 'goosey, goosey!'—a call used to summon geese.

90.23 продотря́д: contraction of продово́льственный отря́д, one of the armed detachments sent out to requisition food for the towns, find hidden stores, &c.

91.17 Верста́х в двух от ху́тора: the older units of measurement (versts, arshins, &c.) have now been abandoned in favour of the metric units (kilometres, metres, &c.).

93.10 В ды́мной мгле суховея, 'In the smoky haze of the *sukhovey*'. Сухове́й: in southern and south-eastern Russia, a hot dry wind, predominantly from the east, bringing prolonged drought.

SELECTED IDIOMS AND DIFFICULT CONSTRUCTIONS

КУСТ СИРЕ́НИ

1.1	Едва́ дожда́лся, пока́ жена́ отвори́ла ему́ две́ри	Could hardly wait for his wife to open the door
	Мы ждём, не дождёмся	We are waiting impatiently
1.12	Слу́шал ле́кции	Was attending lectures; was taking a course
	Чита́ть ле́кции	Lecture; give lectures
1.19	Каки́х стра́шных трудо́в они́ сто́или	What terrible pains they had cost
	Не сто́ит того́	It is not worth it
	Игра́ не сто́ит свеч	The game is not worth the candle
1.20	Поступле́ние в акаде́мию	Admission to the College
	Поступи́ть в шко́лу	Enter a school
1.24	Махну́л бы на всё руко́ю	Would have given up the whole thing
	«Он махну́л на жизнь руко́й» (Че́хов)	He had lost all interest in life
	«Лени́во махну́л он руко́й на все ю́ношеские... наде́жды» (Гончаро́в)	Indolently he had bidden farewell to all his youthful . . . hopes
	Замаха́л... рука́ми (66.10)	Waved his arms (as gesture of refusal)
1.25	Не дава́ла ему́ па́дать ду́хом	Would not allow him to lose heart
	Упа́док ду́ха	Despondency; low spirits
2.5	По ме́ре необходи́мости	At need; as need arose
	По ме́ре возмо́жности	As far as possible
2.29	Вот тебе́ и акаде́мия!	So much for the College!
	Вот тебе́ и ру́сские орлы́! (52.14)	So much for the Russian eagles!

2.30	Опя́ть в полк… с тре́ском	Back to the regiment . . . in disgrace
	С тре́ском провали́ться	Come a cropper; fail badly
3.10	Посади́л пятно́	Made a blot
	Посади́л кля́ксу	,, ,,
3.16	Отку́да у вас здесь… кусты́ взяли́сь?	Where did you get these bushes of yours from?
	Отку́да ни возьми́сь	Suddenly; out of the blue
3.22	Сло́во за́ слово	One word (thing) led to another
	Сло́во в сло́во	Word for word
3.23	У нас с ним завяза́лся кру́пный разгово́р	He and I got into a regular argument
	Мы с тобо́й (30.11)	You and I
	Мы с ним (31.26)	The two of us
	Мы с Костоло́бовым (57.23)	Kostolobov and I

ГОСТИ́НЕЦ

10.1	Так вот каки́е дела́	Here's a fine state of things!
	Дела́! (35.15)	Such is life!; that's how things go
	Вот… каки́е дела́ (38.16)	This is how it was
10.7	И чтобы во́дки ни-ни́	And not a drop of vodka
12.12	От петухо́в до петухо́в	The clock round
	Ложи́ться спать с петуха́ми	Go to bed early
	Встава́ть с петуха́ми	Rise with the lark
12.28	Шажко́м проезжа́л	Drove past at a slow walk
	По́едем шажко́м (26.26)	We will go slowly
	Е́хать ша́гом	Drive slowly
13.1	У Сазо́нки начина́ло ломи́ть поясни́цу	Sazonka's back began to ache
	Спина́ что́-то ло́мит (72.7)	I've got a back-ache
	Поясни́цу ло́мит (83.9)	My back aches
15.26	По-на́шему — Семён Пусто́шкин	We call him Simon Pustoshkin

	По-ста́рому (19.15)	In the old way; as of old
	По на́шему (54.8)	In our language
	Обуча́ли их по-ру́сски (50.25)	Taught them Russian
15.28	Вот как-с!	Not really!
16.4	Не жиле́ц (на све́те)	Not long for this world
18.1	Впива́ясь рука́ми в свои́... во́лосы	Clutching his hair with his hands

ЗОЛОТО́Е ДНО

19.15	По-ста́рому	(See 15.26 above)
20.11	Чорт её дери́	Confound it; devil take it
	Чорт возьми́!	,, ,, ,,
21.4	Тро́нулся... в отде́лку	Went clean off his head
	Он тро́нулся	He's cracked; he's touched
21.14	Изве́стно	We all know
	Изве́стно (39.16)	Of course
22.4	Доби́лась до после́днего	She has struggled till she can struggle no more
	Добива́ться невозмо́жного	Strive for the impossible
22.20	На «чёрном» крыльце́	On the back porch
	Чёрный ход	Back door; back way
	Чёрная ле́стница	Back stairs
25.14	На Во́ргле, так на Во́ргле	At Vorgol then, if you say so
	В бой, так в бой (48.8)	Into battle? All right, into battle
26.26	Пое́дем шажко́м	(See 12.28 above)
27.10	Не век же тут сиде́ть, чер-тя́м обо́рки вить!	We can't sit here for ever weaving garlands for devils!
	Не век нам... я́щики тас-ка́ть (53.5)	We're not going to spend all our lives . . . lugging pack-ing-cases about

ТОВА́РИЩИ

29.2	За па́зухой	In his bosom (i.e. thrust inside his garment)

	Она́ за па́зухой у меня́ живёт (29.29)	I've got it safe
	Держа́ть ка́мень за па́зухой	Harbour resentment
29.30	Ну то́-то!	That's right
	То́-то и оно́! (40.18)	Exactly! quite right!
	Вот то́-то (50.12)	That's it; that's right
30.1	С Бо́гом... а́йдате!	Goodbye! good luck! (*lit.* go with God!)
	С Бо́гом	,, ,,
	С Го́сподом (30.22)	,, ,,
30.2	Пошли́!	We're off! come on!
	Ну, я пошёл	Well, I'll be off
	Пошёл вон!	Get out! clear off!
30.6	Ишь ты!	What next? get along with you! look at that!
30.6	Ва́шего бра́та... мно́го	Lots . . . of your sort
	Наш брат	The likes of us
	Наш брат солда́т	We soldiers
30.11	Мы с тобо́й	(See 3.23 above)
30.17	В ней куда́ хорошо́	It is so very nice there
	Куда́ как мил!	How very charming he is!
30.22	С Го́сподом	(See 30.1 above)
30.22	Смотри́ в о́ба	Keep your eyes open; be on your guard
31.25	Быва́ло пел я	I used to sing
31.26	Заводи́	Strike up!
31.26	И зальёмся мы с ним	And the two of us would burst out singing
	«И пе́сней те́шился дети́на и залива́лся соловьём» (popular song)	And the lad consoled himself with song, and sang like a nightingale
32.1	По́мер в тре́тьем году́	He died two years ago (*lit.* in the third year)
	Тре́тьего дня	The day before yesterday
32.20	То́лько и всего́	And that is all
	Да и то́лько	,,

32.30	Да так, ничего	Oh, nothing
	А так и гуляю (35.14)	I just tramp
	Я так	I was only (asking, wondering, &c.)
	Я так это, для разговору (34.5)	I was just saying it for the sake of talking
	Это так (38.14)	It's nothing
32.31	Другой бы не спросил, который поумнее ежели	Another man, a bit cleverer, wouldn't have asked
34.12	С подходцем да с хитрецой	In a sly, roundabout way
34.26	Вот, вот!	That's it exactly!; that's right!
35.15	Дела!	(See 10.1 above)
35.17	Будет болтать-то	That's enough talk
	И будет! (43.1)	That will do!; enough of that!
	Будет кричать (43.10)	Stop shouting
	Будет вам (48.2)	Shut up
36.1	Язык у тебя без умолку мелет	Your tongue wags without stopping
36.12	Мерять землю широками шагами	Cover (*lit.* measure) the ground with long strides
37.20	Успеем	We're in no hurry
	Подожди,... разбить успеем (68.30)	Wait a bit, . . . we've lots of time to break them
38.13	Находит на тебя, что ли?	Do you have fits?
38.14	Это так!	(See 32.30 above)
38.16	Вот... какие дела	(See 10.1 above)
38.18	Ни слуху, ни духу о них и нету	There's not been a whisper of them; nobody knows what's become of them
39.16	Известно	(See 21.14 above)
39.25	Прямо вскочил да и драла	Simply jumped up and made off
	Дать драла	Run away; take to one's heels
40.18	То-то и оно!	(See 29.30 above)
40.24	Жизнь... растаковская!	Such is life!; life is like that
	Жизнь такая-сякая	„ „

41.6	Одно́ сло́во	In one word; in short
	(Одни́м) сло́вом	,. ,,
41.14	Да я ничего́	I shouldn't mind; I don't mind
	Ничего́ (41.17)	It's all right
	Я ведь ничего́ (45.20)	I'm all right
41.18	Ты слове́чко замо́лвишь	You'll put in a word (for me)
41.23	Он те... зада́ст пе́рцу!	He'll give it you hot and strong!
41.25	А́хнет кулако́м в у́хо	He'll knock you down
	Мужи́к а́хнул... по са́мой большо́й карти́не кулако́м (70.29)	A peasant rammed . . . his fist through the very biggest picture
	Я тебе́ а́хну по зуба́м (80.11)	I'll push your teeth in
41.27	Мы ему́ сда́чи дади́м	We'll give him as good as we get
	Дать сда́чу	Give change
42.19	Как тут быть?	What was he to do about this?
	Как нам быть?	What can we do?; how are we to manage?
43.1	И бу́дет!	(See 35.17 above)
43.10	Бу́дет крича́ть	,, ,,
45.9	А оно́ — вон что...	But this is how it is . . .
45.13	Прогоре́л дотла́	Went bankrupt; was ruined
	Прогоре́л	,, ,,
45.20	Я ведь ничего́	(See 41.14 above)
45.22	Мужи́к, изве́стное де́ло	You know what peasants are
	Изве́стно, господа́ (69.9)	Everyone knows what the gentry are

АВАНТЮРИ́СТ

47.13	Хлебну́л го́ря	I have known trouble
	Хлебну́ть го́ря	Taste sorrow
	Испи́ть го́ре	,,
47.20	Э́то ты шу́тишь!	That *was* something!; that's not to be sneezed at

48.2	Бу́дет вам	(See 35.17 above)
48.8	В бой, так в бой	(See 25.14 above)
48.9	Ей хоть бы что	It (i.e. the army) doesn't mind
48.9	Гру́дью за оте́чество	Forward for the homeland
49.1	Умо́м одни́м беру́т	Where they score is in sheer brains
	Так нас ниче́м и не возьмёшь (49.8)	So we are the cocks of the walk
	Она́ взяла́ красото́ю	She prevailed by her beauty
49.21	И вся недолга́	And that's all there is (was) to it
49.26	Вам хорошо́ в степи́	It is all very well for you here in the steppes
50.12	Вот то́-то	(See 29.30 above)
50.25	Обуча́ли их по-ру́сски	(See 15.26 above)
51.10	На все ру́ки	Jack of all trades
	Ма́стер на все ру́ки	,, ,,
	Ма́стер на́ руки (54.8)	A clever fellow
51.16	И пошёл, и пошёл чеса́ть	He went on and on jabbering away
52.2	Несу́т чепуху́	They talk rubbish
	Несу́т вздор (чушь)	,, ,,
	Городи́ть чепуху́ (чушь, вздор)	Talk nonsense
	Небыли́цу городи́л мне (85.3)	Had been telling me fairy stories
52.10	Здоро́во живёшь	Without rhyme or reason; for no reason whatever
52.14	Вот тебе́ и ру́сские орлы́!	(See 2.29 above)
53.5	Не век нам... я́щики таска́ть	(See 27.10 above)
53.8	На э́то хло́пнули без ма́лого ты́сячу	We blued nearly a thousand on this
54.8	По-на́шему	(See 15.26 above)
54.8	Ма́стер на́ руки	(See 51.10 above)

54.14	А ну тебя́	Get along with you; leave me alone!
	А ну его́!	Deuce take him!
56.10	Де́ньги у нас не перево́дятся	We had no end of money
	Де́ньги у него́ не переводи́лись	He never ran short of money
57.9	Кто куда́	In all directions; each his own way
57.23	Мы с Костолобовым	(See 3.23 above)
59.22	Он не то, что до́ску об го́лову — ось перело́мит	He'll break an axle on his head, let alone a board

КИТА́ЙСКАЯ ВА́ЗА

62.14	Не то́лько в мужи́чьей избе́, на дворе́ мужи́чьем и то не уме́стишь	You couldn't get it even into a peasant's yard, let alone his *izba*
66.6	На кой она́ нам?	What use is it to us?
	Куда́ она́ нам? (66.12)	,, ,,
66.10	Замаха́л... рука́ми	(See 1.24 above)
68.30	Разби́ть успе́ем	(See 37.20 above)
69.9	Изве́стно, господа́	(See 45.22 above)
70.29	А́хнул... кулако́м	(See 41.25 above)
71.5	Ба́ба — де́ло хи́трое	Women are a clever lot
71.12	Всё, зна́чит, пошло́ в де́ло?	Then it has all come in useful?
	У́мные лю́ди всему́ де́ло даду́т (71.19)	Clever people find a use for everything
	Чего́ ве́щия без де́ла стои́т? (72.1)	Why should the thing stand idle?
71.16	Кто ни е́дет	Whoever goes by
72.7	Спина́ что́-то ло́мит	(See 13.1 above)
72.21	Хоть бы край како́й	Not even the rim
	Хотя́ бы прода́ть скоре́е (72.28)	If it can only be sold as soon as possible
73.6	Не ту́т-то бы́ло	Nothing of the sort
73.25	А тот одно́ своё	But he stuck to his point

74.18 Сам не свой   Not himself

СТРАДÁНИЕ МОЛОДÓГО ВÉРТЕРА

80.11 Я тебé áхну по зубáм   (See 41.25 above)

80.22 Как бýдто он с луны́   As if he had dropped from the
       свали́лся   clouds (*lit.* the moon)

81.27 Похóжими... как две кáпли   As like as two peas (*lit.* drops
       воды́   of water)

82.1   С дýру   Foolishly; out of silliness

       «Чемý обрáдовался сдýру?»   What are you so pleased about,
       (Крылóв)   blockhead?

ЗАПИ́СКИ КОВЯ́КИНА

83.9   Поясни́цу лóмит   (See 13.1 above)

85.3   Небыли́цу городи́л мне   (See 52.2 above)

86.5   Ни сном ни дýхом   Not at all, in no way
       Ни сном ни дýхом не ви-   Absolutely blameless
       новáт

ТИ́ХИЙ ДОН

89.13 Так и бры́знули   Simply gushed
       Так и не вернýлось (92.14)   Never returned

91.13 Хоть слóво!   (Only) one word! say some-
                                     thing!

92.2   Сáмое стрáшное, что тóль-   The most dreadful thing that
       ко моглó случи́ться   could conceivably happen

TABLE OF VERBS WITH PREFIXES OCCURRING IN THE TEXTS IN ONE OR BOTH ASPECTS*

PERFECTIVE	IMPERFECTIVE	PERFECTIVE	IMPERFECTIVE
В-, ВО-		возмути́ться	возмуща́ться
		возни́кнуть	возника́ть
вбежа́ть	вбега́ть	возрази́ть	возража́ть
ввали́ться	вва́ливаться	возрасти́	возраста́ть
вгляде́ться	вгля́дываться	воскли́кнуть	восклица́ть
вдави́ться	вда́вливаться	вскочи́ть	вска́кивать
влете́ть	влета́ть	вскри́кнуть	вскри́кивать
внести́	вноси́ть	всползти́	всполза́ть
войти́	входи́ть	вспо́мнить(ся)	вспомина́ть-(ся)
ворва́ться	врыва́ться		
воткну́ть	втыка́ть	вспы́хнуть	вспы́хивать
впи́ться	впива́ться	всхли́пнуть	всхли́пывать
впу́таться	впу́тываться		
всмотре́ться	всма́триваться	**ВЫ-**	
всоса́ть	вса́сывать		
вступи́ть(ся)	вступа́ть(ся)	вы́бежать	выбега́ть
втере́ться	втира́ться	вы́бить(ся)	выбива́ть(ся)
		вы́брать(ся)	выбира́ть(ся)
		вы́брить	выбрива́ть
ВЗ-, ВОЗ-, ВОС-, ВС-		вы́бросить	выбра́сывать
		вы́валить	выва́ливать
взве́сить	взве́шивать, ве́шать	вы́везти	вывози́ть
взви́згнуть	взви́згивать	вы́весить	выве́шивать
взгляну́ть	взгля́дывать	вы́вести	выводи́ть
вздохну́ть	вздыха́ть	вы́глянуть	выгля́дывать
вздро́гнуть	вздра́гивать	вы́говорить	выгова́ривать
взлете́ть	взлета́ть	вы́гореть	выгора́ть
взойти́	всходи́ть, вос-возбужда́ть	вы́грести	выгреба́ть
возбуди́ть		вы́дать(ся)	выдава́ть(ся)
возврати́ться	возвраща́ться	вы́двинуть	выдвига́ть
возгласи́ть	возглаша́ть	вы́держать	выде́рживать

* See *Introduction to the Vocabulary*, p. 129.

PERFECTIVE	IMPERFECTIVE	PERFECTIVE	IMPERFECTIVE
вы́ехать	выезжа́ть	вы́топтать	выта́птывать
вы́звать	вызыва́ть	вы́тянуть(ся)	вытя́гивать(ся)
вы́искать	выи́скивать	вы́цвести	выцвета́ть
вы́йти	выходи́ть	вы́чертить	вычё́рчивать
вы́кинуть	выкида́ть, вы- ки́дывать	вы́чистить	вычища́ть
вы́кликнуть	выклика́ть		
вы́красить	выкра́шивать	до-	
вы́купить	выкупа́ть		
вы́лезть	вылеза́ть	доба́вить	добавля́ть
вы́лететь	вылета́ть	доби́ться	добива́ться
вы́лечиться	выле́чиваться	довести́(сь)	доводи́ть(ся)
вы́менять	выме́нивать	догада́ться	дога́дываться
вы́нести	выноси́ть	догна́ть	догоня́ть
вы́нуть	вынима́ть	догоре́ть	догора́ть
вы́пить	выпива́ть	доду́маться	доду́мываться
вы́прямиться	выпрямля́ться	дое́хать	доезжа́ть
вы́пустить	выпуска́ть	дожи́ть	дожива́ть
вы́пятить	выпя́чивать	дозна́ть	дознава́ть
вы́расти	выраста́ть	дойти́	доходи́ть
вы́рвать(ся)	вырыва́ть(ся)	доказа́ть	дока́зывать
вы́резать	выреза́ть, вы- ре́зывать	докати́ть	дока́тывать
		докопа́ться	дока́пываться
вы́рыть	вырыва́ть	доложи́ть	докла́дывать
вы́садиться	выса́живаться	допили́ть	допи́ливать
вы́свободить	высвобожда́ть	допроси́ть	допра́шивать
вы́сказать	выска́зывать	допыта́ться	допы́тываться
вы́скочить	выска́кивать	доста́ть(ся)	достава́ть(ся)
вы́слушать	выслу́шивать	дотро́нуться	дотра́гиваться
вы́сохнуть	высыха́ть		
вы́ставить	выставля́ть	за-	
вы́строгать	выстра́гивать		
вы́строить	выстра́ивать	забежа́ть	забега́ть
вы́ступить	выступа́ть	забра́ться	забира́ться
вы́сунуться	высо́вываться	забы́ть(ся)	забыва́ть(ся)
вы́таращить	вытара́щивать	заверну́ть	завё́ртывать
вы́тащить	выта́скивать	завести́(сь)	заводи́ть(ся)
вы́тереть	вытира́ть	заволо́чь	заволаки́вать
вы́течь	вытека́ть	завяза́ть(ся)	завя́зывать(ся)
		заглуши́ть	заглуша́ть
		загляде́ться	загля́дываться

PERFECTIVE	IMPERFECTIVE	PERFECTIVE	IMPERFECTIVE
заглянуть	заглядывать	запустить	запускать
загнать	загонять	запутаться	запутываться
загореться	загораться	заработать	зарабатывать
задать	задавать	засидеться	засиживаться
задержать	задерживать	заслонить	заслонять
задохнуться	задыхаться	заснуть	засыпать
задумать(ся)	задумывать(ся)	засолить	засаливать
заесть	заедать	заставить	заставлять
заехать	заезжать	застегнуть	застёгивать
зажать	зажимать	застлать	застилать
зажечь	зажигать	застрелить	застреливать
зажмуриться	зажмуриваться	застыть	застывать
заинтересо-	заинтересóвы-	засыпать	засыпать
ваться	ваться	затаить	затаивать
зайти	заходить	затечь	затекать
закатиться	закатываться	затихнуть	затихать
закидать	закидывать	заткнуть	затыкать
закипеть	закипать	затмить	затмевать
закрыть(ся)	закрывать(ся)	заточить	затачивать
закурить	закуривать	затянуть	затягивать
закусить	закусывать	захватить	захватывать
закутать	закутывать	зацвести	зацветать
залить(ся)	заливать(ся)	зашибить	зашибать
замедлить	замедлять	заявить(ся)	заявлять(ся)
замереть	замирать		
заметить	замечать		
замолчать	замолкать	**ИЗ-, ИС-**	
замочить	замачивать		
занести	заносить	избежать	избегать
занять(ся)	занимать(ся)	избить	избивать
запереть	запирать	известить	извещать
запеть	запевать	извинить(ся)	извинять(ся)
запечь	запекать	изгадиться	изгаживаться
запить	запивать	измениться	изменяться
запнуться	запинаться	измерить	измерять
заподозрить	заподазривать	износить	изнашивать
запрокинуться	запрокиды-	изобразить	изображать
	ваться	исполнить(ся)	исполнять(ся)
запрячь	запрягать	исправить	исправлять
		исчезнуть	исчезать

PERFECTIVE	IMPERFECTIVE	PERFECTIVE	IMPERFECTIVE
		натяну́ть	натя́гивать
на-		научи́ть(ся)	науча́ть(ся)
наби́ть(ся)	набива́ть(ся)	нахо́хлиться	нахо́хливаться
набра́ться	набира́ться	нача́ть(ся)	начина́ть(ся)
наброса́ть,	набра́сывать		
набро́сить		**над-, надо-**	
навали́ться	нава́ливаться	надба́вить	надбавля́ть
наве́сить	наве́шивать	надсади́ться	надса́живаться
навести́	наводи́ть		
наде́ть	надева́ть	**о-, об-**	
надое́сть	надоеда́ть		
надоу́мить	надоу́мливать	обалде́ть	обалдева́ть
назва́ть	называ́ть	обви́ть	обвива́ть
найти́(сь)	находи́ть(ся)	обда́ть	обдава́ть
наки́нуть	наки́дывать	обду́мать	обду́мывать
накли́кать	наклика́ть	обежа́ть	обега́ть
наклони́ть(ся)	наклоня́ть(ся)	оберну́ть(ся)	обёртывать-
нако́выря́ть	нако́выривать		(ся), обора́чи-
накопи́ться	нака́пливаться		вать(ся)
намекну́ть	намека́ть	обесси́леть	обесси́ливать
намота́ть	нама́тывать	оби́ть	обива́ть
намя́ть	намина́ть	обли́ть(ся)	облива́ть(ся)
нанести́	наноси́ть	облома́ть	обла́мывать
наня́ть	нанима́ть	обману́ть	обма́нывать
напита́ть	напи́тывать	обнажи́ть	обнажа́ть
напи́ться	напива́ться	обнови́ться	обновля́ться
наплы́ть	наплыва́ть	обня́ть(ся)	обнима́ть(ся)
напо́лнить	наполня́ть	обогати́ть	обогаща́ть
напо́мнить	напомина́ть	обо́дрить	ободря́ть
напра́виться	направля́ться	обойти́	обходи́ть
нару́шить	наруша́ть	оборва́ть	обрыва́ть
насади́ть,	наса́живать	обороти́ться	обора́чиваться
насажа́ть		обрабо́тать	обраба́тывать
насвиста́ть	насви́стывать	обрати́ть(ся)	обраща́ть(ся)
насторожи́ться	настора́жи-	обсуди́ть	обсужда́ть
	ваться	обучи́ть	обуча́ть
настоя́ть	наста́ивать	объяви́ть	объявля́ть
наступи́ть	наступа́ть	объясни́ть	объясня́ть
насу́питься	насу́пливаться	овладе́ть	овладева́ть

PERFECTIVE	IMPERFECTIVE	PERFECTIVE	IMPERFECTIVE
огляну́ть(ся)	огля́дывать(ся)	отвести́	отводи́ть
огорчи́ться	огорча́ться	отвори́ть(ся)	отворя́ть(ся)
одержа́ть	оде́рживать	отвороти́ться	отвора́чиваться
оде́ть(ся)	одева́ть(ся)	отда́ть(ся)	отдава́ть(ся)
одо́брить	одобря́ть	отдви́нуть	отдвига́ть
одоле́ть	одолева́ть	отдохну́ть	отдыха́ть
оказа́ть(ся)	ока́зывать(ся)	отказа́ть(ся)	отка́зывать(ся)
оки́нуть	оки́дывать	отки́нуть(ся)	отки́дывать(ся)
окли́кнуть	оклика́ть	откли́кнуться	откли́каться
око́нчить	ока́нчивать	откры́ть(ся)	открыва́ть(ся)
окра́сить	окра́шивать	отличи́ть	отлича́ть
окружи́ть	окружа́ть	отлома́ть, от-ломи́ть	отла́мывать
оку́тать	оку́тывать		
опере́ться	опира́ться	отмахну́ться	отма́хиваться
опозда́ть	опа́здывать	отнести́	относи́ть
опои́ть	опа́ивать	отня́ть	отнима́ть
оправда́ться	опра́вдываться	отобра́ть	отбира́ть
определи́ться	определя́ться	отодви́нуться	отодвига́ться
опусти́ть(ся)	опуска́ть(ся)	отозва́ться	отзыва́ться
осве́домиться	осведомля́ться	отойти́	отходи́ть
освободи́ться	освобожда́ться	оторва́ть	отрыва́ть
осени́ть	осеня́ть	отпра́вить(ся)	отправля́ть(ся)
оска́лить	оска́ливать	отпря́чь	отпряга́ть
оскорби́ть	оскорбля́ть	отпусти́ть	отпуска́ть
осмотре́ть	осма́тривать	отслужи́ть	отслу́живать
основа́ть	осно́вывать	отста́ть	отстава́ть
оста́вить	оставля́ть	отступи́ть	отступа́ть
останови́ть(ся)	остана́вли-вать(ся)	отха́ркнуться	отха́ркиваться
		отъе́сть	отъеда́ть
оста́ться	остава́ться	отыска́ть	оты́скивать
отряхну́ть	отря́хивать		
охвати́ть	охва́тывать	пере-, пре-	
оцени́ть	оце́нивать		
очерти́ть	оче́рчивать	перебежа́ть	перебега́ть
ощути́ть(ся)	ощуща́ть(ся)	перебра́ться	перебира́ться
		перевести́(сь)	переводи́ть(ся)
от-		перевяза́ть	перевя́зывать
		перегляну́ться	перегля́дывать-ся
отба́вить	отбавля́ть		
отвезти́	отвози́ть	переда́ть	передава́ть

PERFECTIVE	IMPERFECTIVE	PERFECTIVE	IMPERFECTIVE
переде́лать	переде́лывать	подо́хнуть	подыха́ть
передёрнуть	передёргивать	поёжиться	поёживаться
перее́хать	переезжа́ть	пожа́ть	пожима́ть
перезнако́мить-ся	перезнака́мли-ваться	пожева́ть	пожёвывать
перейти́	переходи́ть	поздра́вить	поздравля́ть
переки́нуть	переки́дывать	показа́ть(ся)	пока́зывать(ся)
перекры́ть	перекрыва́ть	покачну́ться	пока́чиваться
перелете́ть	перелета́ть	поки́нуть	покида́ть
переложи́ть	перекла́дывать	покры́ть(ся)	покрыва́ть(ся)
переломи́ть	перела́мывать	помаха́ть	пома́хивать
перемеша́ть	переме́шивать	помере́ть	помира́ть
перепу́тать	перепу́тывать	помести́ть(ся)	помеща́ть(ся)
пересе́сть	переса́живать-ся	помота́ть	пома́тывать
		помо́чь	помога́ть
пересе́чь	пересека́ть	помяну́ть	помина́ть
пересо́хнуть	пересыха́ть	пони́кнуть	поника́ть
переста́ть	переставать	поня́ть	понима́ть
перестоя́ться	переста́ивать-ся	попа́сть	попада́ть
		попра́вить(ся)	поправля́ть(ся)
перешагну́ть	переша́гивать	порази́ть	поража́ть
преврати́ть	превраща́ть	породи́ть	порожда́ть
преодоле́ть	преодолева́ть	посети́ть	посеща́ть
прерва́ться	прерыва́ться	поскользну́ть-ся	поска́льзы-ваться
		посла́ть	посыла́ть
		поспе́ть	поспева́ть
по-		посрами́ть	посрамля́ть
		постанови́ть	постановля́ть, постана́вли-вать
победи́ть	побежда́ть		
поби́ть	побива́ть		
поверну́ть(ся)	повёртывать-(ся), повора́-чивать(ся)	поступи́ть	поступа́ть
		посы́пать	посыпа́ть
пови́снуть	повиса́ть	потону́ть	потопа́ть
повтори́ть	повторя́ть	поту́хнуть	потуха́ть
поги́бнуть	погиба́ть	появи́ться	появля́ться
пода́ть	подава́ть	поясни́ть	поясня́ть
подви́нуть	подвига́ть		
подёргать	подёргивать	**под-, подо-**	
подёрнуться	подёргиваться	подбежа́ть	подбега́ть

PERFECTIVE	IMPERFECTIVE	PERFECTIVE	IMPERFECTIVE
подвести́	подводи́ть		
подговори́ть	подгова́ривать	при-	
поддержа́ть	подде́рживать	прибежа́ть	прибега́ть
поддёрнуть	поддёргивать	прибежа́ть	прибега́ть
поджа́ть	поджима́ть	приби́ть	прибива́ть
подзуди́ть	подзу́живать	привезти́	привози́ть
подкати́ть	подка́тывать	привести́	приводи́ть
подки́нуть	подки́дывать	привы́кнуть	привыка́ть
подложи́ть	подкла́дывать	привяза́ть	привя́зывать
подмести́	подмета́ть	пригласи́ть	приглаша́ть
подмигну́ть	подми́гивать	пригна́ть	пригоня́ть
подмо́чь	подмога́ть	пригну́ть(ся)	пригиба́ть(ся)
поднести́	подноси́ть	прида́ть	придава́ть
подня́ть(ся)	поднима́ть(ся),	придви́нуться	придвига́ться
	подыма́ть(ся)	приду́мать	приду́мывать
		прие́хать	приезжа́ть
подобра́ть	подбира́ть	прижа́ть(ся)	прижима́ть(ся)
подойти́	подходи́ть	призва́ть	призыва́ть
подпере́ть	подпира́ть	прийти́(сь)	приходи́ть(ся)
подписа́ть	подпи́сывать	приказа́ть	прика́зывать
подплы́ть	подплыва́ть	прики́нуть	прики́дывать
подпоя́сать	подпоя́сывать	приколо́ть	прика́лывать
подпры́гнуть	подпры́гивать	прикопи́ть	прика́пливать
подсказа́ть	подска́зывать	прикры́ть(ся)	прикрыва́ть(ся)
подста́вить	подставля́ть	прикури́ть	прику́ривать
подступи́ть	подступа́ть	прили́ть	прилива́ть
подтверди́ть	подтвержда́ть	примя́ть	примина́ть
подхвати́ть	подхва́тывать	принести́	приноси́ть
подчи́стить	подчища́ть	приня́ть(ся)	принима́ть(ся)
подъе́хать	подъезжа́ть	приоткры́ть	приоткрыва́ть
подыска́ть	поды́скивать	приподня́ть	приподнима́ть
		припо́мнить	припомина́ть
пред-		припу́хнуть	припуха́ть
предложи́ть	предлага́ть	присе́сть	приседа́ть
предположи́ть	предполага́ть	присла́ть	присыла́ть
предсказа́ть	предска́зывать	прислу́шаться	прислу́шиваться
предста́вить-(ся)	представля́ть-(ся)		
предупреди́ть	предупрежда́ть	присмотре́ть	присма́тривать
предъяви́ть	предъявля́ть	присоедини́ть-ся	присоединя́ть-ся

PERFECTIVE	IMPERFECTIVE	PERFECTIVE	IMPERFECTIVE
присоса́ться	приса́сываться	промо́кнуть	промока́ть
присо́хнуть	присыха́ть	пронести́сь	проноси́ться
приспосо́бить-(ся)	приспособля́ть-(ся)	прониза́ть	прони́зывать
приста́ть	приставать	пропа́сть	пропада́ть
приступи́ть	приступа́ть	пропусти́ть	пропуска́ть
приучи́ться	приуча́ться	проре́зать	проре́зывать
причеса́ться	причёсываться	просоли́ться	проса́ливаться
пришши́ть	пришива́ть	простоя́ть	проста́ивать
пришпо́рить	пришпо́ривать	проти́скаться, проти́снуть-ся	проти́скивать-ся
прищу́рить	прищу́ривать	протяну́ть(ся)	протя́гивать-(ся)

про-

		прочи́стить	прочища́ть
пробежа́ть	пробега́ть	прочита́ть, проче́сть	прочи́тывать
проби́ть(ся)	пробива́ть(ся)	проче́сть	
пробра́ться	пробира́ться	прояви́ться	проявля́ться
пробуди́ться	пробужда́ться		

раз-, разо-, рас-

провали́ть(ся)	прова́ливать(ся)	разбежа́ться	разбега́ться
прове́рить	проверя́ть	разби́ть	разбива́ть
провести́	проводи́ть	разбрести́сь	разбреда́ться
проводи́ть	провожа́ть	разброса́ть, разбро́сить	разбра́сывать
прогна́ть	прогоня́ть		
проговори́ть	прогова́ривать	развали́ться	разва́ливаться
прогоре́ть	прогора́ть	разверну́ться	развора́чивать-ся, развёрты-ваться
прода́ть	продава́ть		
продо́лжить(ся)	продолжа́ть(ся)		
прое́хать	проезжа́ть	развести́	разводи́ть
прожё́чь	прожига́ть	разви́ться	развива́ться
прожи́ть	прожива́ть	развле́чь(ся)	развлека́ть(ся)
проигра́ть	прои́грывать	разда́ться	раздава́ться
произнести́	произноси́ть	раздели́ть	разделя́ть
произойти́	происходи́ть	раздроби́ть	раздробля́ть
пройти́	проходи́ть	разжё́чь	разжига́ть
пройти́сь	проха́живаться	разли́ться	разлива́ться
прокля́сть	проклина́ть	разложи́ть	раскла́дывать
пролежа́ть	пролёживать	разма́зать	разма́зывать
проле́зть	пролеза́ть	размести́	размета́ть
проли́ть	пролива́ть		

PERFECTIVE	IMPERFECTIVE	PERFECTIVE	IMPERFECTIVE
разнести́	разноси́ть	сваля́ться	сва́ливаться
разнузда́ть	разну́здывать	свезти́	свози́ть
разня́ть	разнима́ть	сверну́ть	свёртывать
разобра́ть	разбира́ть	свести́	своди́ть
разойти́сь	расходи́ться	свороти́ть	свора́чивать
разорва́ть(ся)	разрыва́ть(ся)	связа́ть	свя́зывать
разори́ться	разоря́ться	сговори́ться	сгова́риваться
разостла́ться	расстила́ться	сгоре́ть	сгора́ть
разреши́ть	разреша́ть	сгрести́	сгреба́ть
разры́ть	разрыва́ть	сда́ться	сдава́ться
разыска́ть	разы́скивать	сдви́нуть	сдвига́ть
раски́нуться	раски́дываться	сдержа́ть	сде́рживать
раскла́няться	раскла́нивать-ся	сжать(ся)	сжима́ть(ся)
		скрути́ть	скру́чивать
раскры́ть(ся)	раскрыва́ть(ся)	скры́ть(ся)	скрыва́ть(ся)
раскури́ть	раску́ривать	сла́дить	сла́живать
распахну́ть	распа́хивать	слезть	слеза́ть
описа́ть	расписывать	слиза́ть	сли́зывать
расположи́ть-(ся)	располага́ть-(ся)	сли́ться	слива́ться
		сложи́ть	скла́дывать,
распоряди́ться	распоряжа́ться		слага́ть
распрода́ть	распродава́ть	сма́рить	сма́ривать
распусти́ться	распуска́ться	смути́ться	смуща́ться
расседла́ть	рассёдлывать	смягчи́ться	смягча́ться
рассе́чь	рассека́ть	снести́	сноси́ть
рассказа́ть	расска́зывать	сноси́ться	сна́шиваться
рассмотре́ть	рассма́тривать	сня́ть(ся)	снима́ть(ся)
рассо́хнуться	рассыха́ться	собра́ть(ся)	собира́ть(ся)
расспроси́ть	расспра́шивать	соверши́ть	соверша́ть
расста́ться	расстава́ться	согласи́ться	соглаша́ться
расстреля́ть	расстре́ливать	содрогну́ться	содрога́ться
расстро́иться	расстра́иваться	соедини́ть	соединя́ть
растолкова́ть	растолко́вывать	созда́ть	создава́ть
растяну́ться	растя́гиваться	сойти́	сходи́ть
расчеса́ть	расчёсывать	сообрази́ть(ся)	сообража́ть(ся)
		сообщи́ться	сообща́ться
		сопроводи́ть	сопровожда́ть
С-, СО-		сорва́ть(ся)	срыва́ть(ся)
сбежа́ть	сбега́ть	соскользну́ть	соска́льзывать
свали́ть(ся)	сва́ливать(ся)		

PERFECTIVE	IMPERFECTIVE	PERFECTIVE	IMPERFECTIVE
соскочи́ть	соска́кивать	удиви́ть(ся)	удивля́ть(ся)
сосчита́ть	сосчи́тывать	удостове́риться	удостоверя́ться
спе́ться	спева́ться	удра́ть	удира́ть
спе́шиться	спе́шиваться	уе́хать	уезжа́ть
сплю́нуть	сплёвывать	узна́ть	узнава́ть
сползти́	сполза́ть	уйти́	уходи́ть
спрова́дить	спрова́живать	указа́ть	ука́зывать
спроси́ть	спра́шивать	укры́ть	укрыва́ть
спусти́ть(ся)	спуска́ть(ся)	уле́чься	укла́дываться
срази́ться	сража́ться	уложи́ть	укла́дывать
сруби́ть	сруба́ть	умере́ть	умира́ть
стащи́ть	ста́скивать	умести́ть	умеща́ть
стечь	стека́ть	умо́лкнуть	умолка́ть
сти́хнуть	стиха́ть	умы́ться	умыва́ться
стрено́жить	стрено́живать	умя́ть	умина́ть
су́зиться	су́живаться	унести́(сь)	уноси́ть(ся)
схвати́ть	схва́тывать	уничто́жить	уничтожа́ть
счерти́ть	счёрчивать	уня́ть	унима́ть
счесть	счита́ть	употреби́ть	употребля́ть
съесть	съеда́ть	упусти́ть	упуска́ть
		уроди́ться	урожда́ться
У-		усе́сться	уса́живаться
		усе́ять	усе́ивать
убаю́кать	убаю́кивать	услади́ть	услажда́ть
убеди́ть	убежда́ть	усмехну́ться	усмеха́ться
убежа́ть	убега́ть	успе́ть	успева́ть
уби́ть	убива́ть	успоко́ить	успока́ивать
убра́ть	убира́ть	уста́виться	уставля́ться
уви́ть	увива́ть	уста́ть	уставА́ть
увле́чь	увлека́ть	устро́ить(ся)	устра́ивать(ся)
угада́ть	уга́дывать	усыпи́ть	усыпля́ть
углуби́ться	углубля́ться	уте́шить	утеша́ть
уговори́ть	угова́ривать	утоли́ть	утоля́ть
угомони́ться	угомоня́ться	ухмыльну́ться	ухмыля́ться
уда́ться	удава́ться		

INTRODUCTION TO THE VOCABULARY

It is the aim of the Vocabularies in this series of Readers to provide not only an appropriate translation of the words in the texts, but also such information as will enable the student to adopt those words into his own vocabulary and use them correctly and idiomatically. The Vocabulary has been made as full as possible, but the reader is expected to know already such elements of grammar as, for example, the past tense of common verbs like идти́, the oblique forms of pronouns, or the rule that н- is prefixed to oblique cases of certain pronouns governed by a preposition. Parts of speech are not indicated unless there is some possibility of confusion.

NOUNS

Gender. As the gender of most Russian nouns is obvious from their form, the only genders given are those of masculine nouns ending in -ь, -а, or -я, and of neuters ending in -мя.

Plurals. Irregular plurals are given, and words occurring only or mainly in the plural are marked *pl.* Nouns with plurals in English which are not used in the plural in Russian are marked '*sing.* only'.

Fugitive vowels. The occurrence of fugitive vowels or 'fill-vowels' in the *nom. sing.* of masculine nouns and the *gen. pl.* of feminine and neuter nouns, and the forms found in other cases, are indicated thus:

о/-   (e.g. сон, *gen.* сна)
е/-   (e.g. день, *gen.* дня)
е/ь   (e.g. лев, *gen.* льва; соловей, *gen.* соловья)
е/й   (e.g. боец, *gen.* бойца)
ё/-   (e.g. пёс, *gen.* пса)
ё/ь   (e.g. лёд, *gen.* льда)
ё/й   (e.g. заём, *gen.* займа)
or: *gen. pl.* -/о (e.g. окно́, *gen. pl.* о́кон)
     gen. pl. -/е (e.g. кре́сло, *gen. pl.* кре́сел), &c.

For the *Accentuation* of nouns, see below.

PRONOUNS

Oblique cases of the commoner pronouns, and forms with prefixed н- after a governing preposition, are not usually given unless an idiomatic use occurs in the text.

ADJECTIVES

Adjectives are usually given in the attributive form. A few, obviously derived from nouns occurring in the text, have been omitted.

VERBS

Aspects. In this series the perfective or imperfective form corresponding to each verb used in the texts is indicated. When a perfective form differs from an imperfective only by the addition of a prefix, this is shown by a line separating prefix from verb (thus на/писа́ть *perf.* means that the imperfective aspect of the perfective написа́ть is писа́ть); in all other instances the corresponding perfective or imperfective is given or its absence noted. In making use of the information thus given it should be remembered that a change of aspect often entails a difference in shade of meaning.

Verbs with prefixes. The table on pp. 118–127 contains those verbs which have a prefix before the verb stem, and of which one or both aspects occur in the texts.

Double imperfective verbs. When these verbs occur in either aspect, both forms of the imperfective are given. Under the perfective aspect, the *determinate* form of the imperfective is given first, thus: повести́ *perf.*...; *d. imp.* вести́, води́ть.

Construction. Many verbs which are transitive in English govern a case other than the accusative in Russian; thus 'to threaten' (somebody) is translated into Russian by грози́ть with the dative case, 'to wave' (a handkerchief) or 'wag' (the tail) by маха́ть with the instrumental. Similarly, Russian idiom frequently demands the use of a different preposition after a verb from that in the comparable English expression; thus English 'to shoot *at*' is Russian стреля́ть в. Such differences of verbal construction are usually indicated.

ADVERBS

Adverbs obviously and regularly derived from adjectives occurring in the text are not as a rule given separately.

PREPOSITIONS

The case governed by a preposition is shown by the use of the sign + followed by the abbreviated name of the case.

ACCENTUATION OF NOUNS

Russian nouns can almost all be classified into definite groups according to their stress-type in declension. The groups here distinguished and the symbols used for each group are as follows:

Symbol   *Stress-type*

[C]   1. The stress is CONSTANT (i.e. on the same syllable as in the *nom. sing.*)—throughout singular and plural.

	Nom.	*Gen.*	*Dat.*	*Acc.*	*Instr.*	*Loc.*
e.g. *sing.*	кни́га	кни́ги	кни́ге	кни́гу	кни́гой	о кни́ге
pl.	кни́ги	книг	кни́гам	кни́ги	кни́гами	о кни́гах

[E]   2. The stress is on the ENDING (i.e. on the declensional ending or, when this is absent, on the stem end-syllable) —throughout singular and plural.

e.g. *sing.*	стол	стола́	столу́	стол	столо́м	о столе́
pl.	столы́	столо́в	стола́м	столы́	стола́ми	о стола́х

[C:E]   3. In the singular the stress is CONSTANT; in the plural it falls on the ENDING.

e.g. *sing.*	сад	са́да	са́ду	сад	са́дом	о са́де
pl.	сады́	садо́в	сада́м	сады́	сада́ми	о сада́х

[C:E exc. *nom.*]   4. In the singular the stress is CONSTANT; in the plural it falls on the ENDING, except in *nom. pl.* (and *acc. pl.* when *acc.* = *nom.*), where it is the same as in the singular.

e.g. *sing.*	гусь	гу́ся	гу́сю	гу́ся	гу́сем	о гу́се
pl.	гу́си	гусе́й	гуся́м	гусе́й	гуся́ми	о гуся́х

[E exc. *nom. pl.*]   5. The stress is on the ENDING, except in *nom. pl.* (and *acc. pl.* when *acc.* = *nom.*) where it shifts to the preceding syllable.

e.g. *sing.*	гвоздь	гвоздя́	гвоздю́	гвоздь	гвоздём	о гвозде́
pl.	гво́зди	гвозде́й	гвоздя́м	гво́зди	гвоздя́ми	о гвоздя́х

[E:←(1)]   6. In the singular the stress is on the ENDING; in the plural it shifts to the preceding syllable.

e.g. *sing.*	окно́	окна́	окну́	окно́	окно́м	об окне́
pl.	о́кна	о́кон	о́кнам	о́кна	о́кнами	об о́кнах

The above classification does not include a small group of feminine nouns like рука́, вода́, нога́, река́ (which deviate from stress-type 5 by changing the accent in the *acc. sing.*: ру́ку, во́ду, &c.), or голова́, борода́, сторона́ (*acc. sing.* го́лову, бо́роду, сто́рону, and *nom. pl.* го́ловы, бо́роды, сто́роны), nor a few nouns like земля́ (stress-type 6 except that the *gen. pl.* is земе́ль), о́зеро (*pl.* озёра, озёр, озёрам, &c.), сестра́ (*pl.* сёстры, сестёр, сёстрам, &c.), судья́ (*pl.* су́дьи, суде́й, су́дьям, &c.), щека́ (*pl.* щёки, щёк, щека́м, &c.), дворяни́н (*pl.* дворя́не, дворя́н, дворя́нам, &c.).

It should be noted that some nouns have a second, end-stressed *loc. sing.* after the prepositions в and на.

In some instances alternative accentuations are possible, but in order not to confuse the student these have not been indicated by any symbol.

LIST OF ABBREVIATIONS

acc. accusative	*imp.* imperfective	*pl.* plural
adj. adjective	*imper.* imperative	*pop.* popular (про-
adv. adverb	*impers.* impersonal	сторечие)
arch. archaic	*indecl.* indeclinable	*predic.* predicative
aug. augmentative	*inf.* infinitive	*prep.* preposition
coll. colloquial	*instr.* instrumental	*pron.* pronoun
comp. comparative	*intr.* intransitive	*refl.* reflexive
conj. conjunction	*lit.* literally	*sb.* substantive
dat. dative	*loc.* locative	*sc.* understand
dial. dialectal	*m.* masculine	*sel. id.* Selected Idioms
dim. diminutive	*n.* neuter	*sing.* singular
d. imp. double imperfec-	*nom.* nominative	*superl.* superlative
tive	*part.* particle	*tr.* translate
exc. except	*pa. t.* past tense	*trans.* transitive
f. feminine	*perf.* perfective	*voc.* vocative
gen. genitive	*pers.* person	

$+$ = with, followed by.

$\sim$ stands for the complete word appearing at the head of an entry.

¶ placed before a word or expression in the vocabulary indicates that the student should beware of using it, either because it is coarse or abusive or not in polite use, or because it does not belong to or is unusual in literary Russian.

VOCABULARY

A

a and, but; a то otherwise, or else (34.27)

a? eh?

авантюри́ст adventurer [C]: see p. 54, *footnote*

а́вгуст August [C]; ∼-густое́д: see *note* 71.26

автома́т automaton, automatic [C]

ага́! aha! (40.4)

ага́товый agate (*adj.*)

¶аж *pop.* for да́же even

¶азя́м: see *note* 31.4 [C]

ай! exclamation of fright, pain, reproach, &c.

¶ай: see а́ли

¶а́йда, а́йда-ка, а́йдате! *pop.* come along! go

акаде́мия academy [C]

акваре́льный water-colour (*adj.*)

аккура́тный neat, exact

актёр actor [C]

а́кция share, stock [C]

¶а́ли, аль, ай *pop.* for и́ли or; can it be? is it that?

алле́я avenue, walk [C]; *dim.* алле́йка, *gen. pl.* й/е [C]

алма́з diamond [C]

алюми́ниевый aluminium (*adj.*)

амба́р barn [C]

¶ан but (40.9)

англи́йский English

англича́нин, *pl.* англича́не, *gen.* англича́н Englishman; *pl.* the English [C]

аппара́т apparatus, machine [C]

аппети́т appetite [C]

¶апропо́ *à propos*

ара́п *pop.* negro [C]

арба́ bullock-cart [E:←(1)]

арендова́ть *perf.* & *imp.* lease, rent

арестáнт prisoner, arrested person [C]; ∼ский *adj.*

а́рка: Триумфа́льная ∼ *Arc de Triomphe* [C]

а́рмия army [C]

арома́т scent, odour, fragrance [C]

арти́ст artist(e) [C]

архипела́г archipelago [C]

арши́н arshin (28 in.) [C]

ата́ка, attack, assault [C]

ах oh, ah

а́хнуть *perf.* say 'ah', sigh, exclaim; give violent blow; produce loud noise by sudden action; а́хнет кулако́м: see *sel. id.* 41.25; *imp.* а́хать

аэропла́н aeroplane [C]

Б

ба́ба peasant woman; *pop.* woman [C]; *dim. pop.* бабёночка, *gen. pl.* -/е [C], ба́бочка, *gen. pl.* -/е [C]; ба́бий *adj.*

ба́бки *pl.*, *gen.* -/о knucklebones (game) [C]

бабочка, *gen. pl.* -/е butterfly [C]: see also баба

багаж luggage [E]

багровый crimson

базарный market (*adj.*)

балкон balcony [C]

баловать *imp.* spoil, pamper; *perf.* из~; play the fool; no *perf.*

баловство (*sing.* only) (over-)indulgence [E]

бандит bandit, gangster [C]

банк bank [C]

бант bow [C]

баня (public) bath [C]

барак barrack [C]

¶барахолка, *gen. pl.* -/о, *pop.* flea market, junk-shop [C]

барашковый lambskin (*adj.*)

барин, *pl.* баре, *gen.* бар gentleman, master [C]; барский *adj.*

барыня lady, mistress [C]

барыш *coll.* profit [E]

бас bass [C:E]

батальон battalion [C]

батюшки! *coll.* oh dear!

башня, *gen. pl.* башен tower [C]

бег run [C]; на бегу as (they) run

беглый fugitive, runaway

бегом at a run

бегучий rapid

беда misfortune, disaster [E:←(1)]; на беду unfortunately

бедный poor

бежать, бегать *d. imp.* run, be running; *perf.* побежать

без+*gen.* without

¶безболезно *pop.* for безболезненно soundly, healthily

безвольно weakly, spinelessly; helplessly (92.6)

бездельный idle, slothful

беззубый toothless

безлошадный horseless, too destitute even to own a horse

безмолвие (*sing.* only) silence [C]

безмолвный silent

безмятежный untroubled, tranquil, undisturbed

безобразный monstrous, hideous; безобразнейший *superl.*

безотчётный unconscious, unaccountable

безошибочно infallibly, faultlessly

безрадостный joyless

безропотный submissive, unmurmuring

белеть *imp.* grow white, show white; *perf.* по~, за~

белый white

бельё (*sing.* only) linen [E]

бенедиктин benedictine [C]

берег, *pl.* ~а shore, bank [C:E]

бережный careful

берёза birch-tree [C]; *dim.* берёзка, *gen. pl.* -/о [C]; берёзовый *adj.*

бери *imper.* of брать take it!

бес devil [C]

беседа conversation [C]

бесконечный endless, infinite

бескровный bloodless

беспаспортный *pop.* passportless

бесплотный incorporeal, insubstantial

беспокоить *imp.* disturb, trouble; ~ся worry, be anxious; *perf.* о~(ся), по~ся

беспоко́йство trouble, worry [C]

беспоря́дочный disorderly

беспреста́нно unceasingly, perpetually

беспримéрный unexampled, unheard-of

беспричи́нный causeless

бесслéдно without trace

бессмéртный deathless, immortal

бессо́нный sleepless

бестолко́вый silly, senseless

бесчу́вствие unconsciousness [C]

бесшу́мный noiseless

бéшеный mad, furious, rabid

би́бинская: see *note* 85.17

биéние beating [C]

билéт ticket [C]; *dim.* билéтик [C]

бинт bandage [E]

би́тва battle [C]

битко́м наби́ться be crammed, be jammed

би́тый beaten; би́тая вошь a squashed louse (54.19)

бить *imp.* beat, strike, hit; ∼ся fight; ∼ся о+*acc.* beat against, dash against; ∼ся об закла́д bet; *perf.* по∼(ся)

бла́го *pop.* since, as: see *note* 25.6

благодари́ть *imp.* thank; *perf.* по∼

благода́тный beneficial, blessed

благодéтель *m.* benefactor [C]

благоду́шный placid

благополу́чие well-being, security; happiness [C]

благополу́чный fortunate, safe

благопристо́йный decent, seemly

бла́гостный gracious

блажéнный blessed, blissful; simple, silly: see *note* 34.6

бледнéть *imp.* grow pale; *perf.* по∼

блéдно-жёлтый pale yellow

блéдный pale

блеск (*sing.* only) brilliance, shine [C]

блесну́ть *perf.* flash; *imp.* блестéть

блестя́щий shining, bright

бли́же nearer

бли́зкий near, close; бли́зкие *sb. pl.* one's nearest and dearest

блоха́ flea [E exc. *nom. pl.*]

блу́зка, *gen. pl.* -/o blouse [C]

бля́ха metal plate, badge (42.1) [C]

бобы́ль *m.* landless peasant: see *note* 56.17 [E]

Бог, *voc.* Бо́же God [C:E exc. *nom.*]; дай ∼ God grant, may it be true (30.10); ∼ тебя зна́ет God only knows; ∼ в по́мощь God speed you: see *note* 70.13; что ∼ даст as God wills; it is in God's hands (27.8); ей-Бо́гу by God! (3.31); so help me! (52.2); с Бо́гом goodbye; бо́жий *adj.*

бога́тство riches, richness [C]

бога́тый rich; богатéйший richest, very rich

богомо́льный devout, pious

бо́дрость cheerfulness, courage, nerve [C]

бо́дрый cheerful, brisk, energetic

боево́й battle (*adj.*), fighting

боéц е/й fighter, fighting man [E]

бой battle, fight; drumming, tattoo [C:E]

бойкий smart, dashing

бок, *pl.* ∼á side [C:E]

боковóй side-, lateral

болвáн blockhead [C]

бóлее more

болéзнь sickness, illness [C]

болéть *imp.* (3rd *pers.* only) ache, hurt; *perf.* за∼

болéть *imp.* be ill; *perf.* за∼

болóто swamp, bog [C]

болтáть *imp.* chatter, babble; *perf.* на∼, по∼

болтáться *imp.* dangle; no *perf.*

болтлúвый garrulous, talkative

боль pain [C]

больнúца hospital [C]; больнúчный *adj.*

бóльно painfully; *coll.* very

больнóй ill, unwell, sick, painful; *sb.* sick person, patient

бóльше more

большевúк Bolshevik [E]

большеголóвый large-headed

бóльший greater; бóльшей чáстью for the most part

большóй big, great; большáя дорóга high road

большýщий *coll.* huge, vast

бомбомёт bomb-thrower, mortar [C]

бор pine-wood [C:E]

бормотáть *imp.* murmur, mutter; *perf.* про∼

бородá beard; *dim.* борóдка, *gen. pl.* -/o [C]

бородáтый bearded

борóться *imp.* struggle; *perf.* по∼

борьбá (*sing.* only) struggle, fight [E]

босикóм with bare feet, barefooted

босóй (of feet) bare

ботвá (*sing.* only) tops (of plants) [E]

бóчка, *gen. pl.* -/e cask, barrel [C]

боязлúвый fearful, apprehensive

боя́ться *imp.*+*gen.* fear, be afraid (of); *perf.* по∼

бранúть *imp.* scold; *perf.* по∼, вы́∼

брань (*sing.* only) abuse, invective [C]

браслéт bracelet [C]

брат, *pl.* ∼ья, *gen.* ∼ьев brother [C]; see *sel. id.* 30.6; ∼ ты мой my dear chap (54.15); *dim.* брáтец e/- [C], *pop.* братóк o/- [E]

брáтский fraternal, brotherly

брать *imp.* take; ∼ умóм: see *sel. id.* 49.1; *perf.* взять

брéдить *imp.* be delirious, rave; *perf.* за∼

брестú, бродúть *d. imp.* lounge; wander, stroll, ramble (19.24); *perf.* побрестú

бригáда brigade [C]

брильянт brilliant [C]

брúтый shaven

брúться *imp.* shave; *perf.* вы́∼, по∼

бровь eyebrow [C:E exc. *nom.*]

бродúть, брестú *d. imp.* wander, be a vagabond; *perf.* побрестú

бродя́га *m. & f.* vagrant, tramp [C]; бродя́жий *adj.*

броневи́к armoured car [E]

бро́сить *perf.* throw; drop; give up, abandon; ～ся throw one-self; *imp.* броса́ть(ся)

бры́зги *pl., gen.* брызг splash, spatter, spray [C]

бры́знуть *perf.* gush, pour, flood; *imp.* бры́згать

брыка́ться *imp.* kick; *perf.* брык-ну́ться

бубе́нчик harness-bell [C]

¶бубу́кающий *pop.* booming

буго́р о/- hill, mound [E]

бу́дет that's enough: see *sel. id.* 35.17

буди́льник alarm-clock [C]

буди́ть *imp.* waken, wake; *perf.* раз～

бу́дто as if; that; как ～ as if, as though

бу́дущий future; бу́дущее *sb.* the future

будь: see быть

бу́ква letter, character [C]

буква́льно literally

була́вка, *gen. pl.* -/о pin [C]

бульва́р boulevard, avenue [C]

бу́лькать *imp.* gurgle, bubble; *perf.* бу́лькнуть

бума́га paper [C]; *dim.* бума́жка, *gen. pl.* -/е [C]

бунт riot, rebellion, mutiny, revolt [C:E]

буржуази́я bourgeoisie [C]

буржу́й *pop.* bourgeois [C]

бу́рный stormy, wild

бу́рый brown

бурья́н (*sing.* only) wild bushy weeds [C]

буты́лка, *gen. pl.* -/о bottle [C]

бушева́ть *imp.* storm, rage; *perf.* за～, по～

бы particle used to indicate con-ditional or subjunctive

быва́ло (as *adv.*) formerly, (I, &c.) used to; sometimes

быва́ть *imp.* be (often or always); occur

бы́вший former

бы́ло (as *adv.*) nearly, on the point of

быстрота́ (*sing.* only) speed, quickness [E]

бы́стрый swift, quick; *comp.* быстре́й

быть *imp.* be; не будь if it were not for, if it had not been for

В

в, во+*acc.* in, into (1.3), to, at (2.12), on (day) (12.10), for (9.1), per (57.30); в же́ртву+ *dat.* a prey (to) (9.10); в пе́р-вый раз for the first time; +*loc.* in (1.7), at (1.13); wearing (1.2); он был весь в пыли́ he was all covered with dust (7.11); во-пе́рвых, во-вторы́х in the first place, in the second place

ваго́н (railway-)carriage [C]; ～ный *adj.*

ва́жность (*sing.* only) impor-tance; pomposity [C]

ва́жный important

ва́за vase [C]

ва́кса (*sing.* only) blacking [C]

¶вала́ндаться *imp. pop.* linger, loiter, dally; *perf.* про～

валёк ё/ь wooden bat (for washing linen) [E]

ва́ленки pl., gen. -/o valenki, felt boots [C]

вали́ть imp. overthrow, overturn; ~ся fall; perf. c~(ся), по~(ся)

¶валя́й(те), вали́(те) pop. go on!; get on with it!

валя́ть imp. roll; perf. вы́~, c~; get along

вари́ть imp. boil; perf. c~

¶варо́к o/- dial. cow-shed [E]

Варша́ва Warsaw [C]

василёк ё/ь cornflower [E]

ваш, ва́ша, ва́ше, ва́ши your, yours

ва́ше-ство: see note 7.19

вбежа́ть perf. run in; imp. вбега́ть

вброд by the ford; перее́хать ~ ford

ввали́ться, perf. (of eyes) be sunken; imp. вва́ливаться

вверх up, upwards

вглубь into the distance (31.12)

вгля́дываться imp. peer; perf. вгляде́ться

вдави́ться perf. be crushed in; imp. вда́вливаться

вдалеке́, вдали́ in the distance

вдаль into the distance

вдоба́вок in addition, besides

вдо́воль to one's heart's content; in plenty; ad lib. (50.13)

вдого́нку after, in pursuit (of)

вдоль+gen. along, alongside (78.15)

вдохнове́нный inspired

вдруг suddenly, all at once

ведь you know; why! but; for

ве́жливый polite, courteous

везде́ everywhere

везти́, вози́ть d. imp. bring, cart, convey; нам везло́ pop. we had luck, we were lucky; perf. по~

век, pl. ~а́ [C:E], ~и [C:E exc. nom.] century, age: see sel. id. 27.10; от ~а ~о́в, pop. споко́н ~о́в from time immemorial: see note 60.12

векове́чный eternal, everlasting

велика́н giant [C]

вели́кий great, big; велича́йший superl. greatest

великоле́пный magnificent, superb, splendid

велича́вый majestic

велосипе́д bicycle [C]

вене́ц e/- crown [E]

ве́ник broom, whisk [C]; dim. ве́ничек e/- [C]

венок o/- garland, wreath [E]

верблю́д camel [C]

верёвка, gen. pl. -/o rope, cord [C]

ве́рить imp.+dat. believe, believe in, trust; ~ на́ слово take on trust; perf. по~

ве́рно truly, correctly, rightly; probably; certainly

верну́ться perf. return, go back; imp. возвраща́ться

ве́рный true, faithful; reliable, trustworthy (57.21)

вероя́тно probably

Верса́ль m. Versailles [C]

верста́, pl. вёрсты verst ($\frac{2}{3}$ mile)

верте́ть imp. turn, whirl, twist; ~ языко́м wag one's tongue; ~ся turn, spin; perf. по~(ся)

ве́рхний upper

верховóй, ¶верхокóнный *pop. sbs.* horseman, rider

верхóм: éхать ∼ ride

вершúна summit, peak, top [C]

вершóк o/- vershok ($1\frac{3}{4}$ in.) [E]

весёлость cheerfulness, gaiety [C]

весёлый cheerful, joyful, merry; *comp.* веселéе

весéлье mirth, merriment [C]

веснá, *pl.* вёсны, *gen.* вёсен spring [E:←(1)]; веснóй in the spring

веснýшка, *gen. pl.* -/e freckle [C]

вестú, водúть *d. imp.* take, bring, lead; derive (20.23); *perf.* по∼

весть news, tidings [C:E exc. *nom.*]

весы́ *pl.*, *gen.* весóв scales, balance [E]

весь, вся, всё, все all, the whole

ветвь branch, twig [C:E exc. *nom.*]

вéтер e/- wind; *dim.* ветерóк o/- [E]

вéтка, *gen. pl.* -/o branch; branch-line [C]

ветлá, *pl.* вётлы, *gen.* вётел willow [E:←(1)]

вéтхий ancient, dilapidated, tumble-down

вéчер, *pl.* ∼á evening [C:E]; ∼ом in the evening; вечéрний *adj.*

вечéрня, *gen. pl.* вечéрен vespers [C]

вéчный eternal

вéшать *imp.* hang up; *perf.* повéсить

вещь, ¶вéщия *pop.* thing [C:E exc. *nom.*]

вéять *imp.* blow gently, breathe, waft; *perf.* по∼

взвéсить *perf.* weigh; *imp.* взвéшивать, вéшать

взвúзгивать *imp.* squeak; *perf.* взвúзгнуть

взгляд glance, look [C]

взглянýть *perf.* look, glance; *imp.* взгля́дывать

вздор nonsense, rubbish [C]

вздох sigh [C]

вздохнýть *perf.* sigh; *imp.* вздыхáть

вздрóгнуть *perf.* start, jump, quiver; *imp.* вздрáгивать

вздымáться *imp.* rise; no *perf.*

вздыхáть *imp.* sigh; *perf.* вздохнýть

взлетáть *imp.* fly up; *perf.* взлетéть

взойтú *perf.* rise; *imp.* восходúть

взрóслый grown-up (*adj.* & *sb.*)

взять *perf.* take; нас ничéм... не возьмёшь: see *sel. id.* 49.1; взял в карьéр broke into a gallop (90.26); ∼ся: откýда... взялúсь: see *sel. id.* 3.16; *imp.* брáть(ся)

вид (*sing.* only) appearance, look [C]; в ∼e+*gen.* by way of, in the form of; дéлать ∼ pretend; из ∼y out of sight (79.23)

видáть *imp. coll.* see; *perf.* y∼

вúдеть *imp.* see; *perf.* y∼

вúдеться *imp.* seem, be seen; *perf.* при∼

ви́димо evidently; ∼-неви́димо enormous numbers, masses, no end

ви́димый evident, visible

видне́ться *imp.* be seen, be visible; no *perf.*

ви́дный evident, visible

вина́ fault [E:←(1)]

вино́ wine [E:←(1)]

винова́то apologetically

винова́тый guilty

виногра́д vine [C]

виногра́дник vineyard [C]

винто́вка, *gen. pl.* -/o rifle [C]

висе́ть *imp.* hang (*intr.*); no *perf.*

висо́к o/- (hair on) temple [E]

вить *imp.* twist, wind; ∼ся *refl.*; *perf.* c∼(ся)

¶вихра́стый *pop.* shock-headed

вишнёвый cherry (*adj.*)

¶вишь *coll.*: see note 70.20

вконе́ц *pop.* for оконча́тельно finally, completely

¶влад́а́й *pop.* for владе́й, *imper.* of владе́ть

владе́ть *imp.*+*instr.* rule, own, possess; *perf.* за∼, o∼

вла́жный damp, moist

вла́ствовать *imp.*+*instr.* rule, dominate; no *perf.*

власть power; rule; authorities [C:E exc. *nom.*]

вле́во to the left

влете́ть *perf.* fly in; *imp.* влета́ть

влече́нье inclination [C]

влия́ние influence [C]

вме́сте together

вме́сто+*gen.* instead of

внеза́пный unexpected, sudden

внести́ *perf.* carry in; *imp.* вноси́ть

вне́шне outwardly, on the surface

вниз down, downwards

внизу́ below

внима́тельный attentive

вновь again, anew, newly

вну́тренний interior, internal, inner

внутри́ inside

вове́к: ∼ не never

во́все: ∼ не not . . . at all

во-вторы́х secondly, in the second place

вода́ water

во́дка, *gen. pl.* -/o vodka [C]

водово́зка, *gen. pl.* -/o water-cart [C]

воева́ть *imp.* wage war; no *perf.*

вое́нный military; *sb.* soldier

вожжа́ rein [E exc. *nom. pl.*]

воз cart(-load) [C:E]

возбужда́ть *imp.* excite, stimulate; *perf.* возбуди́ть

возбуждённый excited

возврати́ться *perf.* return; *imp.* возвраща́ться

возвраще́ние (*sing.* only) return [C]

возвыша́ться *imp.* rise, tower; no *perf.* in this sense

возгласи́ть *perf.* proclaim, exclaim (37.16); *imp.* возглаша́ть

во́здух (*sing.* only) air, atmosphere [C]

возду́шный airy, air-, of the air

вози́ть, везти́ *d. imp.* carry, cart; *perf.* повезти́

во́зле+*gen.* near, beside

возлю́бленный *sb.* dear one, loved one

возмо́жность possibility [C]

возмущаться *imp.* be indignant, express indignation; *perf.* возмутиться

возникнуть *perf.* spring up, arise; occur (to); *imp.* возникать

воз/ра́доваться *perf. arch.*+*dat.* or о+*loc.* rejoice at

возразить *perf.* object, rejoin, retort; *imp.* возражать

возраста́ть *imp.* increase, grow; *perf.* возрасти́

война́ war [E:←(1)]

во́йско army (*arch.*); *pl.* troops, force [C:E]

войти́ *perf.* come in, go in, enter; *imp.* входи́ть

вокза́л railway-station [C]

вокру́г around, round; +*gen.* round

во́лей-нево́лей willy-nilly

волк wolf [C:E exc. *nom.*]

волна́ wave [E exc. *nom. pl.*]

волне́ние emotion, agitation [C]

волни́стый wavy, undulating

волнова́ть *imp.* agitate; ~ся be excited, agitate oneself; *perf.* вз~(ся)

волокно́, *gen. pl.* -/о fibre [E:←(1)]; *dim.* волоко́нце, *gen. pl.* волоко́нцев bit of fibre or fluff [C]

во́лос hair; *pl.* ~ы hair [C:E exc. *nom.*], ~á hairs [C:E]

во́лость volost: see *note* 29.12 [C:E exc. *nom.*]

волочи́ть, воло́чь *imp. coll.* drag; *perf.* по~

во́лчий wolf's, wolf-; во́лчья жизнь a dog's life (35.15)

волше́бный magical

во́ля (*sing.* only) will; freedom [C]: see *note* 21.4; дать во́лю give way to; свое́й во́лей of one's own accord; во́лей-нево́лей willy-nilly; на во́ле in freedom, at large; *pop.* out-of-doors (51.12)

вон *coll.* yonder, over there

вонзи́ться *perf.* thrust in, pierce; *imp.* вонза́ться

вонь (*sing.* only) stink, stink-bomb [C]

воню́чий stinking

вообще́ in general

во-пе́рвых in the first place, to begin with

вопро́с question [C]

вопроси́тельный questioning, inquiring

ворва́ться *perf.* burst in, force one's way in; *imp.* врыва́ться

воробе́й е/ь sparrow [E]

во́рон raven [C]

воро́на crow [C]

во́рот collar [C]

воро́та *pl., gen.* воро́т gate [C]

вороти́ть *perf.* & *imp. pop.* call back; ¶~ мо́рду look down one's nose (50.15)

вороти́ться *perf. coll.* go back, return; *imp. pop.* ¶ворочаться

ворохну́ться *perf. coll.* stir, swarm; *imp.* вороши́ться

воро́чать *imp. coll.* roll, turn over; no *perf.*

восвоя́си *coll.* home (*adv.*)

во́семь eight

воскли́кнуть *perf.* exclaim; *imp.* восклица́ть

воскресе́нье Sunday [C]

воспомина́ние remembrance, reminiscence [C]

воспринима́ться *imp.* be perceived; no *perf.*

восто́к east [C]

восто́рг delight, rapture, exaltation [C]

восто́рженный enthusiastic, enraptured

восхити́тельный charming, delightful

восходи́ть: see всходи́ть

вот here, there; this is, that's

воткну́ть *perf.* stick in; *imp.* втыка́ть

вошь, *gen.* вши, *instr.* во́шью, louse

впервы́е for the first time

вперёд forward

впереди́ in front, ahead

впи́ться *perf.*+в+*acc.* clutch at; *imp.* впива́ться

вплотну́ю close up

вполго́лоса in an undertone

вполне́ completely, fully

вприся́дку at one go

впро́чем however, but there

¶впрямь indeed

впу́таться *perf.* get involved, be entangled; ∼ в исто́рию get into trouble, get into a scrape; *imp.* впу́тываться

враг enemy [E]

вражде́бный hostile

вразбро́д here and there

вразуми́тельный perspicuous

врать *imp.* lie, tell lies; talk nonsense; *perf.* со∼

вред (*sing.* only) harm, damage [E]

вре́менный temporary

вре́мя *n.*, *gen.* вре́мени, *pl.* времена́, *gen.* времён time [C:E]; тем вре́менем meanwhile

вро́де like: see *notes* 61.15, 62.23

врыва́ться *imp.* burst in; *perf.* ворва́ться

вса́сывать *imp.* suck in; *perf.* всоса́ть

все everybody, everyone

всё *pron.* everything, all; ∼ равно́ it's all the same, it doesn't matter; да и ∼ and that's all about it; and there's an end to it; *adv.* all the time, constantly, continually; ∼ ещё still; ∼же, ∼-таки all the same, nevertheless

всегда́ always

всего́ altogether, in all

всенаро́дный nation-wide

вско́ре soon

вскочи́ть *perf.* jump up; *imp.* вска́кивать

вскри́кнуть *perf.* cry out, exclaim; *imp.* вскри́кивать

всле́д+*dat.* after

всмотре́ться *perf.* peer, look closely; *imp.* всма́триваться

вспа́ханный ploughed; вспа́ханная земля́ tillage

всползти́ *perf.* climb up; *imp.* всполза́ть

вспо́мнить *perf.* remember, recall; ∼ся be remembered, come back to one; *imp.* вспомина́ть(ся)

вспы́хнуть *perf.* light up, take fire; flare up; *imp.* вспы́хивать

вспы́шка, *gen. pl.* -/е flash, spurt [C]

встать *perf.* stand up, get up; *imp.* встава́ть

встрево́женный anxious

встре́тить *perf.* meet; ～ся meet, be met with; *imp.* встреча́ть-(ся)

встре́ча meeting [C]

встре́чный going the other way

вступа́ть *imp.* enter; *perf.* вступи́ть

вступи́ться *perf.* intervene, intercede; *imp.* вступа́ться

всхли́пывать *imp.* whimper; *imp.* всхли́пнуть

всходи́ть, восходи́ть *imp.* rise; *perf.* взойти́

всю́ду everywhere

¶всяк *coll.* for вся́кий

вся́кий any, every; every kind of, all sorts of; *pron.* anyone, everyone; each

вта́йне secretly

втере́ться *perf.* insinuate oneself, intrude; *imp.* втира́ться

втихомо́лку secretly, on the quiet

второ́й second

входи́ть *imp.* enter, come in, go in; *perf.* войти́

вчера́ yesterday

вчера́шний yesterday's, of yesterday

вширь far and wide, boundlessly

въе́хать *perf.* ride in, drive in; *imp.* въезжа́ть

вы you

выбега́ть *imp.* run out; *perf.* вы́бежать

вы́белить *perf.* whitewash, whiten

вы́бить *perf.* beat out, dislodge, beat back; ～ся escape, force one's way; *imp.* выбива́ть(ся)

вы́боина hollow, hole [C]

вы́бор choice, selection [C]

выбра́сывать *imp.* throw out, throw away; *perf.* вы́бросить

вы́брать *perf.* choose, select; ～ся get out, go out; *imp.* выбира́ть-(ся)

вы́/брить *perf.* shave; *imp.* выбрива́ть

вы́бросить *perf.* throw out; *imp.* выбра́сывать

выва́ливать *imp. coll.* throw out; *perf.* вы́валить

вы́везти *perf.* remove, cart away; *imp.* вывози́ть

вы́весить *perf.* hang out; *imp.* выве́шивать

вы́веска, *gen. pl.* -/о sign, notice [C]

вы́вести *perf.* bring out, lead out, help out; *imp.* выводи́ть

вы́глядеть *imp.* look, appear; no *perf.* in this sense

выгля́дывать *imp.* peep out; *perf.* вы́глянуть

вы́говорить *perf.* utter, pronounce; *imp.* выгова́ривать

вы́гон pasture, common [C]

вы́гореть *perf.* (of colour) fade; *imp.* выгора́ть

вы́грести *perf.* rake out; scrape out; *imp.* выгреба́ть

вы́данье *coll.*: на вы́даньи of marriageable age

вы́дать *perf.* give away, give; ～ся protrude, project, jut out; *imp.* выдава́ть(ся) выдвига́ть *imp.* draw out, pull out; *perf.* вы́двинуть

вы́держать *perf.* endure; *imp.* выде́рживать

вы́ехать *perf.* ride out, drive out, travel out; *imp.* выезжа́ть

вы́звать *perf.* call, summon; *imp.* вызыва́ть

вои́скивать *imp.* search, rummage; *perf.* вы́искать

вы́йти *perf.* go out, come out, turn out; *imp.* выходи́ть

выкида́ть *imp. pop.* for выки́дывать throw out; *perf.* вы́кинуть

выклика́ть *imp.* call over, announce; *perf.* вы́кликнуть

вы́/красить *perf.* paint, colour; *imp.* выкра́шивать

вы́купить *perf.* redeem (pledge), buy back; *imp.* выкупа́ть

¶выла́мываться *imp. pop.* clown, play the clown; no *perf.*

вы́лезть, вы́лезти *perf.* climb out; alight; *imp.* вылеза́ть

вы́лететь *perf.* fly out, rush out; *imp.* вылета́ть

вы́лечиться *perf.* be cured; *imp.* выле́чиваться

вы́менять *perf.* exchange; *imp.* выме́нивать

вы́нести *perf.* carry out; *imp.* выноси́ть

вы́нуть *perf.* take out; *imp.* вынима́ть

вы́/пить *perf.* drink; *imp.* выпива́ть

выполне́ние fulfilment, accomplishment [C]

вы́прямиться *perf.* straighten up; *imp.* выпрямля́ться

выпуска́ть *imp.* let out, let go; *perf.* вы́пустить

¶выпуща́й(те) *pop.* for выпуска́й(те), *imper.* of выпуска́ть

выпь bittern [C]

выпя́чивать *imp.*: ∼ грудь throw out one's chest; *perf.* вы́пятить

выраже́ние expression [C]

вырази́тельный expressive

выраста́ть *imp.* grow; *perf.* вы́расти

вы́рвать *perf.* snatch away, pull out; ∼ся break away, get free; *imp.* вырыва́ть(ся)

вы́резать *perf.* cut out; *imp.* выреза́ть, вырезывать

вы́ронить *perf.* drop, let fall; no *imp.*

вырыва́ться *imp.* escape, break out; *perf.* вы́рваться

вы́/рыть *perf.* dig, dig out; *imp.* вырыва́ть

вы́садиться *perf.* alight, disembark; *imp.* выса́живаться

вы́свободить *perf.* disentangle; *imp.* высвобожда́ть

выска́зывать *imp.* express, give vent to (in speech); *perf.* вы́сказать

выска́кивать *imp.* slip out; *perf.* вы́скочить

вы́слушать *perf.* hear, hear out, listen to; *imp.* выслу́шивать

высо́вываться *imp.* protrude, be thrust out; *perf.* вы́сунуться

высо́кий high, tall

вы́ставить *perf.* put out, take out (61.7); *imp.* выставля́ть

вы́стрел shot [C]

вы́/строгать *perf.* plane; *imp.* выстра́гивать

вы́строить *perf.* build; *imp.* вы-
страивать

выстукивать *imp.* hammer out,
beat out (rhythm); no *perf.* in
this sense

выступить *perf.* stand out, step
out; appear, perform; *imp.*
выступа́ть

вы́сунуться *perf.* thrust oneself
out; *imp.* высо́вываться

вы́сший higher, highest

высыха́ть *imp.* dry up; *perf.*
вы́сохнуть

вы́таращить *perf.*: ~ глаза́ stare,
open one's eyes; *imp.* вытара́-
щивать

вы́тащить *perf.* pull out; *imp.*
выта́скивать

вы́тереть *perf.* dry, wipe; *imp.*
вытира́ть

вы́течь *perf.* flow out; *imp.* вы-
тека́ть

вы́топтать *perf.* trample down;
imp. выта́птывать

вы́тянуть *perf.* stretch, stretch
out; *coll.* strike, lash; ~ся
stretch out; *imp.* вытя́гивать(ся)

вы́ход outlet [C]

выходи́ть *imp.* come out, go out,
turn out; ~ из себя́ lose one's
temper; ~ за́муж (of woman)
get married; *perf.* вы́йти

выходно́й going-out (*adj.*)

вы́цвести *perf.* fade; *imp.* выцве-
та́ть

вы́чертить *perf.* trace; *imp.* вы-
че́рчивать

вы́чистить *perf.* clean; *imp.* вычи-
ща́ть

вы́ше higher

Вы́шний *sb.* Supreme Being, God

вьюн loach [E]; ~о́м ви́ться
twist like an eel

вя́занка, *gen. pl.* -/о jersey,
sweater [C]

вя́заный knitted, stockinet
(*adj.*)

вяза́ть *imp.* knit; *perf.* с~

вя́лый flabby, tame, lifeless

¶вянбла́н *vin blanc* (white wine):
see *note* 53.9

вя́нуть *imp.* wither; *perf.* у~, за~

Г

га́дкий nasty, evil

гадю́ка viper [C]

газ gas [C]

газе́та newspaper [C]

¶галдаре́я, *dim.* галдаре́йка, *pop.*
for галлере́я gallery [C]: see
note 61.20

галде́ть *imp.* make a din; *perf.*
за~

га́лка, *gen. pl.* -/о jackdaw [C]

га́лстук tie [C]

¶га́моз: всем га́мозом: see *note*
66.22

га́ркнуть *perf.* bark, shout at top
of one's voice; *imp.* га́ркать

гармо́ника accordion [C]

¶гарсо́н *garçon* (waiter): see *note*
53.9 [C]

га́убица howitzer [C]

гвоздь *m.* nail [E exc. *nom. pl.*]

где where; ~-то somewhere

генера́л general [C]

генера́льный general

геогра́фия geography [C]

герма́нец е/- German [C]

герма́нский German (*adj.*)

геро́й hero [C]

ги́бель (*sing.* only) loss, wreck, ruin [C]

гига́нтский gigantic

гимнастёрка, *gen. pl.* -/o soldier's shirt [C]

гита́ра guitar [C]

гла́вный main, principal, chief, head; гла́вное the main thing, the chief thing

гла́дить *imp.* stroke; *perf.* по~

гла́дкий smooth, polished

глаз, *pl.* ~а́ eye [C:E]; во все ~а́ with all one's eyes

¶глаза́стый *pop.* quick-sighted, keen-eyed

гли́на (*sing.* only) clay [C]

гли́нистый clayey

гли́няный of clay, clay-

глода́ть *imp.* gnaw; *perf.* об~

гло́тка, *gen. pl.* -/o throat [C]; во всю гло́тку *pop.* at the top of one's voice

глубина́ depth [E:←(1)]; глуби-но́ю в по́яс waist-deep

глубо́кий deep

глу́пость foolishness, stupid thing; *pl.* nonsense [C]

глу́пый stupid, foolish

глухо́й deaf; deserted, lonely; quiet; (of sound, voice) dull, muted, muffled; глуха́я крапи́ва dead-nettle; глуха́я тете́ря as deaf as a post: see *note* 72.9

глушь (*sing.* only) thicket; backwoods

глядь when suddenly (72.31)

гля́нуть *perf.* look, glance; + на+*acc.* look at; *imp.* гляде́ть

гнать, гоня́ть *d. imp.* drive, chase; ~ся be driven, be blown; ~ся за+*instr.* pursue, follow; *perf.* погна́ть(ся), погоня́ть

гнев (*sing.* only) anger, rage [C]

гне́вный wrathful, angry

гнездо́, *pl.* гнёзда nest [E:←(1)]

гнои́ть *imp.* rot, leave to rot; *perf.* с~

гнуть *imp.* bend; на него́ хрип гну́ли: see *note* 60.12; *perf.* со~

го́вор (*sing.* only) talk, dialect [C]

говори́ть *imp.* speak, say; tell; *perf.* по~, сказа́ть; ~ся be said

говя́дина beef [C]

год, *pl.* ~а́ [C:E], ~ы [C:E exc. *nom.*] year

годи́ться *imp.*+на+*acc.* be of use for, be good for; *perf.* при~

го́дный good, fit, suitable

голени́ще boot-leg [C]

голова́ head; городско́й ~ mayor

головно́й head-, brain-; of the head; ~ плато́к head-scarf

го́лод hunger [C]

голо́дный hungry; ~ паёк starvation rations

го́лос, *pl.* ~а́ voice [C E]; *dim.* голосо́к o/- [E]

голоси́стый vociferous, loud-voiced; *pop.* having a good voice

голубизна́ blue, blueness [E]

голубова́то-се́рый light bluish-grey

голубова́тый bluish

голубой (light) blue

голубя́тня, *gen. pl.* голубя́тен dovecot [C]: see *note* 85.21

го́лый naked

го́лыш *coll.* naked person; *pop.* nakedness [E]: see *note* 83.7

¶голя́к *coll.* nude, naked person [E]; *dim.* голячо́к о/- [E]

гоня́ться, гна́ться *d. imp.*+за+ *instr.* chase, pursue; *perf.* погна́ться

гора́ mountain, hill; в го́ру uphill; по́д гору downhill; ¶ду́й его́ горо́й: see *note* 31.24; *dim.* го́рка, *gen. pl.* -/о [C]

го́рдость (*sing.* only) pride [C]

го́ре (*sing.* only) grief, distress, affliction [C]

горева́ть *imp.* lament, grieve; *perf.* по~

горе́лый burnt, burnt-out

горе́ть *imp.* burn, blaze; *perf.* с~

го́речь (*sing.* only) bitterness [C]

горизо́нт horizon [C]

го́рлинка, *gen. pl.* -/о turtle-dove [C]

го́рло throat [C]

го́род, *pl.* ~á town [C:E]; *dim.* городо́к о/- [E]

городи́ть *imp.*: see *sel. id.* 52.2; no *perf.*

городско́й town-, urban: ~ голова́ mayor

го́рький bitter

¶горю́н *pop.* poor fellow, wretch [E]

горя́чий hot; fervent, passionate

господи́н, *pl.* господа́, *gen.* госпо́д gentleman, master; Mr. [C:E]

госпо́дский seignorial; master's

Госпо́дь, *voc.* Го́споди Lord; с Го́сподом goodbye, Godspeed

госпожа́ lady; Miss, Mrs. [E]

гости́н(н)ая *sb.* drawing-room

гости́нец е/- *pop.* present, gift [C]

гости́ница hotel [C]

гость *m.* visitor, guest [C:E exc. *nom.*]

го́стья (woman) guest, visitor [C]

госуда́рственный state (*adj.*), of the state

гото́вность readiness, preparedness [C]

гото́вый ready

гра́бить *imp.* plunder; *perf.* о~

гра́бли *pl., gen.* гра́бель rake [C]

граждани́н, *pl.* гра́ждане, *gen.* гра́ждан citizen

гражда́нский civil

гра́мота (*sing.* only) letters, reading and writing [C]

грани́ца border, frontier [C]; за грани́цей abroad

граф, *pl.* ~ы [C], ¶*pop.* ~ья [C:E] count; ~ский *adj.*

графи́ня countess [C]

гребёнка, *gen. pl.* -/о comb [C]

греме́ть *imp.* jingle; *perf.* за~

грему́чий rattling; noisy

грех sin, evil [E]

гре́шный sinful

гриб mushroom, fungus [E]; по грибы́ for (to pick) mushrooms (39.5)

гри́ва mane [C]

гри́венник silver coin (10 copecks) [C]

гробово́й deathly, sepulchral

гроза́ storm [E:←(1)]
грози́ть *imp.* threaten; *perf.* по~
гро́зный terrible, menacing
грозово́й: грозова́я ту́ча storm-cloud, thunder-cloud
гром thunder; roar, crash [C:E exc. *nom.*]
грома́дный huge, enormous
громи́ть *imp.* destroy, ruin; *perf.* раз~
гро́мкий loud; *comp.* гро́мче
громово́й of thunder
громо́здкий cumbersome, clumsy
громоно́сно thunderously
громыха́ние rattle [C]
гро́хнуть *perf.*: толпа́ гро́хнула хо́хотом the crowd roared with laughter (66.1); no *imp.*
гро́хот (*sing.* only) crash, rattle, rumble [C]
грохота́ть *imp.* roar, roll, crash; *perf.* про~
грубова́тый loutish, somewhat coarse
гру́бость rudeness, coarseness, grossness [C]
гру́бый rude, blunt, callous
гру́да heap, pile [C]
грудь breast; гру́дью: see *sel. id.* 48.9
грузи́ть *imp.* load; *perf.* на~, по~
гру́зный massive, heavy, weighty
гру́ппа group [C]
гру́стный sad, melancholy
грусть (*sing.* only) melancholy, sorrow, grief [C]
грызть *imp.* gnaw, bite; crack; *perf.* раз~, разгрыза́ть

гря́дка, *gen. pl.* -/о (flower-)bed [C]
гря́зный dirty, grubby
грязь dirt, filth, mud [C]
гря́нуть *perf.* thunder out; *imp.* греме́ть
губа́ lip; *pl.* mouth [E exc. *nom. pl.*]
гуде́ть *imp.* hum, drone; *perf.* за~
гул boom, roar [C]
гу́лкий hollow, reverberating
гуля́ть *imp.* walk, go for a walk; wander about; *perf.* по~
гурьба́ (*sing.* only) *pop.* crowd [E]; гурьбо́й together, in a group
гу́сли *pl.* psaltery [C]: see *note* 11.16
густо́й thick; *comp.* гу́ще
гусь *m.* goose [C:E exc. *nom.*]; ~ ты! you're a fine one!
гы! exclamation expressing irony (57.6)

Д

да yes; *conj.* and (1.18); да и and (3.13)
дава́ть *imp.* give; allow; дава́й(те) *imper.* let . . .: see *note* 51.25; ~ся be given; *perf.* да́ть(ся)
¶да́вешный *pop.* recent
дави́ть *imp.* crush; choke; *perf.* за~, у~
давле́ние pressure [C]
давно́ long since, long ago; since long ago
да́же even
да́лее further
далёкий distant

далеко́ far, far away

¶дале́че *pop.* far

даль distance [C]

дальне́йший furthest; в далне́й-
шем in the distant future

да́льний far, remote

да́льше further

да́мочка, *gen. pl.* -/e [C], *dim.* of
да́ма lady [C]

дать *perf.* give; allow; ~ ра́за
два give (him) a couple of
blows (42.29); дай *imper.* let;
~ся be given; *imp.* дава́ть(ся)

да́ча country house, summer
cottage [C]

да́чник owner of *dacha*; summer
visitor [C]

два, две two

два́дцать twenty

двена́дцать twelve

две́рца, *gen. pl.* -/e door (of car-
riage, &c.) [C]

дверь door [C: E exc. *nom.*]

две́сти two hundred

дви́гаться *imp.* move; *perf.* дви́-
нуться

движе́ние movement, motion
[C]

дво́е two, the two

двойно́й double

двор courtyard, yard [E]

дво́рня (*sing.* only) *arch.* domestic
servants [C]

дворяни́н, *pl.* дворя́не, *gen.* дво-
ря́н nobleman

дворя́нство nobility, gentry [C]

¶де: see де́скать

деви́ца maiden, girl [C]

де́вка, *gen. pl.* -/o, *pop.* girl, lass
[C]

де́вочка, *gen. pl.* -/e little girl [C]

де́вушка, *gen. pl.* -/e girl [C]

девятна́дцать nineteen

де́вять nine

дёготь *m.* o/- tar, pitch [C]

дед grandfather [C]

де́довский grandfather's

де́душка *m.*, *gen. pl.* -/e grandad
[C]

дежу́рный on duty; *sb.* guard

действи́тельный actual, real

де́йствовать *imp.* act, proceed;
perf. по~

де́ланный affected, studied

де́лать *imp.* do, make; ~ вид pretend; ~ся be done; *perf.* с~-
(ся)

делёжка, *gen. pl.* -/e, *coll.* sharing,
share-out [C]

делёжный *pop.* of sharing out

дели́ть *imp.* divide; ~ся+*instr.*
share, divide; *perf.* раз~(ся),
по~(ся)

де́ло thing, affair, matter, business [C:E]; то и ~ every now
and then (28.11); дела́! see
sel. id. 10.1; в са́мом де́ле
really, indeed (43.8); на де́ле
in reality: see *sel. id.* 10.1,
71.5, 71.12

делови́тый businesslike

делово́й businesslike, business
(*adj.*)

де́льный clever, capable

демонстра́ция demonstration [C]

день *m.* e/- day [E]

де́ньги *pl.*, *gen.* ь/e money [C];
dim. coll. де́нежки, *gen.* -/e [C]

депута́т deputy [C]

депута́ция deputation [C]

дерга́ч corncrake [E]

дереве́нский country, village, rustic

дере́вня, *gen. pl.* дереве́нь village; country

де́рево, *pl.* дере́вья, *gen.* дере́вьев tree; wood; кра́сное ∼ mahogany

дереву́шка, *gen. pl.* -/e hamlet [C]

деревяне́ть *imp.* stiffen, grow stiff; *perf.* o∼

деревя́нный wooden

держа́ва power, sovereign state [C]

держа́ть *imp.* hold, keep; ∼ся hold oneself, keep; ∼ся на нога́х stay on one's feet; *perf.* по∼

де́рзкий audacious, cheeky

дери́: see драть

дёрн (*sing.* only) turf [C]

дёрнуть *perf.* pull, tug; *imp.* дёргать

¶де́скать, де *coll.* (particle used in reported speech) 'says he', &c.

десяти́на desyatin (measure of land, 2·7 acres) [C]

деся́ток o/- ten, half a score [C]

де́сять ten

дета́ль detail [C]

де́ти *pl.* children

де́тский child's, children's; childish; childlike

де́тство childhood [C]

деть *perf. coll.* put; ∼ся put oneself, go; *imp.* дева́ть(ся)

дешёвый cheap, inexpensive; *dim.* дешёвенький

дива́н sofa [C]

диви́зия division [C]

диви́ться *imp.* marvel, wonder; *perf.* на∼, по∼

ди́кий wild, fierce

дико́винка, *gen. pl.* -/o wonder, curiosity [C]

дипломати́ческий diplomatic

диск disk [C]

¶дитя́ *n.*, *gen.* дитя́ти *poet.* child

дли́нный long

дли́ться *imp.* last, continue; *perf.* про∼

для+*gen.* for (2.3)

дневни́к diary, journal [E]

дно bottom; золото́е ∼ goldmine (*fig.*)

до+*gen.* to, up to; until (3.7); before (55.3); до сих пор until now (1.17); ∼ чего́ to what extent, how (50.22)

доба́вить *perf.* add; *imp.* добавля́ть

доби́ться *perf.* achieve: see *sel. id.* 22.4; *imp.* добива́ться

добро́ (*sing.* only) goods, property [E]

добро́м *coll.* kindly, graciously (38.22)

доброво́лец e/ь volunteer [C]

добpoду́шный good-natured, good-humoured

¶до́брое *pop.* for добро́

добросо́вестный conscientious, scrupulous

доброхо́т *pop.* well-wisher [C]

до́брый kind, kindly; добре́йший *superl.*

довести́ *perf.* bring (to); *imp.* доводи́ть

доводи́ться *imp.* happen; *perf.* довести́сь

дово́льно sufficiently, enough

дово́льный pleased, contented

догада́ться *perf.* guess; think of; *imp.* дога́дываться

догна́ть *perf.* overtake; *imp.* догоня́ть

догоре́ть *perf.* burn out; *imp.* догора́ть

доду́маться *perf. pop.* get as far as thinking; *imp.* доду́мываться

дое́хать *perf.* arrive, go as far (as); *imp.* доезжа́ть

дожда́ться *perf.* wait (until something happens); no *imp.*

дождево́й of rain, rain-

дождь *m.* rain [E]; ~ идёт it is raining

дожида́ться *imp.* expect; no *perf.*

дожи́ть *perf.*+до+*gen.* live to see; *imp.* дожива́ть

¶дозна́ть *perf. pop.* find out, ascertain; *imp.* дознава́ть

дойти́ *perf.* come to, go as far (as); *imp.* доходи́ть

доказа́ть *perf.* demonstrate; *imp.* дока́зывать

докати́ть *perf. pop.* arrive, get there; *imp.* дока́тывать

докла́д announcement [C]

докопа́ться *perf.*+до+*gen.* dig down to; *imp.* дока́пываться

до/крича́ть *perf.* finish shouting

до́ктор, *pl.* ~а́ doctor [C:E]

докуме́нт, *pop.* доку́мент document; passport (29.11) [C]

долг debt; (*sing.* only) duty [C:E]

до́лгий (of time) long; до́лго for a long time

до́лжен *predic.* under an obligation; in debt; obliged; должно́ быть, *pop.* должно́ probably, I suppose, I expect

до́лжность office, function [C:E exc. *nom.*]

доли́на valley [C]

доложи́ть *perf.* announce, report; *imp.* докла́дывать

до́ля share; lot, fortune, fate [C:E exc. *nom.*]

дом, *pl.* ~а́ house [C:E]; *dim.* доми́шко, *gen. pl.* -/е [C]

до́ма at home

домо́й home (*adv.*), homewards

доны́не until now, up to this time

допи́ливать *imp.* finish sawing up; *perf.* допили́ть

допра́шивать *imp.* interrogate, examine; *perf.* допроси́ть

¶допре́жде *pop.* before

допы́тываться *imp.* find out, inquire; *perf.* допыта́ться

допьяна́: напи́ться ~ drink oneself drunk

доро́га road, way [C]; больша́я ~ high road

дорого́й dear, expensive, valuable

доро́жка, *gen. pl.* -/е path, track [C]

доса́да (*sing.* only) disappointment, vexation [C]

доса́дный disappointing, vexatious; мне доса́дно I am annoyed

доска́, *gen. pl.* -/о board, plank

доста́точный enough, sufficient

достáть *perf.* get, obtain; ~ся+ *dat.* fall to the lot of; *imp.* доставáть(ся)

достóинство (*sing.* only) dignity, virtue [C]

достоя́ние (*sing.* only) property, fortune [C]

достýпный attainable

дóсуха *adv. coll.* dry, until dry

дотлá *pop.* utterly, completely

дотрóнуться *perf.* touch; *imp.* дотрóгиваться, дотрáгиваться

дохнýть *perf.* breathe; *imp.* дышáть

дочь, *gen.* дóчери, *pl.* дóчери, *instr.* дочерьми́ daughter [C:E exc. *nom.*]

дощáтый boarded, of planks

драгоцéнности *pl.* valuables [C]

дразни́ть *imp.* tease; *perf.* раз~, по~

дрáка fight, scuffle [C]; лезть в дрáку show fight, be spoiling for a fight

¶дрáла *pop.* escaped, made off: see *sel. id.* 39.25

дрáма drama [C]

драть *imp.* tear; *perf.* разо~; *pop.* thrash, flog; *perf.* вы́~; чорт егó дери́: see *sel. id.* 20.11; ~ся fight; *perf.* по~ся

дрёма doze, drowsiness [C]

дремáть, *imp.* doze, sleep; *perf.* за~

дремóтный drowsy, somnolent, half asleep

¶дри́щем: see *note* 48.24

дрóбно: ~ кáпали dripped

дробь (*sing.* only) tattoo, roll (of drum) [C]

дровá *pl.*, *gen.* дров firewood [E]

дрожáть *imp.* tremble; *perf.* за~

друг, *pl.* друзья́, *gen.* друзéй friend [C:E]; *dim.* дружóчек е/- [C]

друг дрýга one another

другóй another, other; next

дрýжески amicably, in friendly fashion

дружи́ть *imp.* make friends, be friends; no *perf.* in this sense

дрянь trash, rubbish [C]

дубóвый oaken, of oak, oak-

дýдочка, *gen. pl.* -/е [C], *dim.* of дýдка pipe, fife [C]; тóнка ~: see *note* 33.5

дýля kind of pear; contemptuous gesture [C]; поднести́ дýлю cock a snook

дýма thought; council, duma [C]

дýмать *imp.* think; *perf.* по~

дурáк [E], дýра [C] fool

дурáцкий idiotic, stupid

дурнóй bad; мне бы́ло дýрно I felt ill

дýру: с ~: see *sel. id.* 82.1

дуть *imp.* blow; *perf.* по~

дух spirit; breath [C]; ни слýху ни дýху not the slightest sign; ни сном ни ~ом: see *sel. id.* 86.5

духóвный spiritual, religious; *sb.* ecclesiastic, churchman

духотá stuffiness, closeness [E]

душá soul, spirit; *dim. pop.* дýшенька [C]

душéвный sincere, cordial; inward, mental

души́стый scented

дýшный close, stuffy, stifling

дым smoke [C]; *dim.* дымо́к о/-
[E]; ~ный *adj.*
ды́нька, *gen. pl.* -/е, *dim.* of ды́ня
melon [C]
дыра́ hole [E:←-(1)]
дыря́вый torn, full of holes
дыха́ние (*sing.* only) breathing,
breath [C]
дыша́ть *imp.* breathe; *perf.* дох-
ну́ть
дья́кон deacon [C]
дюйм inch [C]
дя́дька *m.*, *gen. pl.* ь/е elderly
man [C]
дя́дя *m.* uncle; *dim.* дя́денька,
gen. pl. ь/е [C]

Е

Евдоке́я-огуре́шница: see *note*
71.26
Евро́па Europe [C]
его́ his, its
еда́ (*sing.* only) food, meal [E]
едва́ hardly, scarcely; ~ не almost, all but
еди́нственный sole, single, only
еди́ный single, sole, united
едо́к eater, consumer [E]; по-
едока́м: see *note* 60.22
её her, its
ёж hedgehog [E]
ежедне́вный daily (*adj.*)
¶е́жели *pop.* for е́сли if
езда́ travelling, riding; traffic [E]
е́здить, е́хать *d. imp.* travel, go
(not on foot); *perf.* пое́хать
ей-Бо́гу: see Бог
¶е́кстренность *pop.* for экстрен-
ность urgency, special business [C]

е́ле hardly, scarcely
ель fir [C]
ёрш ruff, small fish with prickly
scales [E]; встать ~о́м bristle
е́сли if
естество́ *arch.* (*sing.* only) nature
[E]
есть there is, there are
есть *imp.* eat; *perf.* съ~, по~
е́хать, е́здить *d. imp.* ride, drive,
go (not on foot); ~ верхо́м
ride; *perf.* по~
ещё still; yet, again; да ~ and
what's more; ~ раз once more;
~ тро́е three more (90.16);
~ бы of course; what next?;
~ бы не прийти́ as if I
wouldn't come! (9.3)

Ж

жа́воронок о/- lark [C]
жа́дность (*sing.* only) greed
[C]
жа́дный greedy, eager
жа́жда (*sing.* only) thirst [C]
жале́ть *imp.* be sorry for, pity;
perf. по~
жа́лкий pitiful, pathetic
жа́лко it is a pity; мне ~+*gen.*
I am sorry for; с на́ми ~
дели́ться he grudged us our
share (57.27)
жа́лобный mournful, plaintive
жа́ловаться *imp.*+на+*acc.* com-
plain of; *perf.* по~
жа́лостливый compassionate,
pitiful
жа́лость (*sing.* only) pity [C]
жаль a pity; мне ~(+*gen.*) I am
sorry (for)

жар (*sing.* only) heat (high temperature), fever [C]

жара́ (*sing.* only) heat, hot weather [E]

жа́ркий hot; жа́рче *comp.*

жгу́чий burning, hot

ждать *imp.* wait, expect; +*gen.* (of person) or *acc.* (of thing) wait for; *perf.* подо~

же, ж particle expressing emphasis

жева́ть *imp.* chew; *perf.* по~, с~, раз~

жела́тельно it is desirable, it is desired

жела́ть *imp.* wish, want; *perf.* по~

желва́к swelling, bump [E]

желе́зка, *gen. pl.* -/o piece of iron [C]

желе́зный iron (*adj.*); желе́зная доро́га railway

желе́зо iron [C]

желобо́к o/- [E], *dim.* of жёлоб groove, channel [C:E]

желтова́тый yellowish

жёлтый yellow

жена́, *pl.* жёны wife [E:←(1)]; же́нин *adj.*

жена́тый married

жени́ть *imp.* & *perf.* marry; ~ся (of man) marry, get married

жени́х fiancé, future husband [E]

же́нский female, woman's

же́нщина woman [C]

жеребе́ц e/- stallion [E]

же́ртва sacrifice, victim [C]

же́ртвовать *imp.* give, sacrifice; *perf.* по~

жест gesture [C]

жёсткий stiff, tough

жесто́кий cruel

жесть (*sing.* only) tin [C]

жечь *imp.* burn; *perf.* с~

живо́й living, lifelike, vivid, lively; жи́во *pop.* quickly

живопи́сный picturesque

живо́т stomach [E]; *dim.* живо́тик [C]

живо́тное *sb.* animal

жи́дкий liquid, watery

жизнь life [C]

жиле́ц е/ь [E]: see *sel. id.* 16.4

жило́й of living, habitable

жире́ть *imp.* grow fat; *perf.* за~

жи́рный greasy, fat

жить *imp.* live; здоро́во живёшь without any reason; *perf.* про~

жнитво́ (*sing.* only) stubble [E]

жёлудь *m.* acorn [C:E exc. *nom.*]

¶жрать *imp. pop.* eat, devour, guzzle; *perf.* со~

жужжа́ть *imp.* buzz; *perf.* за~, про~

жук beetle [E]

журча́ть *imp.* ripple, bubble; *perf.* за~

жу́ткий frightful, awful, terrific, uncanny

жуть (*sing.* only) horror [C]

З

за+*nom.*: что ~ what sort of (7.18); +*acc.* for (5.6); behind (with motion) (25.16); to (table, meal, &c.) (6.11); at a distance of (7.14); by (8.4); за́ город out of the town (7.2); за́ ночь overnight (87.13); + *instr.* for (43.20); after (47.20);

behind (1.7); at (table, &c.); beyond (16.29); owed by, to the account of; за грани́цей abroad

¶заба́вка, *gen. pl.* -/о *pop.* plaything, toy, trinket (72.27) [C]

забега́ть *imp.* run round, run on ahead; *perf.* забежа́ть

за/беле́ть *perf.* grow white, show white

за/блесте́ть *perf.* (begin to) shine

забо́тливость (*sing.* only) solicitude, care [C]

¶забо́тный *pop.* troubled, anxious

за/бракова́ть *perf.* reject

забра́ться *perf.*+в+*acc.* creep, climb, into; *imp.* забира́ться

забы́ть *perf.* forget; ⌒ся be forgotten, forget oneself; *imp.* забыва́ть(ся)

забытьё drowsiness, doze [E]

зава́лина [C]: see *note* 12.22; *dim.* зава́линка, *gen. pl.* -/о [C]

заверну́ть *perf.* wrap up; ⌒ цыга́рку *pop.* roll cigarette; *imp.* завёртывать

завести́ *perf.* wind up; start; ⌒сь appear; *imp.* заводи́ть(ся)

заве́тный sacred

зави́сеть *imp.*+от+*gen.* depend on; no *perf.*

заво́д factory, works [C]

заводи́ть *imp.* wind up; set up; strike up; *perf.* завести́

заво́дский factory (*adj.*)

за́водь creek [C]

заволо́чь *perf.* cloud, darken; *imp.* заволаки́вать

¶завсегда́ *pop.* always

за́втра tomorrow

завяза́ть *perf.* tie, knot; ⌒ся get started, be entered upon; *imp.* завя́зывать(ся)

зага́дочный enigmatic, mysterious

за/галде́ть *perf. coll.* howl, make a din

заглуши́ть *perf.* deaden, stifle, suppress; *imp.* заглуша́ть

загляде́ться *perf.* stare; ⌒ на admire; *imp.* загля́дываться

загляну́ть *perf.* look, glance; look in; *imp.* загля́дывать

загна́ть *perf.* pen, drive in; harness; exhaust, drive too hard; *imp.* загоня́ть

за́говор charm, exorcism [C]

заговори́ть *perf.* begin to speak, break silence, enter into conversation; *imp.* загова́ривать

загоре́ться *perf.* light up, burn, glow; *imp.* загора́ться

за/греме́ть *perf.* roar, thunder

за/грохота́ть *perf.* roar with laughter

зада́ть *perf.* put (question); set (problem); ⌒ пе́рцу give it hot (41.23); *imp.* задава́ть

задво́рки *pl.*, *gen.* -/о back yard [C]

задержа́ть *perf.* detain; arrest; hold back; *imp.* заде́рживать

за́дний rear, back, hind-

за/должа́ть *perf.* run into debt

задо́р (*sing.* only) vigour, enthusiasm, energy [C]

за/дрожа́ть *perf.* tremble, quake, shake

задумать *perf.* propose, intend; ∼ся ponder, meditate, be thoughtful; *imp.* задумывать-(ся)

задумчивость (*sing.* only) thoughtfulness [C]

задумчивый thoughtful

задушевный cordial, sincere

задыхаться *imp.* gasp, pant, be out of breath; *perf.* задохнуться

заесть *perf.* eat up, consume; *imp.* заедать

заехать *perf.* call (at), drop in; *imp.* заезжать

зажать *perf.* crush, squeeze; *imp.* зажимать

зажечь *perf.* kindle, light, set alight; *imp.* зажигать

зажить *perf. pop.* begin to live; no *imp.* in this sense

за/жмуриться *perf.* screw up one's eyes; *imp.* зажмуриваться

за/звонить *perf.* ring

зазорный dishonourable, shameful

за/интересоваться be interested, show interest; *imp.* заинтересовываться

заискивать *imp.* court, make up to; *perf.* (unusual) заискать

зайти *perf.* call, look in, go in; set, go down; *imp.* заходить

заказ: see *note* 20.18 [C]

заказчик customer [C]

закалённый hardened

закатиться *perf.* disappear; *imp.* закатываться

закачать *perf.* shake (head); no *imp.* in this sense

закидывать *imp.*: ∼ шапками: see *note* 49.9; *perf.* закидать

за/кипеть *perf.* boil; *imp.* закипать

заклад wager, bet [C]; биться об ∼ bet

закон law [C]

закопчённый smoky, blackened

за/кричать *perf.* cry (out); shout

за/кружиться *perf.* whirl, spin

закрыть *perf.* shut, close; cover; hide; ∼ся cover oneself, cover one's face; *imp.* закрывать(ся)

¶закрючить *perf. pop.* hook; *imp.* закрючивать

за/кряхтеть *perf.* groan

закуривать *imp.* light up, light (pipe, &c.); *perf.* закурить

закусить *perf.* bite; *imp.* закусывать

за/кутать *perf.* wrap up; *imp.* закутывать

зал, зала ball-room, great hall [C]

залежь deposit, layer, bed [C]

залить *perf.* pour over, swamp, flood; *imp.* заливать

залиться *perf.* burst into song; *pop.* run away (33.16); *imp.* заливаться

залп volley, discharge [C]

за/махать *perf.*: ∼ руками wave one's hands (as gesture of refusal): see *sel. id.* 1.24

замедлить *perf.* delay; *imp.* замедлять

замереть *perf.* be motionless, 'freeze'; *imp.* замирать

¶заместо *pop.* for вместо+*gen.* instead of

заме́тить *perf.* notice, observe, remark; *imp.* замеча́ть

заме́тный noticeable

замеча́тельный remarkable, wonderful

зами́нка, *gen. pl.* -/о hesitation, delay [C]

замира́ть *imp.* sink, die down; *perf.* замере́ть

замире́ние *pop.* peace [C]: see *note* 65.10

за́мкнутый shut in, locked

за́мок о/- castle [C]

замо́к о/- lock [E]

замо́лвить *perf.*: ~ слове́чко за + *acc.* put in a good word for: see *sel. id.* 41.18

за/молча́ть *perf.* fall silent, be silent; *imp.* замолка́ть

замочи́ть *perf.* wet, drench; *imp.* зама́чивать

за́муж: вы́йти ~ (of woman) get married

замше́лый mossy

занести́ *perf.* cover; ~ сне́гом cover with drifts; *imp.* заноси́ть

занима́ть *imp.* occupy; ~ся be occupied, busy oneself; *perf.* заня́ть(ся)

за́ново anew

за/ночева́ть *perf.* stay for the night

заня́тие occupation, employment [C]

заня́тный *coll.* entertaining, amusing

занято́й busy, occupied

заня́ть *perf.* occupy; ~ся occupy oneself; concern oneself, busy oneself; deal (with); *imp.* занима́ть(ся)

за/ора́ть *perf.* shout at the top of one's voice, bawl, yell

за́пад west [C]

запа́с store, stock [C]

за́пах smell, scent [C]

запева́ла *m. & f.* solo singer starting tune for choir to take up

запева́ть *imp.* take solo part; no *perf.* in this sense

запёкшийся: запёкшиеся гу́бы parched lips

запере́ть *perf.* lock, bolt; *imp.* запира́ть

за/пе́ть *perf.* begin to sing; sing, hum

запе́чь *perf.* bake, parch; ~ся be parched; *imp.* запека́ть(ся)

запина́ться *imp.* stammer, falter; *perf.* запну́ться

запи́ска, *gen. pl.* -/о note; *pl.* memoirs, reminiscences [C]

запи́ть *perf.* take to drink; *imp.* запива́ть

запла́канный tear-stained

за/пла́кать *perf.* weep, cry

за/плати́ть *perf.* pay

заподо́зрить *perf.* suspect; *imp.* запода́зривать

за/полони́ть *perf. arch.* take possession of; take prisoner

за/поро́ть *perf.* flog to death; *imp.* запа́рывать

запроки́дываться *imp.* be thrown back; *perf.* запроки́нуться

за/пры́гать *perf.* jump, leap, dance

запряга́ть *imp.* harness; *perf.* запря́чь

запусте́ние neglect, desolation [C]

запусти́ть *perf.* neglect; *imp.* запуска́ть

запу́таться, *pop.* ¶запутля́ться *perf.* get entangled: see *note* 24.28; *imp.* запу́тываться

за/пыла́ть *perf.* blaze up

запыха́ться *perf.* get out of breath, puff, pant; no *imp.*

зарабо́тать *perf.* earn; *imp.* зараба́тывать

зара́з: see *note* 87.24

зара́нее beforehand

за/реве́ть *perf.* blare, make a din

заро́сший overgrown; stubbly

заруга́ть *perf. pop.* berate, scold

заря́, *pl.* зо́ри, *gen.* зорь dawn, glow [E:←—(1)]

заса́ленный greasy, dirty

заседа́ть *imp.* sit, hold sittings; no *perf.*

засе́янный sown

засиде́ться *perf.* sit too long; *imp.* заси́живаться

за/сине́ть *perf.* take (dark) bluish tint, grow blue

за/скуча́ть *perf.* be homesick

заслони́ть *perf.* blot out; *imp.* заслоня́ть

заслу́га merit, deserts [C]

за/смея́ться *perf.* (begin to) laugh

засо́л (*sing.* only) salting, pickling [C]

засоли́ть *perf.* salt, pickle; *imp.* заса́ливать

засо́хший dried

заста́ва detachment at guard-point [C]

заста́вить *perf.* compel, make; *imp.* заставля́ть

застегну́ть *perf.* fasten, button; *imp.* застёгивать

застила́ть *imp.* cloud, dim; *perf.* застла́ть

за/стона́ть *perf.* moan, groan

застрели́ть *perf.* shoot; *imp.* застре́ливать

за/стуча́ть *perf.* knock, hammer

засты́ть, *regional* засты́нуть *perf.* freeze; become fixed; grow stiff or numb; *imp.* застыва́ть

засыпа́ть *imp.* fall asleep; *perf.* засну́ть

засы́пать *perf.* strew, scatter; cover; *imp.* засыпа́ть

за/таи́ть *perf.* conceal, secrete; *imp.* зата́ивать

затека́ть *imp.*: see *note* 16.24; *perf.* зате́чь

зате́м after that, then

зате́я undertaking [C]

зати́хнуть *perf.* grow quiet, grow still, die down; *imp.* затиха́ть

заткну́ть *perf.* choke up; thrust in; *imp.* затыка́ть

затми́ть *perf.* eclipse; *imp.* затме-ва́ть

зато́ on the other hand

за/тоскова́ть *perf. pop.* languish, grieve

заточи́ть *perf.* incarcerate; *imp.* заточа́ть

затрудне́ние difficulty [C]

за/трясти́сь *perf.* shake, tremble

за́тхлость (*sing.* only) mustiness, mouldiness [C]

заты́лок о/- back of the head [C]

затяну́ть *perf.* strike up; *imp.* затя́гивать

захвати́ть *perf.* seize, take, take in, grip; *imp.* захва́тывать захлёбываться *imp.* (of breath) sob, choke, pant; no *perf.* in this sense

заходи́ть *imp.* go in, call in; *perf.* зайти́

за/хоте́ть *perf.* want, wish; ∼ся *impers.*: мне захоте́лось I wanted

за/хохота́ть *perf.* begin to laugh; guffaw

зацвета́ть *imp.* flower, blossom; *perf.* зацвести́

зачéм why, for what end

зачи́нщик instigator, ringleader [C]

за/шага́ть *perf.* (begin to) step, pace

за/ша́мкать *perf. pop.* (begin to) mumble

за/ша́ркать *perf.* (begin to) shuffle

за/шепта́ться *perf.* (begin to) whisper to each other

за/шевели́ться *perf.* stir, move

¶зашиби́ть *perf. pop.* get the better of, have the advantage of; *imp.* зашиба́ть

за/шипе́ть *perf.* (begin to) hiss

за/щекота́ть *perf.* tickle

заяви́ть *perf.* declare; ∼ся *coll.* make one's appearance; *imp.* заявля́ть(ся)

заявле́ние statement, declaration [C]

за́ячий hare (*adj.*)

звать *imp.* call, name; *perf.* на∼; invite; *perf.* по∼; ∼ся be called; no *perf.*

звезда́, *pl.* звёзды star [E:←(1)]

звене́ть *imp.* ring, tinkle; (of lark,

&c.) sing, trill; *perf.* за∼, про∼

зверь *m.* beast [C:E exc. *nom.*]

звон ringing [C]

звони́ть *imp.* ring; *perf.* по∼

зво́нкий resounding, clear

звоно́к о/- ring, bell [E]

звук sound [C]

звуча́ть *imp.* sound, ring; *perf.* про∼

зву́чный noisy, loud

зда́ние building [C]

здесь here

зде́шный *pop.* for зде́шний of this place, local

здорове́нный *pop.* hearty, strong; hardy

¶здоро́во hello; ∼ живёшь: see *sel. id.* 52.10

здо́рово *coll.* jolly good

здоро́вый healthy, well; strong; stout (30.29, 70.10)

здоро́вье (*sing.* only) health [C]

здра́вствуй(те) good morning, good evening, &c.; how do you do?

зелене́ть *imp.* grow green; *perf.* за∼, по∼

зелёный green; к зелёным: see *note* 59.1

зе́лень greenery, herbage [C]

земля́ land, ground, earth

земля́к fellow-countryman [E]

зерно́, *pl.* зёрна, *gen.* зёрен grain, corn [E:←(1)]

зима́ winter; зимо́й, зимо́ю in winter; зи́мний *adj.*

зло, *pl.* only in *gen.* зол, evil, mischief; со зла from malice

зло́ба (*sing.* only) fury; spite, malice [C]

зло́бный bad-tempered

злове́щий ominous, ill-omened

злой spiteful, malicious

злополу́чный unlucky, ill-fated

злора́дно with malicious joy

злость (*sing.* only) ill-nature, bad temper [C]

злосча́стный unlucky, ill-starred

зме́йка, *gen. pl.* й/е [C], *dim.* of змея́ snake [E:←-(1)]

знай: see знать

знак sign, symbol [C]

знако́миться *imp.* get acquainted, make acquaintance (of); *perf.* по~

знако́мство acquaintanceship, becoming acquainted [C]

знако́мый known, familiar; *sb.* acquaintance

¶зна́мо *pop.* as is well known, certainly

зна́ние knowledge, scholarship, (branch of) learning [C]

зна́тный of high rank, noble

знать *imp.* know; знай without more ado (38.15); *perf.* у~

зна́чит thus, consequently

зна́чить *imp.* mean; no *perf.*

зноби́ть *imp.* impers.: (меня́) зноби́ло (I) had a chill, got the shivers (85.16)

зно́йный sultry

зола́ (*sing.* only) ashes [E]

золоти́стый golden

золоти́ть *imp.* gild; *perf.* по~

зо́лото gold [C]

золото́й gold (*adj.*), golden; золото́е дно gold-mine (*fig.*)

золочёный gilt, gilded

зо́нтик umbrella [C]

зо́ри *pl.* of заря́

зрачо́к о/- pupil (of eye) [E]

зре́лище spectacle [C]

зреть *imp.* ripen; *perf.* со~

зри *imper.* of зреть *imp. arch.* look; *perf.* у~

зря *coll.* to no purpose, in vain, uselessly

зуб tooth [C:E exc. *nom.*]

зубри́ть *imp. slang* cram; *perf.* вы́~

зубча́тый indented, serrated

И

и and; as well, also (19.17); even (21.14); и... и both . . . and

и́бо *arch.* for

игла́ needle [E:←-(1)]

игра́ game [E:←-(1)]

игра́ть *imp.* play; +в+*acc.* play (game); *perf.* сыгра́ть

идилли́ческий idyllic

идти́, итти́, ходи́ть *d. imp.* go, come; *perf.* пойти́

из, изо+*gen.* out of, from (3.12); of (19.5); made of (61.23)

изба́ izba, peasant cottage [E:←-(1)]; *dim.* избу́шка, *gen. pl.* -/е [C]

избега́ть *imp.* avoid, shrink from; *perf.* избежа́ть

изби́ть *perf.* beat, thrash soundly; *imp.* избива́ть

изве́стие news, information [C]

изве́стно of course; see *sel. id.* 21.14, 45.22

изве́стный known, well-known

извещать *imp.* inform; *perf.* известить

извинение excuse, apology [C]

извинить *perf.* excuse, forgive; ∼ся apologize, make excuses; *imp.* извинять(ся)

изволить *imp. arch.* have the goodness, be pleased (to); no *perf.*

¶извóлок *regional* slope [C]

изгáдиться *perf. pop.* go bad, be spoilt; *imp.* изгáживаться

изголóвье head-rest [C]

издалекá, издали from far away, from a distance

из-за+*gen.* on account of, through (2.30); from behind (29.20), from beyond (87.12)

излáзить *perf. pop.* clamber all about, poke around; no *imp.*

излишек е/- excess, surplus [C]

измениться *perf.* change; *imp.* изменяться

измерять *imp.* measure; *perf.* измерить

износить *perf.* wear out; wear; *imp.* изнáшивать

изобразить *perf.* represent, depict; *imp.* изображáть

изобретáтель *m.* inventor[C]

из-под+*gen.* from underneath (11.17)

изредка seldom, rarely

изумительный wonderful, amazing

изумление, изумленье (*sing.* only) consternation, amazement [C]

изумлённый surprised, amazed

икóна icon [C]

или or; ∼... ∼ either . . . or

иллюминовáть *imp. & perf.* illuminate, colour

имéние estate, property [C]

именины *pl., gen.* именин nameday, saint's day [C]: see *note* 39.2

именно just, exactly

иметь *imp.* have, possess; no *perf.*

имущество (*sing.* only) property, possessions [C]

имя *n., gen.* имени, *pl.* именá, *gen.* имён name [C:E]; называть по имени и отчеству: see *note* 9.18

¶ин *pop. dial.* all right, if you like, then

инáче otherwise, differently

индивидуáльный individual; ∼ пакéт field dressing

индюшка, *gen. pl.* -/е turkey-hen [C]

иней (*sing.* only) hoar-frost [C]

иногдá sometimes

инóй some, one; other; ∼ раз sometimes; иные... иные some . . . others

инострáнец е/- foreigner [C]

инструментáльный instrumental: see *note* 1.16

интерéс interest [C]

интерéсный interesting

интересовáться *imp.* be interested, interest oneself; *perf.* за∼

интимный intimate

ирóния irony [C]

искáтельница seeker (*f.*) [C]

искáть *imp.* seek, search; +*gen.* look for; *perf.* сыскáть, по∼

исключáться *imp.* be excluded; no *perf.*

и́скоса askance; sideways, side-long

и́скра spark [C]

и́скриться *imp.* sparkle; *perf.* за~

ис/кроши́ть *perf.* crumble, cut to pieces

испаре́ние exhalation [C]

испа́рина (*sing.* only) sweat, perspiration [C]

испо́дний *pop.* under-

исполне́ние fulfilment, discharge (of duties) [C]

испо́лнить *perf.* carry out, fulfil; ~ся be completed; *imp.* исполня́ть(ся)

ис/по́ртить *perf.* spoil

испо́рченный vitiated, corrupt

исправля́ть *imp.* correct; fill (office); *perf.* испра́вить

испу́ганный frightened, startled

ис/пуга́ть *perf.* frighten, startle; ~ся be frightened; take fright

иссле́довать *imp.* & *perf.* investigate, study

исступлённо frenziedly; ~ хохоча́ in fits of laughter, laughing uncontrollably

и́стинный true

истори́ческий historic, historical

исто́рия story, history [C]; впу́таться в исто́рию get into trouble

исче́знуть *perf.* vanish, disappear; *imp.* исчеза́ть

итого́ altogether, in all

итти́: see идти́

их their

¶и́хний their, theirs

¶ишь: ~ ты!: see *sel. id.* 30.6

ию́ль *m.* July [C]

ию́нь *m.* June [C]

К

к, ко + *dat.* to, towards

каба́к public-house, tavern [E]; *dim.* кабачо́к о/- [E]

кабине́т study [C]

каблу́к heel [E]

¶кабы́ *coll. arch.* if

каду́шка, *gen. pl.* -/е [C], *dim.* of ка́дка, *gen. pl.* -/о tub, vat [C]

каёмчатый with a (coloured) border

ка́ждый each, every

ка́жущийся apparent

каза́к Cossack [E]

каза́ться *imp.* seem, appear; ка́жется, каза́лось apparently; *perf.* по~

как how, like, as; wherever (56.28) ~ бы as if, as it were; ~ бы ни however; ~ есть всё *pop.* absolutely everything (61.25); ~ ни however; ~-нибудь somehow, anyhow (73.5); ~-ника́к anyhow, in any case (41.30); ~ так? how so?; ~-то somehow, somewhat; once (57.11); ~ то́лько as soon as (1.3)

како́в what, what kind of

како́й what; what kind of: see *note* 35.9; which, that (6.29); ~-нибудь some, some . . . or other, some sort of; ~-то some, a certain

камени́стый stony

ка́мень *m.* е/- stone [C:E exc. *nom.*]; ка́менный *adj.*

ками́н hearth, fireplace [C]; ∼ный *adj.*: ками́нная труба́ chimney

камо́рка, *gen. pl.* -/o small room, closet [C]

камышёвый of reeds

камыши́стый reedy, overgrown with reeds

кана́ва ditch [C]

кандида́т candidate [C]

кап! plop! (16.16)

ка́пать *imp.* trickle, drip, fall in drops; *perf.* ка́пнуть

капита́л capital [C]

капитали́зм capitalism [C]

ка́пля, *gen. pl.* ка́пель drop [C]; *dim.* ка́пелька, *gen. pl.* ь/e [C]

кара́сь *m.* crucian carp [E]

карау́л sentry, guard [C]; ∼ крича́ть shout 'help!'

карма́н pocket [C]

карни́з cornice [C]

ка́рта map [C]

карти́на picture [C]; *dim.* карти́нка, *gen. pl.* -/o [C]

карто́н pasteboard, card [C]

карто́фель *m.* (*sing.* only) potatoes [C]; ∼ный *adj.*

карто́шка, *gen. pl.* -/e *pop.* potato [C]

карту́з cap [E]

карье́р (*sing.* only) fast gallop [C]

каса́ться *imp.*+*gen.* touch, concern; *perf.* косну́ться

ка́сса cash-desk, box-office [C]

касси́р cashier [C]

ката́ться, кати́ться *d. imp.* roll, trundle; *perf.* покати́ться

кафе́ (*indecl.*) café

кача́нье shaking [C]

качну́ть *perf.*+*instr.* nod, shake (head); *imp.* кача́ть

кашева́р *pop.* & *military* cook [C]

ка́шлянуть *perf.* cough; *imp.* ка́шлять

кварти́ра flat [C]

квас kvass [C:E]: see *note* 29.8

кве́рху up; ∼ гру́дью face upwards, on one's back

¶квёлый *pop.* for хво́рый sickly, weakly

ке́пка, *gen. pl.* -/o cap [C]

кескевуле́?: see *note* 53.9

кивну́ть *perf.* nod; *imp.* кива́ть

кида́ть *imp.* throw; *perf.* ки́нуть

кизячо́к o/- (*sing.* only) *dim.* of кизя́к bricks of dung and straw as fuel [E]

киломе́тр kilometre [C]

кинемато́граф cinematograph, cinema [C]

ки́нуть *perf.* throw; *imp.* кида́ть

кио́ск kiosk, stall [C]

кипе́ть *imp.* boil, seethe; *perf.* за∼

кирпи́ч brick [E]; ∼ный *adj.*

кисе́т pouch [C]

кислота́ acid [E:←(1)]

кита́ец e/й Chinese [C]

кита́йский Chinese (*adj.*)

кладова́я *sb.* lumber-room, storeroom

кла́няться *imp.* bow; *perf.* поклони́ться

класть *imp.* lay, put; *perf.* положи́ть

клева́ть *imp.* peck, peck at; *perf.* клю́нуть

клеёнчатый oilskin (*adj.*)

клёст crossbill [E]

клешня́ claw [E]

кли́кать *imp. pop.* call; *perf.* кли́кнуть

клин, *pl.* кли́нья, *gen.* кли́ньев wedge [C]: see *note* 68.6

клинообра́зный wedge-shaped

клок, *pl.* кло́чья, *gen.* кло́чьев tuft, lock; *pl.* wad [C]

клокота́ть *imp.* bubble; *perf.* за~

клоко́чущий boiling, seething

клуби́ться *imp.* billow, whirl up; *perf.* за~

ключ key [E]

ключи́ца collar-bone [C]

кни́га book [C]; *dim.* кни́жка, *gen. pl.* -/е [C], кни́жечка, *gen. pl.* -/е [C]

кнут whip, knout [E]

ковёр ё/- carpet [E]

когда́ when; ~-то once, formerly

ко́е-где somewhere, in places

ко́е-что something

ко́жан(н)ый leather (*adj.*)

ко́злы *pl.*, *gen.* ко́зел box (of coach, &c.) [C]

козырёк ё/ь peak [E]

¶кой: на ~ она нам: see *sel. id.* 66.6

ко́йка, *gen. pl.* й/е cot, bunk [C]

колдовско́й magic (*adj.*)

коле́но, *pl.* коле́ни, *gen.* коле́ней, коле́н knee [C]

колесо́, *pl.* колёса, *pop.* ¶колёсья wheel [E:←-(1)]

колея́ rut [E]

¶ко́ли if

коли́чество quantity [C]

коло́дец е/- well [C]

ко́локол, *pl.* ~á bell [C:E]; колоко́льный *adj.*

колоко́льня, *gen. pl.* колоко́лен belfry, church-tower [C]

коло́нна column [C]

ко́лос, *pl.* коло́сья, *gen.* коло́сьев ear (of corn)

колыха́ться *imp.* shake, swing, rock; *perf.* колыхну́ться

кольцо́, *gen. pl.* ь/е ring

команди́р commander [C]

кома́ндный command (*adj.*)

кома́ндующий *sb.* commander

кома́р mosquito, gnat [E]

коми́ссия commission [C]

комите́т committee [C]

коми́ческий comic, comical

коммуни́ст communist [C]

коммунисти́ческий communist, communistic

ко́мната room [C]

комо́д chest of drawers [C]

компа́ния company, partnership [C]

комфо́рт (*sing.* only) comfort [C]

конво́ир escort [C]

коне́ц е/- end [E]; в конце́ концо́в in the end, finally, after all

коне́чно of course

ко́н(н)ик bench with box below, seat (63.9) [C]

конопля́ hemp [E]

конопля́н(н)ик hemp-field [C]

ко́нчик tip, end, extremity [C]

ко́нчить *perf.* finish, end; ~ся end, come to an end; *imp.* конча́ть(ся)

конь *m.* horse [E exc. *nom. pl.*]

конья́к cognac, brandy [E]

конюшня, *gen. pl.* конюшен stable [C]

копейка, *gen. pl.* й/е copeck [C]

копыто hoof [C]

кора (*sing.* only) bark [E]

корабль *m.* ship [E]

коренастый stocky, thickset

корень *m.* е/- root [C:E exc. *nom.*]

корзина basket [C]

коридор corridor [C]

коричневый brown

коробка, *gen. pl.* -/о box [C]; *dim.* коробочка, *gen. pl.* -/е little box; pod, boll [C]

коровка, *gen. pl.* -/о [C] *dim. of* корова cow [C]

коростель *m.* corncrake [E]

короче shorter

Корсар Corsair [C]

корчага large pot [C]

коса scythe

¶космы *pl. pop.* locks, shaggy hair [C]

коснуться *perf.*+*gen.* touch; affect, concern; *imp.* касаться

косогор slope, hill-side [C]

косой slanting

¶косоротиться *imp. pop.* make mouths, pull wry faces; no *perf.*

костёр ё/- fire (in the open), bonfire [E]

костлявый bony

кость bone [C:E exc. *nom.*]

костюм costume, suit [C]

костяшка, *gen. pl.* -/е bone, die [C]

котловина circular valley, hollow [C]

котомка, *gen. pl.* -/о knapsack [C]

который which, who; *pop.* ¶которые... которые some . . . others (38.17)

кофточка, *gen. pl.* -/е [C], *dim. of* кофта woman's blouse, jacket [C]

кочёвка, *gen. pl.* -/о wandering, nomadic journey [C]

кочка, *gen. pl.* -/е hillock [C]

кошмарный nightmare (*adj.*), horrible

краб crab [C]

край, *pl.* края edge, border; country [C:E]

крайне extremely, very

крайний: по крайней мере at least

крапива nettle [C]; глухая ～ dead-nettle

красивый beautiful

краска, *gen. pl.* -/о paint, colour [C]

красноватый reddish

красный red; красное дерево mahogany

красота beauty, good looks [E:←-(1)]

красть *imp.* steal; *perf.* у～

краткий short, brief

краше *pop. comp. of* красивый beautiful

краюха *pop.* crust [C]

краюшек е/- [C] *dim. of* край edge, border [C:E]

крепкий strong; vigorous; firm; *comp.* крепче, ¶*pop.* крепше

крепнуть *imp.* get stronger; *perf.* о～

крепостно́й of serfdom; крепост-
но́е пра́во serfdom; *sb.* serf

кре́сло, *gen. pl.* -/e armchair [C]

крест cross [E]

крестья́нин, *pl.* крестья́не, *gen.*
крестья́н peasant [C]

криви́ть *imp.* distort, wrench;
~ душо́й act deceitfully or
against one's conscience; *perf.*
по~

криво́й crooked, wry

крик shout, cry [C]

кри́кнуть *perf.* shout, cry, call;
imp. крича́ть

кри́тика criticism [C]

критикова́ть *imp.* criticize; no
perf.

крича́ть *imp.* shout, cry out, call;
perf. за~, кри́кнуть

крова́ть bed [C]

кровь blood [C:E exc. *nom.*]; *dim.*
pop. кро́вушка (*sing.* only) [C]

кро́ме+*gen.* besides, except

кро́ткий mild, meek, gentle

кро́шка, *gen. pl.* -/e crumb [C];
dim. кро́шечка, *gen. pl.* -/e [C];
ни кро́шечки not a whit

круг circle, ring [C:E]; *dim.*
кружо́к o/- [E]

кру́глый round

круго́м round, around, round
about

кружи́ть *imp.* turn, whirl: see
note 80.21; *perf.* за~

крупа́ (*sing.* only) groats [E]

кру́пный big, large-scale; ~ раз-
гово́р dispute, high words

крути́ть *imp.* twist, turn; ~ голо-
во́й shake one's head; *perf.*
за~, по~

круто́й steep; abrupt, sharp;
stern, severe; *comp.* кру́че

крыло́, *pl.* кры́лья, *gen.* кры́льев
wing [E:←(1)]; *pl. poet.*
крыла́

крыльцо́, *gen. pl.* ь/e porch, steps
up to entrance [E exc. *nom. pl.*];
dim. крылѐчко, *gen. pl.* -/e [C]

кры́ша roof [C]

крюк, *pl.* крю́чья, крюки́, *gen.*
крю́чьев, крюко́в hook

кря́ду *pop.* running, together, in
succession

кря́кать *imp.* quack; *perf.* за~,
кря́кнуть

кряхте́ть *imp. pop.* groan; *perf.*
за~

кто who; ~... ~ one (person) ...
another; ~-нибудь anybody,
somebody or other; ~-то
somebody; кто тако́й who
exactly (14.7); кто куда́: see
sel. id. 57.9; кому́-кому́: see
note 87.13

кувырка́ться *imp.* turn head over
heels, tumble; *perf.* кувырк-
ну́ться

кувырко́м topsy-turvy

куда́ where to, where; +*adj.* or
adv. how much, how (30.17);
~ ни (to) wherever; ~-то (to)
somewhere; ~ она́ нам? what
use is it to us? (66.12)

куда́хтать *imp.* cluck, cackle;
perf. за~

кудла́тый *pop.* shaggy-haired

кудря́вый curly

кудря́шки *pl., gen.* -/e small curls
ringlets [C]

кукуру́за maize [C]

кула́к fist [E]; *dim.* кулачо́к o/-
[E], кулачи́шко, *gen. pl.* -/e
merchant [C]
культу́ра culture [C]
культу́рный cultured
кумачёвый of кума́ч, cheap red
cotton material
ку́па clump [C]
купи́ть *perf.* buy; *imp.* покупа́ть
купчи́шка, *gen. pl.* -/e [C], *dim.*
(contemptuous) of купе́ц e/-
merchant [E]
¶куря́нок o/-, *pl.* куря́та *pop.*
chicken [C]
кури́ть *imp.* smoke; *perf.* за∼,
по∼
ку́рица, *pl.* ку́ры hen [C]
курмы́ш [E]: see *note* 61.2
кусо́к o/- piece, bit [E]; *dim.*
кусо́чек e/- [C]
куст bush [E]; *dim.* ку́стик [C]
куста́рник (*sing.* only) brush,
brushwood [C]
ку́хонка, *gen. pl.* -/o [C], *dim.* of
ку́хня kitchen [C]
ку́ча heap, pile; clump; group,
cluster [C]; *dim.* ку́чка, *gen. pl.*
-/e [C]
ку́чер, *pl.* ∼á driver, coachman
[C:E]
ку́шать *imp.* eat; *perf.* по∼, с∼

Л

¶ла́вошник *pop.* for ла́вочник
shop-keeper (25.4) [C]
ла́дно *coll.* all right
ладо́нь palm [C]
ла́зить, лезть *d. imp.* climb; *perf.*
поле́зть

лай (*sing.* only) bark, barking,
baying [C]
ла́ковый lacquered, varnished
ла́мпа lamp [C]
ла́пища large paw [C]
ла́пка, *gen. pl.* -/o [C], *dim.* of
ла́па paw [C]
ларь *m.* chest, bin [E]
ласка́ть *imp.* caress, soothe; *perf.*
по∼, при∼
ла́сковый caressing, tender,
pleasant, amiable
ла́ять *imp.* bark, bay; *perf.* за∼
лгать *imp.* lie, tell lies; *perf.*
со∼
ле́вый left
лёгкий light, slight, easy; ему́
бы́ло легко́ he felt at ease;
легко́ ли? it's no joke; *comp.*
ле́гче: ему́ ле́гче he is better
лего́нько lightly, slightly
лёд ё/ь ice [E]
ледени́щий icy
лежа́нье lying [C]
лежа́ть *imp.* lie, be lying down;
perf. по∼, про∼, лечь
лезть, ла́зить *d. imp.* climb,
clamber; ∼ в дра́ку: see
дра́ка; *perf.* по∼
лека́рство medicine, drug [C]
ле́кция lecture [C]
лени́вый lazy, indolent, sluggish,
slothful
ле́нта ribbon; (cinema) film [C]
лепесто́к o/- petal [E]
лес, *pl.* ∼á wood, forest [C:E];
dim. лесо́к o/- [E]
лесно́й wooded; forest (*adj.*)
ле́стница stairs, staircase [C]
лёт (*sing.* only) flight [C]

лете́ть, лета́ть *d. imp.* fly; *perf.* по~

ле́то summer; ле́том in summer; *pl.* years [C:E]; ле́тний *adj.*

лечь *perf.* lie down; *imp.* ложи́ться

ли *interrogative part.*

ли́бо or

ли́вень *m.* e/- heavy shower [C]

ликвиди́ровать *perf.* & *imp.* wind up, liquidate

ликёр liqueur [C]

лику́ющий exultant, rejoicing

лило́вый lilac (*adj.*)

ли́ния line [C]

ли́па lime-tree [C]; ли́повый *adj.*

ли́сий fox's, foxy, fox-like

лист, *pl.* ~ья, *gen.* ~ьев leaf [E:←(1)]; *pl.* ~ы́ sheet [E]; *dim.* листо́чек e/- [C]

ли́ственный leafy, of leaves

лить *imp.* pour; ~ся *refl.*; *perf.* по~(ся)

лихора́дочный feverish

лицо́ face; person [E:←(1)]

ли́чность personality [C]

ли́чный personal

лиша́ть *imp.* deprive; *perf.* лиши́ть

ли́шний superfluous

лишь only

лоб о/- forehead [E]; в ~ in the face, frontal(ly) (49.24)

лови́ть *imp.* catch; *perf.* пойма́ть

ло́вкий deft, neat, skilful, clever

лог, *pl.* ~а́ gorge, wide ravine [C:E]

ложби́нка, *gen. pl.* -/o [C], *dim.* of ложби́на hollow, dell [C]

ло́жечка: под ло́жечкой in the pit of the stomach [C]

ложи́ться *imp.* lie down; ~ спать go to bed; *perf.* лечь

ло́жка, *gen. pl.* -/e spoon [C]; *dim.* ло́жечка, *gen. pl.* -/e [C]

лози́нки *pl.*, *gen.* -/o withies [C]

ло́коть *m.* -/o elbow [C:E exc. *nom.*]

лома́ние breaking [C]

лома́ть *imp.* break; ~ го́лову rack one's brains, puzzle; *perf.* с~

ломба́рд pawn-shop [C]

ло́мберный: ~ стол card-table

ломи́ть *imp.* break: see *sel. id.* 13.1; ~ся push in, break in; no *perf.*

лопа́тка, *gen. pl.* -/o shoulder-blade [C]

лопота́нье *pop.* babble, murmur [C]

лопу́х burdock [E]

лосни́ться *imp.* be shiny, shine; *perf.* за~

лохма́тый shaggy, dishevelled, wispy

ло́шадь horse [C:E exc. *nom.*]; лошади́ный *adj.*

лощи́на hollow, dell [C]; *dim.* лощи́нка, *gen. pl.* -/o [C]

луг, *pl.* ~а́ meadow [C:E]; *dim.* лужо́к о/- [E]

лу́жа puddle [C]

луна́ moon [E:←(1)]

лу́нный of the moon, moonlight

луч ray [E]

лу́чше better, best; ~ всего́ best of all

лу́чший (the) best

любе́зный polite, amiable

люби́мый favourite

люби́ть *imp.* love; like; *perf.* по~

любова́ться *imp.*+*instr.* admire; *perf.* по~

любо́вница mistress, lover [C]

любо́вь, *gen.* любви́, *instr.* любо́вью love

¶Лю́бо-до́рого! couldn't be better! (42.16)

любозна́тельный inquiring, eager to learn

любопы́тный curious

любопы́тство (*sing.* only) curiosity [C]

лю́ди *pl.* people; human beings

людско́й human; of domestic serfs

люли́ *pop.*: see *note* 38.31

лю́тый fierce, savage

лягу́шка, *gen. pl.* -/е frog [C]

ля́згать *imp.* clank; (of teeth) chatter; мы зуба́ми ля́згали our teeth were chattering; no *perf.*

М

Мазу́рские озёра Masurian lakes: see *note* 52.20

ма́ленький little, small

мали́на (*sing.* only) raspberries; see *note* 38.31 [C]

мали́новый crimson

ма́ло little, too little; э́того ~ it is not enough; ~-по-ма́лу little by little, gradually; без ма́лого almost, a little less than

малоро́слый stunted, undersized

ма́лый small

ма́льчик boy [C]; *dim.* мальчи́шка, *gen. pl.* -/е [C]

мальчи́шеский boyish

мани́ть *imp.* allure, delude; *perf.* по~

ма́рка, *gen. pl.* -/о (trade-)mark, stamp [C]

Марсе́ль Marseilles [C]

ма́ска mask, guise [C]

ма́сленая *sb.* Shrove-tide

ма́сло butter, oil

ма́сса mass [C]

масси́ровать *imp.* & *perf.* massage

ма́стер, *pl.* ~а́ craftsman, skilled tradesman [C:E]; ~ на (все) ру́ки: see *sel. id.* 51.10

мате́рия material [C]

мать, *gen. sing.* ма́тери, mother [C:E exc. *nom.*]; *dim.* ма́тушка, *gen. pl.* -/е [C]

махну́ть *perf. instr.* wave: see *sel. id.* 1.24; *imp.* маха́ть

¶ма́хонький *pop.* little

махо́рка (*sing.* only) kind of cheap tobacco [C]

маши́на machine [C]; *dim.* маши́нка, *gen. pl.* -/о [C]

¶ма́шисто *pop.* for разма́шисто sweepingly, energetically

¶мая́та (*sing.* only) wearisome, tedious activity [E]

мгла (*sing.* only) haze, mist [E]

мгнове́нно instantly, in a moment

ме́бель furniture [C]

мёд honey [C:E]

медвя́нка, *gen. pl.* -/о *regional* clover [C]

ме́дленный slow

ме́дный brass, copper (*adj.*)

меж+*gen.* or *instr.* between

межа́ boundary, boundary strip between fields [E exc. *nom. pl.*]

ме́жду+*instr.* or *gen.* between; ～ про́чим by the way; ～ собо́й among ourselves (53.11)

меланхоли́чный melancholy

ме́лет: see моло́ть

ме́лкий small, minute, fine

ме́лочь trifle, small thing [C:E exc. *nom.*]

мелька́ть *imp.* flash, gleam for a moment; *perf.* мелькну́ть

ме́льком for a moment; взгляну́ть ～ glance

ме́льник miller [C]

мельча́йший minutest, smallest

ме́нее less

меньшо́й *pop.* youngest

ме́ра measure [C]; по кра́йней ме́ре at least; по ме́ре in proportion, to the extent of: see *sel. id.* 2.5

мере́щиться *imp.* seem, appear as an illusion; *perf.* по～

ме́рзкий disgusting, nasty

мёрзлый frozen

ме́рить *imp.* measure; take (temperature); *perf.* по～, с～, из～

ме́ркнуть *imp.* fade, grow dim; *perf.* по～

ме́рный regular, measured

мерси́ *merci* (thank you)

мёртвенный deathly, deathlike

мертве́ть *imp.* be numbed; мертве́я от у́жаса numb with fear; *perf.* по～

мертве́ц dead body, corpse [E]

мертве́цкая *sb.* mortuary

мёртвый dead

¶ме́рять *coll.* for ме́рить

ме́стность locality, district [C]

ме́сто place [C:E]; места́ми in places

ме́сяц moon; month [C]; ме́сячный *adj.*

мета́лл metal [C]

мета́ться *imp.* toss; rush about; *perf.* за～

методи́чный methodical

метр metre [C]

мечта́ние dream [C]

мечта́ть *imp.* dream; *perf.* по～

меша́ть *imp.* stir; *perf.* за～, с～; +*dat.* hinder, get in the way of; *perf.* по～; ～ся mingle, be mixed; *perf.* с～ся

мешкови́на sacking [C]

мешо́к о/- sack [E]

меща́нин, *pl.* меща́не, *gen.* меща́н shopkeeper, tradesman; person belonging to lower-middle class, petty bourgeois

миг (*sing.* only) instant, moment [C]

мигну́ть *perf.* wink; *imp.* мига́ть

ми́ленький *dim.* of ми́лый

мили́ция (*sing.* only) police-station [C]

ми́лость kindness, grace, favour [C]; сде́лай ～! of course! (35.2)

ми́лочка, *gen. pl.* -/е darling, my dear [C]

ми́лый nice, pleasant; kind; dear

ми́мика (*sing.* only) play of facial expression [C]

ми́мо+*gen.* past

мину́та minute, moment [C]

миρ world [C:E]; (*sing.* only)
village community: see *note*
67.4; ∼ской *adj.*

мир (*sing.* only) peace [C]

миρи́ться *imp.* make one's peace,
come to terms; *perf.* по∼,
при∼

ми́рный peaceful

мистифика́ция practical joke,
hoax [C]

ми́тинг meeting [C]

мни́тельный apprehensive, over-
anxious

¶мно́гажды *arch.* many times

мно́гие many, several

мно́го much, a lot; many

мно́жество large numbers, many
[C]

мобилизова́ть *perf.* and *imp.*
mobilize

моги́ла grave [C]; моги́льный
adj.

могота́: не в моготу́ beyond
one's strength or endurance
(39.22)

могу́чий strong, powerful, mighty

¶мо́же *pop.* for мо́жет быть

мо́жет быть perhaps

мо́жно it is possible; вам ∼ you
may, you can; как ∼+*comp.*
as . . . as possible

мозг brain [C:E]

мой, моя́, моё, мои́ my, mine

мо́крый wet

мол *coll.* (particle used in reported speech) he said, says I,
(you) say, &c.

моле́льная *sb.* oratory, chapel

моли́тва prayer [C]

моли́ть *imp.* pray; *perf.* у∼

молоде́ц e/- fine young fellow [E]

молоди́ть *imp.* rejuvenate, make
young again; *perf.* о∼, по∼

молодо́й young; *dim.* моло́день-
кий

мо́лодость (*sing.* only) youth [C]

молоко́ milk [E]

моло́ть *imp.* (мелю́) grind; (of
tongue) wag (36.2); *perf.*
из∼, с∼

моло́чница milk-woman, milk-
seller [C]

моло́чный of milk; ∼ ряд dairy-
stalls

мо́лча silently, in silence

молча́ние (*sing.* only) silence [C]

молча́ть *imp.* be silent; *perf.* за∼

мольба́ supplication, pleading
[E]

моме́нт moment [C]

монасты́рский monastic, con-
ventual

монасты́рь *m.* convent, cloister,
monastery [E]

мона́х monk [C]

моното́нно monotonously

¶мо́нстра *monstre* (monster): see
note 53.9

монтёр fitter [C]

мопс pug [C]

мо́рда snout; *pop.* mug, face [C]

¶морда́стый fat-faced

мо́ре sea [C:E]

моро́з frost [C]

морщи́на wrinkle [C]; *dim.* мор-
щи́нка, *gen. pl.* -/о [C]

Москва́ Moscow; моско́вский
adj.

мост bridge [C:E]; *dim.* мо́стик
[C], мосто́к о/- [E]

мота́ться *imp.* dangle; no *perf.*

мото́р motor [C]

моты́га hoe [C]

мох *gen.* мха or мо́ха, *pl.* мхи moss

мочь (*sing.* only) might [C]; что есть мо́чи with all his might, at the top of his voice (79.27)

мочь *imp.* be able; *perf.* с∼

мо́щи *pl.* relics [E exc. *nom.*]

мра́мор (*sing.* only) marble [C]; ∼ный *adj.*

мра́чный gloomy, sombre; *comp.* мрачне́е

му́дрый wise, sage

муж, *pl.* мужья́, *gen.* муже́й husband [C:E]

мужи́к *arch.* peasant; man [E]; *dim.* мужичо́к о/- [E]; мужи́цкий, мужи́чий *adjs.*

мужско́й masculine, male

мужчи́на *m.* man [C]

музе́й museum [C]

му́зыка music [C]

музыка́нт musician [C]

му́ка torment, torture [C]

мураве́й е/ь ant [E]

му́сор dust, rubbish [C]

мути́ть *imp. impers.*: (меня́) мути́ло I felt sick; no *perf.*

му́тный turbid, muddy

му́ха fly [C]

муче́ние torment, torture [C]

мучи́тельный painful, tormenting

мы we; ∼ с ним he and I (7.16)

мысль idea, thought [C]

мысо́к о/- [E], *dim.* of мыс cape, promontory [C]

мыть *imp.* wash; *perf.* вы́∼, по∼

мышело́вка, *gen. pl.* -/о mousetrap [C]

мышь mouse [C:E exc. *nom.*]

мя́гкий soft; мя́гче softer; more gently, more softly

мя́гкость softness, gentleness [C]

мя́тый mashed

Н

на+*acc.* on to, to; at, on; for (distance 20.13, time 11.31); +*loc.* on, in

на! *coll.* take it (14.14); на́-ко, ¶на́кося have some (35.6, 43.9)

на́бережная *sb.* embankment

наби́ть *perf.* stuff, pack; ∼ся: битко́м ∼ся be packed, be jammed; *imp.* набива́ть(ся)

на́бок sideways, to one side

набра́ться *perf.* be collected, be gathered; *imp.* набира́ться

наброса́ть, набро́сить *perf.* throw down (on); *imp.* набра́сывать

навали́ться *perf.* throw oneself, fall (on); lean, lie heavily; *imp.* нава́ливаться

наве́рное certainly, surely

наве́сить *perf.* hang up; *imp.* наве́шивать

на́взничь backwards, on one's back

нави́сший hanging

наводи́ть *imp.* lead; ∼ спра́вки make inquiries; *perf.* навести́

наво́з dung, dung-heap [C]; ∼ный *adj.*

на/вра́ть *perf. pop.* lie

навсегда́ for ever, for always

навстре́чу+*dat.* towards, to meet

навы́кнуть *perf. pop.* get used; *imp.* навыка́ть

нага́йка, *gen. pl.* й/е whip [C]

на́глый bold, impudent, insolent

награ́да reward [C]

над+*instr.* above; on (4.21)

надбавля́ть *imp. pop.* increase; *perf.* надба́вить

наде́жда hope [C]

наде́лать *perf.* do (many wrong things); no *imp.*

наде́ть *perf.* put on; *imp.* надева́ть

на́до, *arch.* на́добно it is necessary; нам ~ we must

на́добность (*sing.* only) *arch.* necessity [C]

надоеда́ть *imp.*+*dat.* bore, irk; become tiresome; *perf.* надое́сть

надоу́мить *perf. pop.* advise, suggest; *imp.* надоу́мливать

надрыва́ться *imp.* howl mournfully (56.21); no *perf.* in this sense

надса́живаться *imp. pop.* overstrain oneself, knock oneself up; *perf.* надсади́ться

наза́д back; backwards; ago; тому́ ~ ago

назва́ть *perf.* call, term, name; *imp.* называ́ть

назо́йливый importunate, troublesome

наи́вный simple, naïve

на́искось obliquely

найти́ *perf.* find; ~сь be found; *imp.* находи́ть(ся)

нака́пливаться *imp.* accumulate; *perf.* накопи́ться

наки́нуть *perf.* throw on; *imp.* наки́дывать

накладно́й raised

накли́кать *perf. pop.* call down, bring (upon); *imp.* наклика́ть

наклони́ть *perf.* lower, bend; ~ся stoop, bend down; *imp.* наклоня́ть(ся)

¶на́-ко! на́кося!: see на!

н盧н盧вы粉ря́ть — нажовыря́ть *perf. pop.* pick up; *imp.* наковы́ривать

наконе́ц at last, finally

наконе́чник tip, ferrule [C]

на/корми́ть *perf.* feed

намекну́ть *perf.* hint; *imp.* намека́ть

нама́рщивать *imp. coll.* for мо́рщить wrinkle; *perf.* намо́рщить

на/мота́ть *perf.* wind; *imp.* нама́тывать

намя́ть *perf. pop.* hurt; *imp.* намина́ть

нанести́ *perf.* bring; inflict, deal; *imp.* наноси́ть

наня́ть *perf.* engage, hire; *imp.* нанима́ть

наоборо́т on the contrary

напева́ть *imp.* hum; no *perf.* in this sense

на/писа́ть *perf.* write

на/пита́ть *perf.* satisfy, sate; *imp.* напи́тывать

напи́ться *perf.* drink one's fill; have drinking bout; *imp.* напива́ться

напла́ваться *perf. coll.* have one's fill of swimming; no *imp.*

наплакаться *perf.* have one's fill of weeping; no *imp.*

наплывать *imp.* float, waft, along; *perf.* наплыть

напоказ for show

наполнять *imp.* fill; *perf.* наполнить

наполовину by half

напоминающий reminiscent of

напомнить *perf.* remind; *imp.* напоминать

направиться *perf.* make one's way, turn one's steps; *imp.* направляться

направление direction [C]

направо to the right

напрасно in vain, to no purpose

например for example, for instance

на/проказить *perf.* play pranks, get into mischief

напротив on the contrary

напряжённый tense, strained

напрямик, ¶напрямики *pop.* for прямо plainly, bluntly; straight on

напутствовать *perf.* & *imp.* give directions for journey

нарвать *perf.* pick, pluck, gather; no *imp.* in this sense

народ people, nation [C]; ~ный *adj.*

нарочно purposely, intentionally

наружу on the outside; plain to see

нарушать *imp.* break, disturb; *perf.* нарушить

наряд order; duty; party [C]

нарядный trim, smart

насаждение propagation, planting [C]

насаживать *imp.* put (on), set; *perf.* насажать, насадить

насвистывать *imp.* whistle; *perf.* насвистать

насиловать *imp.* violate; *perf.* из~

насквозь right through

насколько *conj.* as far as

наскучить *perf.* bore; no *imp.*

наслаждение enjoyment, pleasure [C]

наследник heir [C]

насмешливый mocking, jeering

наставление precept, admonition [C]

настаивать *imp.* insist; *perf.* настоять

настежь wide open; отворить ~ throw open, open wide

настойчивый insistent, persistent

настолько to such a degree

насторожиться *perf.* prick up one's ears; *imp.* настораживаться

настоящий real

настроение mood, humour, temper [C]

наступить *perf.* (of time) come, arrive; *imp.* наступать

наступление attack [C]

насупиться *perf.* frown, knit one's brows; *imp.* насупливаться

насчёт+*gen.* concerning, about

насыщение satisfying, satisfaction; feeding [C]

натиск attack [C]

натянутый tense, strained; stiff, forced

натянуть *perf.* pull; stretch tight; tug at; *imp.* натягивать

научить *perf.* teach; ∼ся learn; *imp.* научать(ся)

нахал impudent fellow, bold wretch [C]

находить *imp.* come upon; находит на тебя: see *sel. id.* 38.13; *perf.* найти; ∼ся be, be situated, be found; no *perf.* in this sense

нахохлиться *perf.* ruffle up, fluff out feathers; *imp.* нахохливаться

начало beginning [C]

начальнический imperious, magisterial

начальство (*sing.* only) the authorities [C]

начать *perf.* begin (*trans.*); ∼ся begin (*intr.*); *imp.* начинать(ся)

начисто cleanly; ∼ выбрит clean-shaven

наш, наша, наше, наши our, ours; по-нашему in our language, in our way; according to us

не not

¶не *pop.* for нет no

небесный heavenly

небо, *pl.* небеса, *gen.* небес sky [C:E]

небогатый not rich, badly-off

¶небойсь *pop.* for небось never fear!

небольшой small

небрежный careless, negligent

небывалый unprecedented

небылица cock-and-bull story; fiction, invention [C]

неведомый unknown

неверный false, faithless

невероятный incredible

невестка, *gen. pl.* -/o daughter-in-law; brother's wife [C]

невиданный unheard-of

невод seine [C]

невозможный impossible

неволей: see волей-∼

невольно involuntarily

невыносимый unbearable, intolerable

негде there is (was) nowhere

негодование (*sing.* only) indignation [C]

неграмотный illiterate

негромкий low, not loud

недавно not long since, recently

недалёкий not distant, near

неделимый indivisible: see *note* 58.23

неделя week [C]; *dim.* неделька, *gen. pl.* ь/е [C]

недоверие (*sing.* only) mistrust, lack of confidence [C]

недоверчивый incredulous, unbelieving

недовольный displeased, discontented

¶недолга: и вся ∼: see *sel. id.* 49.21

недолго not long, soon

недоставать *imp. impers.* be lacking; *perf.* недостать

недоумевать *imp.* be perplexed, be at a loss; no *perf.*

недоумение perplexity [C]

¶недоумка *pop.* perplexity [C]

неéзженный untravelled

нежилой uninhabited

нѐжиться *imp.* luxuriate, bask; *perf.* по~

нѐжность softness, delicacy, tenderness [C]

нѐжно-сухо́й soft and dry

нѐжный tender, soft

незабу́дка, *gen. pl.* -/о forget-me-not [C]

незави́симый independent

незабвѐнный unforgettable

незадо́лго до+*gen.* not long before

незамѐтный unnoticeable, inconspicuous

незамыслова́тость lack of sophistication [C]

нѐзачем: ~ бы́ло торопи́ться there was no need to hurry (93.8)

незнако́мый unknown

незри́мый invisible

неизвѐстность ignorance, uncertainty; the unknown [C]

неизвѐстный unknown

неиссяка́емый inexhaustible

нѐкогда (there is) no time

нѐкому: ~ бу́дет допы́тываться nobody will have to find out (86.10)

нѐкоторый some

некрѐпкий not strong, breakable, fragile

нѐкуда there is nowhere

некульту́рность lack of culture [C]

некульту́рный uncultured, illmannered, uncouth

нелёгкая *coll.*: see *note* 70.18

нелѐпый absurd, ridiculous

нело́вкий clumsy, awkward

нельзя́ (it is) impossible, (it is) not permissible, one can't

нелюби́мый unloved

нѐмец е/- German [C]; немѐцкий *adj.*

немину́чий *pop.* inevitable

немно́го a little, some, a few; few, not much, not many

немно́жко a little, slightly

немо́й dumb, speechless

немолодо́й not young, (quite) old

ненави́деть *imp.* hate; *perf.* воз~

ненави́стный hateful, odious

ненадо́лго not for long, for only a short time

нена́стный rainy, overcast

ненорма́льный abnormal, insane

нену́жный unnecessary

необходи́мость (*sing.* only) necessity, indispensability [C]

необходи́мый indispensable, necessary

необыкновѐнный unusual, rare, extraordinary

необыча́йный unusual

необы́чность unusualness [C]

необы́чный unaccustomed, unusual

неодобри́тельный disapproving

неожи́данность suddenness, unexpectedness [C]

неожи́данный unexpected

неопредѐлённый indefinite, indefinable, vague

нео́пытный inexperienced; inexpert

неости́вший not grown cold

неотдели́мый inseparable

неохо́та (*sing.* only) *coll.* reluctance [C]

неохо́тно reluctantly, unwillingly

неповтори́мый unrepeatable

неподалёку not far away

неподви́жность motionlessness, immobility [C]

неподви́жный unmoving, fixed, motionless

неподходя́щий unsuitable, inappropriate

непокры́тый uncovered

непоня́тный unintelligible, incomprehensible

непра́вда (*sing.* only) untruth [C]

непра́вильный incorrect, wrong

непрекло́нный inflexible, unyielding

непреме́нно without fail, certainly

непреме́нный indispensable, unfailing

неприве́тный uninviting, unattractive

неприкры́тый uncovered

неприли́чный indecent, unbecoming

непримири́мый irreconcilable

неприя́тность nuisance, unpleasantness [C]

непрогля́дный impenetrable

нера́венство (*sing.* only) inequality [C]

неразде́льный indivisible, inseparable

нерв nerve [C]; ~ный *adj.*

нереши́тельный irresolute

неро́вный uneven, rough

неруши́мость inviolability [C]

не́сколько rather, somewhat; +*gen. pl.* several, some, a few

нескрыва́емый open, unconcealed

несмотря́ на+*acc.* in spite of

неспеша́ unhurriedly

неспосо́бный untalented; ¶*pop.* unfit, unsuitable

неспроста́ with an ulterior purpose

нести́, носи́ть *d. imp.* carry, take; ~ чепуху́ talk nonsense; ~сь be carried; *perf.* понести́(сь)

нестро́йный discordant, tuneless

несура́зный absurd

несча́стие, несча́стье misfortune, ill-luck [C]

несча́стный wretched, miserable

нет no; there is not

нетвёрдый unsteady, shaky

неторопл`и́вый leisurely, unhurried

не́ту *coll.* = нет

неуда́ча failure, unsuccess [C]

неуда́чник failure, misfit, unlucky person [C]

неудо́бный uncomfortable

неуже́ли, ¶неу́жто *pop.* can it be that . . .?, is it possible?

неужи́вчивый unsociable

неуклю́жий clumsy, awkward

неутолённый unquenched, unappeased

неутоми́мый tireless

нехвати́ть *perf. impers.* be a shortage (of), not be enough; *imp.* нехвата́ть

нехва́тка, *gen. pl.* -/o *coll.* shortage [C]

нехоро́ший bad

не́хотя reluctantly, unwillingly, without volition

нéчего there is nothing; ~ дé-лать there is nothing to be done, there's no help for it; говори́ть бы́ло нѐ о чем (9.15) there was nothing to talk about

нéчто something

¶нéшто *pop.* is it? can it be?

нея́сный indistinct, not clear

ни not a, not one; ни... ни neither . . . nor

ни́ва field [C]

ни́же *comp.* of ни́зкий, ни́зко low

ни́жний lower

ни́зкий low; *dim.* ни́зенький

ника́к in no way; ~ не могла́ simply could not

никако́й no, no sort of: ¶и бо́льше никаки́х and nothing more

никогда́ never

никто́ nobody

никуда́ (to) nowhere

ни-ни́: see *sel. id.* 10.7

ни́тка, *gen. pl.* -/о thread [C]

ничего́, *gen.* of ничто́ nothing; all right; it doesn't matter: see *sel. id.* 41.14

ничто́ nothing; ни за что never, not for anything

ничу́ть not in the least

но but

новизна́ (*sing.* only) novelty [E]

но́вость news; novelty [C:E exc. *nom.*]

но́вый new; *dim.* но́венький

нога́ foot, leg; *dim.* но́жка, *gen. pl.* -/e [C]

нож knife [E]

но́жницы *pl.* scissors [C]

но́жны *pl.*, *gen.* но́жен sheath, scabbard [C]

ноздря́ nostril [E exc. *nom. pl.*]

но́мер, *pl.* ~а́ number, item [C:E]

¶но́нешний *pop.* for ны́нешний modern, present-day

норови́ть *imp. pop.* strive, try; no *perf.*

нос nose [C:E]; *aug.* носи́ще big nose [C]

носи́ть, нести́ *d. imp.* carry; ~ся float, be carried; ride, speed; *perf.* по~(ся), понести́(сь)

носо́к о/- sock [E]

ночева́ть *imp. & perf.* spend the night

ночёвка: на ночёвку for the night

ночле́жка, *gen. pl.* -/e *pop.* doss-house, common lodging-house [C]

ночно́й nocturnal, night (*adj.*)

ночь night [C:E exc. *nom.*]; ~ю at night; по ноча́м by night

но́ша burden [C]

ноя́брь *m.* November [E]

нрав disposition [C]; по ~у pleasing (to); ~ы *pl.* manners

нра́виться *imp.*+*dat.* please, be pleasing to; *perf.* по~

ну well; ~-ка well then; come on!; ну-ну́ ah, well! (35.15); а ну тебя́: see *sel. id.* 54.14

нужда́ want, need; +в+*loc.* want of [E:←(1)]

ну́жный necessary, needful; мне ну́жно I want, I must . . . .

ны́не *arch.* now, at the present time

ны́нче *coll.* now, today

нырну́ть *perf.* dive, plunge; *imp.* ныря́ть

ныть *imp.* whine, whimper; *perf.*
за~

нюхать *imp.* sniff; ~ табáк take
snuff; *perf.* по~

O

о, об, обо+ *acc.* against, on
(55.22); + *loc.* about, of

о. abbreviation of отéц, Father

óба, óбе both; смотрéть в ~: see
смотрéть

обалдéть *perf. coll.* go crazy; *imp.*
обалдевáть

обвить *perf.* wind round; *imp.*
обвивáть

обдáть *perf.* scold; *imp.* обдавáть

обдýмать *perf.* consider, ponder,
weigh; *imp.* обдýмывать

обéд dinner [C]

обéдать *imp.* dine; *perf.* по~

обежáть *perf.* run round; *imp.*
обегáть

обезьяна monkey, ape [C]

обернýть *perf.* wrap, wrap up;
~ся turn, turn round; *imp.*
обёртывать(ся), оборáчивать-
(ся)

обессúлеть *perf.* grow weak, lose
strength; *imp.* обессúливать

обещáние promise [C]

обещáть *perf. & imp.* promise

обивáть *imp.* knock off; *perf.*
обить

обúда insult, offence, wrong;
hurt [C]

обúдеть *perf.* offend, hurt; *imp.*
обижáть

обúдный offensive, insulting; re-
sented

обúженный offended, aggrieved

обúлие (*sing.* only) abundance,
plenty [C]; обúльный *adj.*

обиняки *pl.* [E]: без обиняков
without beating about the
bush (51.18)

обúтый covered

обихóд (*sing.* only) household;
customs [C]

обладáть *imp.*+ *instr.* possess,
own; no *perf.*

óблако, *gen. pl.* облакóв cloud
[C:E]

облéпленный stuck round, plas-
tered

обливáть *imp.* pour over; ~ся
pour, stream; *perf.* облить(ся)

обломáть *perf.* break; *imp.* облá-
мывать

облóмок o/- fragment, broken
piece [C]

об/лупúть *perf.* strip, peel

облучóк o/- (driver's) box [E]

обманýть *perf.* deceive, cheat,
dupe; *imp.* обмáнывать

обнажáть *imp.* uncover, bare, reveal; *perf.* обнажúть

обновляться *imp.* renew oneself,
be renewed; *perf.* обновúться

обнять *perf.* embrace, put arms
round; envelop; ~ся embrace
one another; *imp.* обнимáть-
(ся)

обогатúть *perf.* enrich; *imp.* обо-
гащáть

óбод, *pl.* óбодья, *gen.* óбодьев
rim

обóдранный ragged, tattered

ободрять *imp.* encourage; *perf.*
обóдрить

обо́з train, file (of carts, &c.) [C]

обойти́ *perf.* go round; *imp.* обходи́ть

обора́чиваться *imp.* turn, turn round; *perf.* оборо́ти́ться, оберну́ться

обо́рка, *gen. pl.* -/о: see *sel. id.* 27.10 [C]

оборо́на (*sing.* only) defence [C]

обраба́тывать *imp.* work; *perf.* обрабо́тать

об/ра́доваться *perf.* rejoice; +*dat.* be glad of

о́браз shape; (*sing.* only) manner, way [C]; таки́м ~ом in this way, thus

образова́ние education [C]

образо́ванный educated, cultured

обра́тно back

обра́тный return (*adj.*); inverse, inverted

обрати́ть *perf.* turn; ~ внима́ние pay attention; ~ся turn, change (into); address, apply to; turn round; +*c*+*instr.* treat, deal with; *imp.* обраща́ть(ся)

обре́зок о/- clipping, scrap [C]

обру́бленный truncated, lopped; (of finger) with top cut off

обрыва́ть *imp.* break off, tear off; *perf.* оборва́ть

обры́вок о/- scrap, piece torn off [C]

обстано́вка (*sing.* only) setting, surroundings, circumstances [C]

обстоя́тельный thorough, detailed

обсуди́ть *perf.* discuss, consider, talk over; *imp.* обсужда́ть

обуча́ть *imp.*+*dat.* teach (subject); *perf.* обучи́ть

обходи́ть *imp.* go round; *perf.* обойти́

обши́рный spreading, ample, vast

обши́тый faced, sheathed

обще́ственный public, communal

о́бщий general; в о́бщем in sum, in total

объяви́ть *perf.* declare, announce; *imp.* объявля́ть

объясне́ние explanation [C]

объясни́ть *perf.* explain, expound; ~ся declare oneself; be explained; *imp.* объясня́ть(ся)

объя́тие embrace [C]

обы́денный usual, everyday

обыкнове́ние (*sing.* only) custom, habit [C]

обыкнове́нный usual, ordinary

обы́чай custom, habit [C]

обы́чный usual, customary

обя́занность (official) duty [C]

обя́занный under obligation, obliged

обяза́тельно without fail

ове́сец е/- [C], *pop. dim.* of овёс ё/- oats [E]

ове́чий sheep's

овладе́ть *perf.*+*instr.* take possession of, seize; ~ собо́й control oneself, regain one's composure; *imp.* овладева́ть

овра́г ravine [C]; *dim.* овра́жек е/- [C]

овся́ный of oats, oatовца́, gen. pl. -/е sheep

овча́рка, gen. pl. -/o sheep-dog [C]

ога́рок o/- candle-end; hooligan, good-for-nothing [C]

огло́бля, gen. pl. огло́бель, огло́блей shaft [C]

оглянуть perf. inspect, examine; ~ся (круго́м) look round, look about; imp. огля́дывать-(ся)

огнево́й fiery

огнемёт flame-thrower [C]

ого́! oho!

ого́нь m. o/- fire, light [E]

огоро́д kitchen-garden [C]

огорче́ние grief, distress [C]

огорчённый distressed

огорчи́ться perf. be distressed, be afflicted; imp. огорча́ться

огро́мный huge, enormous

огуре́ц e/- cucumber [E]

огуре́шница: see note 71.26 [C]

одева́ться imp. get dressed, put on one's things; perf. оде́ться

¶Оде́жа pop. (sing. only) clothes [C]; dim. одежо́нка [C]

оде́жда clothing, clothes [C]

одеревяне́лый stiff, stiffened

о/деревяне́ть perf. grow stiff

одержа́ть perf.: ~ побе́ду gain a victory; imp. оде́рживать

оде́тый dressed

оде́ть perf. dress; ~ся dress, get dressed; imp. одева́ть(ся)

одея́ло blanket [C]

оди́н, одна́, одно́, одни́ one; only, alone

одиннадцатый eleventh

одино́кий alone, lonely

одино́чество (sing. only) solitude, loneliness [C]

одича́вший gone wild

одна́жды once, one day

одна́ко however, but

одновре́менно simultaneously, at the same time

одногла́зый one-eyed: see note 84.24

однообра́зный monotonous

¶Одноры́шный, pop. for одноры́чный one-handled

одобря́ть imp. approve; perf. одо́брить

одоле́ть perf. surmount, overcome; imp. одолева́ть

одува́нчик dandelion [C]

ожесточённый hardened, obdurate; violent

ожида́ние expectation, waiting [C]

ожида́ть imp. expect, wait for; no perf.

озабо́ченный preoccupied, anxious

о́зеро, pl. озёра, gen. озёр lake

ози́мый winter-sown: see note 68.6

озлобле́ние (sing. only) irritation, anger [C]

озорно́й mischievous

¶Ой ли? pop. really? is that so? (41.21)

оказа́ть perf. show, display; ~ся appear, be shown, turn out, prove; be forthcoming; imp. ока́зывать(ся)

окая́нный damned, accursed

оки́нуть perf. throw round; ~ взгля́дом take in with a look; imp. оки́дывать окли́кнуть *perf.* hail; speak to, call by name; *imp.* оклика́ть

окно́, *gen. pl.* -/o window [E: ←(1)]

о́коло+*gen.* near; round (7.5); ~ го́да about a year

оконча́ние termination, completion [C]

оконча́тельный final

око́нчить *perf.* finish; *imp.* ока́нчивать

око́шко, *pl.* око́шки, *gen.* око́шек [C], *coll. dim.* of окно́

окра́ина outskirts [C]

окра́сить *perf.* stain, dye; *imp.* окра́шивать

о́крик shout, cry [C]

окрова́вленный covered with blood

¶окромя́ *pop.* for кро́ме+*gen.* except 70.21

окру́га *arch.* district [C]

окружи́ть *perf.* surround; *imp.* окружа́ть

октя́брьский October (*adj.*)

оку́тать *perf.* wrap up, muffle; *imp.* оку́тывать

¶о ля ля́!: see *note* 53.9

о́мут pool (in river) [C]

он, она́, оно́, они́ he, she, it, they

опа́здывать *imp.* be late, come late; *perf.* опозда́ть

опа́ловый opal (*adj.*)

опа́сный dangerous

опира́ться *imp.* lean, prop oneself; *perf.* опере́ться

опои́ть *perf.* poison (with drink); *imp.* опа́ивать

опра́вдываться *imp.* make excuses, justify oneself; be justified; *perf.* оправда́ться

определи́ться *perf.* be fixed; *imp.* определя́ться

о/пусте́ть *perf.* be deserted, become empty

опусти́ть *perf.* droop, hang, let down, let fall; ~ся drop, sink; *imp.* опуска́ть(ся)

опу́хший swollen

опу́шка, *gen. pl.* -/e outskirts, border (of forest) [C]

опя́ть again; ~же also, as well (61.12); ~-таки once again

ора́нжевый orange-coloured

ора́ть *imp. pop.* bawl, shout, cry loudly; *perf.* за~

орби́та orbit, eye-socket [C]

о́рган organ [C]

организа́ция organization [C]

орёл ё/- eagle [E]

оре́х nut [C]; *dim.* оре́шек e/-; *pl.* droppings [C]

оруди́йный gun-, of guns

ору́жие (*sing.* only) arms [C]

оса́ wasp [E: ←(1)]

оса́нка (*sing.* only) bearing, deportment [C]

о/сатане́ть *perf.* go wild (with rage)

осве́домиться *perf.* inquire; *imp.* осведомля́ться

освещённый lighted, lit

освободи́ться *perf.* be free, get off; *imp.* освобожда́ться

осени́ть *perf.* shadow; *imp.* осеня́ть

о́сень autumn [C]; ~ю, по о́сени in autumn; осе́нний *adj.*

оси́пший hoarse, husky

оска́л (*sing.* only) grin, baring of teeth [C]

о/ска́лить *perf.* show (one's teeth); *imp.* оска́ливать

оскорби́тельный offensive, insulting

оскорблённый offended

оскорбля́ть *imp.* insult; *perf.* оскорби́ть

оскуде́ние impoverishment [C]

ослепи́тельный blinding

о/слепну́ть *perf.* go blind

¶ослобоню́сь: see *note* 10.18

осмо́тр (*sing.* only) inspection [C]

осмотре́ть *perf.* inspect, examine; *imp.* осма́тривать

осно́ва basis, foundation [C]

основа́ть *perf.* establish, found; *imp.* осно́вывать

особенно especially

особенность [C]: в осо́бенности particularly

осо́бенный special; peculiar

¶особли́во *arch.* for осо́бенно

осо́бый particular, special

остава́ться *imp.* remain; *perf.* оста́ться

оста́вить *perf.* leave, abandon; *imp.* оставля́ть

остально́й remaining

останови́ть *perf.* stop (person or thing); ∼ся stop; fix (on), settle (on); *imp.* остана́вливать(ся)

остано́вка, *gen. pl.* -/о stop, stay [C]

оста́ться *perf.* remain; *imp.* остава́ться

о́стов skeleton, shell (of building) [C]

осторо́жность (*sing.* only) care, carefulness [C]

осторо́жный careful, guarded

острие́ edge [E]

остро́г *arch.* gaol, prison [C]

остроу́мный witty

о́стрый sharp

осу́нуться *perf.* grow thin (esp. in face); no *imp.*

ось axle [C:E exc. *nom.*]

от + *gen.* from

отбавля́ть *imp.* diminish; хоть отбавля́й: see *note* 20.9; *perf.* отба́вить

отбира́ть *imp.* take away, confiscate, take; *perf.* отобра́ть

отвезти́ *perf.* take away, transport; *imp.* отвози́ть

отвести́ *perf.* lead away, take off; ∼ глаза́ deflect the gaze, avert the attention (of); *imp.* отводи́ть

отве́т answer [C]

отве́тить *perf.* answer; *imp.* отвеча́ть

отве́тный answering

отвлечённо abstractly

отводи́ть *imp.* take aside; turn, lead, away; *perf.* отвести́

отвори́ть, ∼ся *perf.* open; *imp.* отворя́ть(ся)

отвороти́ться *perf.* turn away; *imp.* отвора́чиваться

отголо́сок о/- echo [C]

отгоро́женный fenced off

отда́ть *perf.* give away, give up; ∼ся resound, re-echo; *imp.* отдава́ть(ся)

отдви́нуть *perf.* move away; *imp.* отдвига́ть

отде́лка [C]: see *sel. id.* 21.4

отде́льный separate

отдохну́ть *perf.* rest; *imp.* отдыха́ть

о́тдых (*sing.* only) rest [C]

оте́ц е/- father [E]

оте́чество (*sing.* only) fatherland, native land [C]; ¶*pop.* for о́тчество: see *note* 15.22

отказа́ть *perf.* (+в+*loc.*) deny, refuse (something); ～ся refuse; *imp.* отка́зывать(ся)

откидно́й folding

отки́нуть *perf.* throw out; *imp.* отки́дывать

откли́кнуться *perf.* respond, answer; *imp.* откли́каться

открове́нность (*sing.* only) frankness, candour [C]

открове́нный candid, frank

откры́ть *perf.* open; ～ся *intr.*; *imp.* открыва́ть(ся)

откры́тый open, uncovered; frank

отку́да from where; ～-то from somewhere

отла́мывать *imp.* break off; ～ дела́ *pop.*: see *note* 54.11; *perf.* отлома́ть, отломи́ть

отличи́ть *perf.* distinguish; *imp.* отлича́ть

отли́чный excellent

отмахну́ться *perf.*+от+*gen.* wave away, brush aside; *imp.* отма́хиваться

отнести́ *perf.* take, carry away; *imp.* относи́ть

отноше́ние attitude, relations [C]

отня́ть *perf.* take away; *imp.* отнима́ть

отобра́ть *perf.* take away; *imp.* отбира́ть

отодви́нуться *perf.* be moved aside; *imp.* отодвига́ться

отозва́ться *perf.* respond; answer a call; *imp.* отзыва́ться

отойти́ *perf.* go away; *imp.* отходи́ть

оторва́ть *perf.* tear away, pull off; *imp.* отрыва́ть

отпеча́ток о/- print, stamp [C]

отпра́вить *perf.* send; ～ся set out, turn one's steps; *imp.* отправля́ть(ся)

отправле́ние departure [C]

отпря́чь *perf.* unharness; *imp.* отпряга́ть

о́тпуск leave, holiday [C]

отпусти́ть *perf.* grant leave to, let go; *imp.* отпуска́ть

о́трасль branch (of learning, &c.) [C]

отрыва́ть *imp.* tear off; ～ся tear oneself away; не отрыва́ясь ceaselessly, without interruption; *perf.* оторва́ть(ся)

отры́вистый jerky

отряхну́ть *perf.* shake off; *imp.* отря́хивать

отсве́чивать *imp.* be reflected; no *perf.*

отслужи́ть *perf.*: сеа́нс отслужи́ли *pop.* we finished the performance (57.12); *imp.* отслу́живать

отстава́ть *imp.* fall behind, drop behind; *perf.* отста́ть

отступи́ть *perf.* recoil, fall back, retreat; *imp.* отступа́ть

отсу́тствие (*sing.* only) absence [C]

оттéнок o/- shade, tinge [C]

оттогó что for the reason that

оттýда from there

отхáркнуться *perf.* hawk, clear one's throat; *imp.* отхáркиваться

отчáяние (*sing.* only) despair [C]

отчáянно desperately

óтче *arch. vcc.* of отéц father: see *note* 30.2

отчегó why, for what reason; ∼-то for some reason

óтчество patronymic [C]: see *note* 9.18

отъéсть *perf.* eat off; *imp.* отъедáть

отыскáть *perf.* seek for, look for, search out; *imp.* отыскивать

офицéр officer [C]; *dim.* офицéрик [C]

официáльный official, formal

ox! oh

охáпка, *gen. pl.* -/о armful [C]

охватить *perf.* envelop, seize; *imp.* охвáтывать

охóта (*sing.* only) hunting, shooting; *pop.* desire, inclination [C]

охрипший hoarse, husky

оценить *perf.* value, estimate; *imp.* оцéнивать

оцéнка, *gen. pl.* -/о estimation, appraisal [C]

оцéнщик valuer [C]

оцепенéнье (*sing.* only) numbness, torpor [C]

очарóванный enchanted, fascinated, bewitched

очаровáтельный charming

очевидно evidently

óчень very

óчередь turn, line, course [C:E exc. *nom.*]; по óчереди in turn

очертить *perf.* outline; *imp.* очéрчивать

очки *pl.*, *gen.* очкóв spectacles [E]

очнýться *perf.* wake up; rouse oneself; come round; no *imp.*

ошеломлённый dazed, stunned

ошибáться *imp.* make a mistake, err; *imp.* ошибиться

о/штрафовáть *perf.* fine

óщупью (by) groping or fumbling (68.15); by touch

ощутить *perf.* feel, perceive; ∼ся be felt; *imp.* ощущáть(ся)

П

павильóн pavilion [C]

пáдать *imp.* fall, sink, drop; ∼ дýхом: see *sel. id.* 1.25; *perf.* пасть

паёк ё/й ration [E]; голóдный ∼ starvation rations

¶пáзуха bosom [C]; за пáзухой in one's bosom

пакéт packet; индивидуáльный ∼ field dressing [C]

пáкость filth [C]

палáта (hcspital) ward [C]

палестина [C]: see *note* 60.3

пáлец е/ь finger [C]: see *note* 3.21; *dim.* пáльчик [C]

палисáдник (small) front garden [C]

палить *imp.* singe; *perf.* с∼, о∼

пáлка, *gen. pl.* -/о stick, staff [C]; *dim.* пáлочка, *gen. pl.* -/е [C]

пальтó (*indecl.*) overcoat

па́мятный memorable; па́мятная кни́жка memorandum-book

па́мять (*sing.* only) memory [C]

па́пин papa's

папиро́са cigarette [C]

пар fallow ground [C:E]

па́ра pair [C]

пара́д parade [C]

пара́дный: пара́дное крыльцо́ front entrance, front steps; ∼ ход front entrance

па́рень *m.* e/- fellow, lad [C]; *dim.* паренёк ё/ь [E]

Пари́ж Paris; ∼ский *adj.*

парикма́херский hairdresser's

парке́т parquet [C]

парни́к greenhouse [E]

парни́шка *m.*, *gen. pl.* -/e [C], *dim.* of па́рень e/- lad, boy [C]

парохо́д steamship, steamer [C]

па́рочка, *gen. pl.* -/e [C], *dim.* of па́ра pair [C]

па́спорт passport [C]

Па́сха Easter [C]

па́уза pause [C]

паути́на cobweb [C]

па́хнуть *imp.* (+*instr.*) smell (of); *perf.* за∼

паху́чий odorous, fragrant; scented

¶па́чпорт *pop.* for па́спорт

па́шня, *gen. pl.* па́шен ploughland [C]

педа́нт pedant, martinet [C]

пейза́ж landscape [C]

пелена́ shroud [E]

пелика́н pelican [C]

пе́ние singing [C]

пе́нка, *gen. pl.* -/o scum [C];

снима́ть пе́нки skim; (*fig.*) skim off the cream (54.9)

пень *m.* e/- stump [E]

пе́пел e/- (*sing.* only) ash, ashes [C]

пе́пельница ash-tray [C]

пе́рвый first; в ∼ раз for the first time

перебега́ть *imp.* run across, go over; *perf.* перебежа́ть

перебира́ться *imp.* cross, go across; *perf.* перебра́ться

переби́ть *perf.* kill (many); break (much); no *imp.* in this sense

перебо́й hitch, catch [C]

перебра́нка, *gen. pl.* -/o wrangle, argument [C]

перевёрнутость topsy-turvyness [C]

перевести́ *perf.* transfer; ∼сь die out, become extinct: see *sel. id.* 56.10; *imp.* переводи́ть(ся)

перевя́зывать *imp.* bind up, bandage; *perf.* перевяза́ть

перегляну́ться *perf.* exchange glances; *imp.* перегля́дываться

пе́ред+*instr.* in front of, before

переда́ть *perf.* transmit, convey, communicate; hand over; *imp.* передава́ть

переде́лывать *imp.* recast; *perf.* переде́лать

передёрнуть *perf.* twitch; *imp.* передёргивать

пере́дний front, foremost

пере́дняя *sb.* hall, entrance-hall

пере/дра́ться *perf. pop.* exchange blows

перее́хать remove; cross (not on foot); *imp.* переезжа́ть

перезнако́миться *perf.* get ac-

quainted; *imp.* (*pop.*) перезна—
ка́мливаться

переймчивый imitative

перейти́ *perf.* cross; go over; *imp.*
переходи́ть

переки́нуть *perf.* transfer; throw
over; *imp.* переки́дывать

перекла́дывать *imp.* transfer;
put; *perf.* переложи́ть

пере/кромса́ть *perf.* chop up
roughly, hack small

перекры́ть *perf.* cover, roof,
thatch; *imp.* перекрыва́ть

переле́сок о/- copse [C]

перелете́ть *perf.* fly across; *imp.*
перелета́ть

переложи́ть *perf.* transfer; put;
imp. перекла́дывать

переломи́ть *perf.* break in two;
imp. перела́мывать

переме́на change [C]

переме́нный variable

переме́т stake-net: see *note* 24.29
[C]

переме́тный: переме́тная сума́
saddle-bag

пере/меша́ть *perf.* mix up, stir up,
confuse; *imp.* переме́шивать,

перемина́ться *imp.* *pop.*: ~
с ноги́ на́ ногу shuffle one's
feet; no *perf.*

перено́сье bridge of nose [C]

пе́репел, *pl.* ~а́ quail [C:E];
перепели́ный *adj.*

перепи́счица copyist (*f.*) [C]

перепо́лненный crowded, crammed

переполо́х (*sing.* only) uproar,
commotion [C]

перепу́танный entangled

перепу́тать *perf.* muddle, confuse; *imp.* перепу́тывать

переры́в interval, break, interruption [C]

пересе́сть *perf.* change seats,
change trains; *imp.* переса́жи-
ваться

пересе́чь *perf.* cut across, cross;
imp. пересека́ть

перескочи́ть *perf.* leap over, get
across; *imp.* переска́кивать

пересо́хнуть *perf.* dry up, parch;
imp. пересыха́ть

переста́ть *perf.* cease, stop; *imp.*
перестава́ть

перестоя́ться *perf.* *coll.* stand too
long; *imp.* переста́иваться

перетерпе́ть *perf.* endure; no *imp.*

¶перере́ть *imp.* *pop.* push; no *perf.*;
go; *perf.* при~

переу́лок о/- cross street, side
street, lane [C]

перехо́д passage, way across [C]

переходи́ть *imp.* pass; cross; go
over; *perf.* перейти́

пе́рец e/- (*sing.* only) pepper;
peppers [C]; зада́ть пе́рцу give
it hot (41.23)

перешагну́ть *perf.* step over; *imp.*
переша́гивать

пери́на feather-bed [C]

перо́, *pl.* пе́рья, *gen.* пе́рьев
feather [E:←—(1)]

перпету́н: see *note* 84.27

пёс ё/- dog [E]

пе́сня, *gen. pl.* пе́сен song [C]

песо́к о/- sand [E]; *dim.* песо́чек
е/- [C]

пестре́ть *imp.* be variegated,
many-coloured; *perf.* за~

пёстрый variegated, motley; many-coloured

песча́ный sandy

петербу́ргский of St. Petersburg

пету́х cock [E]: see *sel. id.* 12.12; *dim.* петушо́к о/- [E]

петь *imp.* sing; *perf.* c~, про~

¶пехту́рой: see *note* 30.8

печа́ль sadness [C]; ~ный *adj.*

печа́тный printed

печа́ть seal [C]

печь [C:E exc. *nom.*], пе́чка, *gen. pl.* -/e [C] stove, oven

пешко́м on foot

пи́во (*sing.* only) beer [C]

пиджа́к jacket [E]; *dim.* пиджачо́к о/- [E]

пила́ saw [E:←-(1)]

пили́ть *imp.* saw; *perf.* рас~

писа́ть *imp.* write; paint; *perf.* на~

письмо́, *gen. pl.* ь/е letter [E:←-(1)]

пита́ться *imp.* + *instr.* eat, live on; no *perf.*

пить *imp.* drink; *perf.* вы́~

пища́ть *imp.* squeak, whine, wail; *perf.* за~

пла́вать, плыть *d. imp.* swim, float; *perf.* поплы́ть

пла́вни *pl.* [C]: see *note* 47.5

пла́вный smooth; swimming

пла́кать *imp.* cry, weep; *perf.* за~

пла́менный fiery

пла́мя *n.,* *gen.* пла́мени, *gen. pl.* пламён flame [C:E]

план plan [C]

пла́новый planned, systematic

пласт layer, level [E]

плато́к о/- handkerchief [E]

плати́ть *imp.* pay; *perf.* за~

пла́тье, *gen. pl.* ~в clothes, dress [C]

¶плева́ться *imp. pop.* spit; no *perf.*

племя́нник nephew [C]

плен (*sing.* only) captivity [C]

пле́нный captive; *sb.* prisoner of war

пле́сень mould, must [C]

плести́ *imp.* weave, twine, twist; *perf.* за~, с~

плеть whip, lash [C:E exc. *nom.*]

плечо́, *pl.* пле́чи, *gen.* плеч shoulder [E exc. *nom. pl.*]; ~-о-~ side by side

плита́ slab, flat plate, flag-stone [E:←-(1)]

плоти́на dam, weir [C]

пло́тник carpenter [C]

пло́тно firmly; tightly; сади́лся ~ sat squarely down

пло́щадь square, place [C:E exc. *nom.*]

плохо́й bad

плыть, пла́вать *d. imp.* swim, float; *perf.* по~

плю́нуть *perf.* spit; *perf.* плева́ть

пляса́ть *imp.* dance; *perf.* по~

по + *acc.* up to, as far as; по грибы́ for mushrooms (39.5); пò две, пò три на одно́м корню́ two or three (trunks) springing from each root (21.22); + *dat.* by, through; on, along, about; from, by reason of; among; according to; (+ numeral) . . . each; по воспомина́ниям in recollection; по ноча́м at night, by night; по-на́шему in our language, in our way по-африка́нски (in) African

побе́да victory [C]

победи́ть *perf.* conquer, win the victory; *imp.* побежда́ть

побежа́ть *perf.* run; *d. imp.* бежа́ть, бе́гать

побеждённый overcome

по/беле́ть *perf.* turn white

поби́ть *perf.* kill (many)

по/бледне́ть *perf.* grow pale

побли́же (a little) nearer

побо́льше (rather) more

по-бра́тски fraternally, like brothers

побрести́ *perf.* wander; stroll; *d. imp.* брести́, броди́ть

по/броса́ть *perf.* cast off, abandon

побы́вка, *gen. pl.* -/o short stay; leave [C]

по/вали́ть *perf. coll.* crowd, throng

повева́ть *imp.* breathe, blow gently; no *perf.*

поведе́ние conduct, behaviour [C]

повезти́ *perf.* take, cart; *d. imp.* везти́, вози́ть

по/ве́рить *perf.* believe, be convinced

поверну́ть *perf.* turn (*trans.*); ～ся turn (*intr.*); *imp.* повёртывать(ся), повора́чивать(ся)

пове́рх+*gen.* over

повеселе́ть *perf.* become cheerful; no *imp.*

по-весе́ннему in spring-like fashion, like spring

пове́сить *perf.* hang; *imp.* ве́шать

повести́ *perf.* lead, bring; *d. imp.* вести́, води́ть

¶повести́сь *perf. pop.* come (from); no *imp.* in this sense

по/ве́ять *perf.* blow, breathe

пови́снуть *perf.* be suspended, hang; *imp.* повиса́ть

по́вод reason, ground [C]

по́вод, *pl.* пово́дья, *gen.* пово́дьев rein

повора́чивать(ся) *imp.* turn; *perf.* поверну́ть(ся)

повтори́ть *perf.* repeat; *imp.* повторя́ть

пога́ный disgusting, vile

по/гаси́ть *perf.* put out, extinguish

погиба́ть *imp.* go to ruin, perish; *perf.* поги́бнуть

поги́бель (*sing.* only) ruin, perdition [C]

по/ги́бнуть *perf.* be lost, be ruined, perish; *imp.* погиба́ть

по/гла́дить *perf.* stroke

по/гляде́ть *perf.* look; +на+*acc.* look at, watch

по/гну́ть *perf.* bend

по/говори́ть *perf.* talk, speak

пого́да weather [C]

погоди́ть *perf.* wait a little; no *imp.*

пого́жий *pop.* serene, fine

по́греб, *pl.* ～а́ cellar [C:E]

по/грози́ть *perf.* threaten

погружённый plunged, immersed, deep

погру́зка (*sing.* only) loading [C]

по/губи́ть *perf.* destroy, ruin

по/гуля́ть *perf.* walk

по/гута́рить *perf. dial.* talk, have a talk

под+*acc.* under (with idea of motion); near, close to (59.5); to the accompaniment of (67.17); пòд вечер towards evening (54.28); пòд гору downhill; ∼ ряд in succession; ∼ тысячу about a thousand; ∼ эту тоску: see *note* 57.10; +*instr.* under, beneath; near, close to (54.24)

подавать *imp.* give; *perf.* подать

подавленный dejected, despondent

по/дарить *perf.* give

податливый yielding

подбегать *imp.* run up; *perf.* подбежать

подбирать *imp.* select, choose; *perf.* подобрать

подбитый: ∼ глаз damaged eye, black eye

подбор (*sing.* only) selection [C]; на ∼ picked, selected

подбородок о/- chin [C]

подбоченясь with arms akimbo

подвал basement [C]

подвести *perf.* lead up; *imp.* подводить

подвинуть *perf.* move up; *imp.* подвигать

подвода horse and cart [C]

подговорить *perf. coll.* incite, persuade; *imp.* подговаривать

подголосок о/- second voice, person singing second part [C]

поддержать *perf.* uphold; support, maintain; *imp.* поддерживать

поддёрнуть *perf.* pull up, hitch up; *imp.* поддёргивать

¶по/деваться *perf. pop.* for деться put oneself

поделать *perf.*: ничего не поделаешь there is nothing to be done; no *imp.*

по/делить *perf.* divide, parcel out

подённый daily, by the day; подённая работа day-labour

подёргивать *imp.* tug at; *perf.* подёргать

по/держать *perf.* hold for a time

подёрнутый covered

подёрнуться *perf.* be covered; *imp.* подёргиваться

поджать *perf.* draw in; ∼ под себя ноги sit cross-legged; *imp.* поджимать

подзатыльник rap on the head [C]

подзуживать *imp. coll.* incite, urge; *perf.* подзудить

¶поди *pop.* probably

подкатывать *imp.* roll along; *perf.* подкатить

подкинуть *perf.* throw in; *imp.* подкидывать

подкова horse-shoe [C]

подле+*gen.* near

подложить lay, put, under; *imp.* подкладывать

подмастерье *m., gen. pl.* ∼в apprentice [C]

подмести *perf.* sweep; ¶∼ под чистую *pop.* make a clean sweep of; *imp.* подметать

подмигнуть *perf.* wink; *imp.* подмигивать

подмостки *pl., gen.* подмостков trestle, staging [C]

¶подмо́чь *perf. pop.* give a hand to, help; *imp.* подмога́ть

подмы́шки: подхвати́л её ∼ grasped her under the arms

поднести́ *perf.* bring close; ∼ ду́лю cock a snook; *imp.* подноси́ть

подня́ть *perf.* raise, lift; ∼ся rise, get up; *imp.* поднима́ть(ся), подыма́ть(ся)

подоба́ющий becoming, fitting, due

подобра́ть *perf.* lift up, tuck up; *imp.* подбира́ть

подо/жда́ть *perf.* await

подожо́к о/- [E], *dim.* of подо́г *dial.* stick, staff, rod [C]

подозрева́ть *imp.* suspect; *perf.* заподо́зрить

подозре́ние suspicion [C]

подозри́тельный suspicious

подойти́ *perf.* go up (to), come close (to), approach; *imp.* подходи́ть

подоко́нник window-sill [C]

подо́л hem, tail [C]; ∼ руба́шки shirt-tails

подо́льше longer, for a little longer

по/до́хнуть *perf.* (of animals) die; *imp.* подыха́ть

подо́шва sole [C]

подпира́ть *imp.* support, prop; *perf.* подпере́ть

подписа́ть *perf.* sign; subscribe (to); *imp.* подпи́сывать

подплы́ть *perf.* sail (to); *imp.* подплыва́ть

подпоя́сать *perf.* belt, girdle, gird; *imp.* подпоя́сывать

подпры́гивать *imp.* jump, bound, jolt, along; *perf.* подпры́гнуть

подро́бно in detail

подро́бность detail [C]

по-друго́му differently, in a different way

подря́д in succession

подря́сник cassock, robe [C]

подсве́чник candlestick [C]

подсви́стывать *imp.* whistle accompaniment ; no *perf.*

подска́зывать *imp.* prompt; *perf.* подсказа́ть

подслепова́тый weak-sighted, purblind

¶подсо́бный *pop.* secondary; helpful

подсо́лнух sunflower-seed [C]

подста́вить *perf.* put, place; *imp.* подставля́ть

подста́вка, *gen. pl.* -/о support, stand [C]

подступи́ть *perf.* advance; *imp.* подступа́ть

подтверди́ть *perf.* reaffirm, confirm; *imp.* подтвержда́ть

по/ду́мать *perf.* think

по/ду́ть *perf.* blow

подхвати́ть *perf.* take up, join in; *imp.* подхва́тывать

подхо́дец е/- [C]: see *sel. id.* 34.12

подходи́ть *imp.* approach, come up, go up (to); match; *perf.* подойти́

подходя́щий suitable, appropriate

подчища́ть *imp.* clean off, rub out; *perf.* подчи́стить

подъём (*sing.* only) enthusiasm [C]

подъёмные (де́ньги) travelling (removal) expenses

подъе́хать *perf.* ride up, drive up; *imp.* подъезжа́ть

подыма́ть *imp.* raise, lift; ~ся rise, get up; *perf.* подня́ть(ся)

подыска́ть *perf.* find (something suitable); *imp.* поды́скивать

по/ёжиться *perf.* shrink; *imp.* поёживаться

пое́здка, *gen. pl.* -/о journey, trip [C]

пое́сть *perf.* have something to eat; no *imp.* in this sense

пое́хать *perf.* go (not on foot); ~ верхо́м ride; *d. imp.* е́хать, е́здить

по/жале́ть *perf.* regret

по/жа́ловать *perf.* do a favour: пожа́луй(те) please come in (23.20)

пожа́луй perhaps, maybe

пожа́луйста please

пожа́р fire [C]

пожа́рище site of fire [C]

¶пожа́рник [C], *pop.* for пожа́рный fireman

по/жа́ть *perf.* squeeze, press; ~ ру́ку shake hands; ~ плеча́ми shrug one's shoulders; *imp.* пожима́ть

по/жева́ть *perf.* chew, nibble; *imp.* пожёвывать

по/желте́ть *perf.* yellow, turn yellow

по/жени́ть *perf.* marry off

по/же́ртвовать *perf.* sacrifice

по/жи́ть *perf.* live; see life; stay for a time

позади́ + *gen.* behind

по/зва́ть *perf.* call to

позво́лить *perf.* allow, permit; *imp.* позволя́ть

по́здний late, tardy

по́здно (too) late

поздравля́ть *imp.* + с + *instr.* congratulate on; *perf.* поздра́вить

по/зелене́ть *perf.* turn green

по́зже later

пози́ция position [C]

позо́р (*sing.* only) disgrace, shame, infamy [C]

пои́стине indeed, in truth

пои́ть *imp.* give drink to; water; refresh; *perf.* на~

пойма́ть *perf.* catch; *imp.* лови́ть

пойти́ *perf.* go; *d. imp.* идти́, итти́, ходи́ть

пока́ while; meanwhile; ~ не until

показа́ть *perf.* show; ~ся show oneself, appear; *perf.* пока́зывать(ся)

по/каза́ться *perf. impers.* seem, appear

по/кача́ть *perf.*: ~ голово́й shake one's head

пока́чиваться *imp.* totter, sway; *perf.* покачну́ться

по/карау́лить *perf. coll.* watch, keep guard over, for a time

пока́янный penitential

поки́нуть *perf.* desert, forsake; *imp.* покида́ть

¶покли́чь *imper.* of *pop.* по/кли́кать call

поко́й rest, repose [C]

поко́йный deceased, late

по/корми́ть *perf.* feed

поко́рный humble, meek

по/коси́ться *perf.* squint, look sideways; grow askew, lean, warp

¶по/кочевря́житься *perf. pop.* be capricious, be obstinate

покри́кивать *imp.* shout, utter cries; ∼ на + *acc.* shout at, call to; no *perf.*

по/крича́ть *perf.* shout

покрови́тельственный patronizing

покры́ть *perf.* cover; overshadow, outshine; ∼ся be covered; cover oneself; *imp.* покрыва́ть(ся)

¶поку́да *coll.* while; meanwhile

покупа́ть *imp.* buy; *perf.* купи́ть

пол sex [C:E exc. *nom.*]

пол floor [C:E]

пола́ skirt (of coat) [E:←(1)]

полага́ть *imp.* suppose, think, assume; ∼ся *impers.* be usual, be expected or supposed; no *perf.* in this sense

пол-арши́на half an arshin

пола́ти *pl., gen.* пола́тей *arch.*: see *note* 40.2

полверсты́ half a verst

по́лдень *m., gen. sing.* по́лдня, полу́дня noon, midday

полдремо́ты half-sleep, half slumber

по́ле field [C:E]; полево́й *adj.*

поле́зный useful; wholesome

поле́зть *perf.* climb, clamber; *d. imp.* лезть, ла́зить

полете́ть *perf.* fly; *d. imp.* лете́ть, лета́ть

ползти́, полза́ть *d. imp.* crawl; *perf.* поползти́

полк regiment [E]

по́лка, *gen. pl.* -/о shelf [C]

полко́вник colonel [C]

полмину́ты half a minute

полно́чный midnight *adj.*

по́лный full, complete; *superl.* полне́йший

полови́на half [C]; полови́нный *adj.*

полово́й *sb. arch.* waiter

положе́ние situation, position [C]

положи́тельный positive

положи́ть *perf.* place, put; *imp.* класть

полоса́ stripe, streak; *dim.* поло́ска, *gen. pl.* -/о strip, band [C]

поло́ть *imp.* weed, hoe; *perf.* вы́∼

¶полста́ fifty

полти́нничек е/- [C], *coll. dim.* of полти́нник fifty-copeck piece, half a rouble [C]

полтора́ one and a half

полузакры́тый half-closed

полумра́к twilight, half-dark [C]

полуоткры́тый half-open

полураскры́тый half-opened

полуслепо́й half-blind

пол(у)тьма́ half-light, half-dark

полуулы́бка, *gen. pl.* -/о half-smile [C]

получи́ть *perf.* receive; ∼ся result, ensue; *imp.* получа́ть(ся)

полу́чка (*sing.* only) *coll.* pay packet [C]

полушу́бок о/- peasant's short sheepskin coat [C]

полчаса́ half an hour

по/любова́ться *perf.* admire

по/любопы́тствовать *perf.* be curious

поля́на glade, clearing; meadow [C]; *dim.* поля́нка, *gen. pl.* -/o [C]

помаха́ть *perf.*+*instr.* wave; *imp.* пома́хивать

¶помере́ть *perf. pop.* die; *imp.* помира́ть

по/ме́ркнуть *perf.* grow dark; fade

помести́ть *perf.* find a place for, put; ∼ся be placed; *imp.* помеща́ть(ся)

поме́щичий of land-owners, of gentlefolk

по-ми́рному *coll.* peacefully

по́мнить *imp.* remember; *perf.* вс∼

помога́ть *imp.*+*dat.* help; *perf.* помо́чь

помо́йка, *gen. pl.* й/e rubbish-heap [C]

по/молоде́ть *perf.* grow younger

помолча́ть *perf.* hold one's tongue, be silent (for a time)

по/мота́ть *perf.* shake, wag; *imp.* пома́тывать

помо́чь *perf.*+*dat.* help; *imp.* помога́ть

помо́щник assistant [C]

по́мощь help, aid [C]; Бог в ∼: see *note* 70.13

Помпе́ев: see *note* 85.30

по-мужи́чьи *pop.* like a moujik

по/мча́ться *perf.* whirl along, tear along

помяну́ть *perf.* mention; *pop.* remember; *imp.* помина́ть

пона́добиться *perf.* be necessary, be forced on one

по-на́шему according to us, in our language

понести́ *perf.* carry, take; *impers.* +*instr.* smell, reek, of (20.13); *d. imp.* нести́, носи́ть

по/ни́кнуть *perf.* droop; *imp.* поника́ть

понима́ть *imp.* understand; *perf.* поня́ть

понима́ющий understanding

по/нра́виться *perf.*+*dat.* please

поня́тие idea, understanding, conception [C]

поня́ть *perf.* understand; *imp.* понима́ть

по-обезья́ньи like monkeys

¶по/обсмотре́ться *perf. coll.* see how the land lies

поочерёдно in turn

поп (*derogatory*) priest [E]

попа́сть *perf.* strike, hit on; *imp.* попада́ть

попере́чный cross (*adj.*), transverse

поперхну́ться *perf.* choke; no *imp.*

поплы́ть *perf.* swim, float; *d. imp.* плы́ть, пла́вать

по/пои́ть *perf.* water (horses)

попола́м in halves

попра́вить *perf.* set right, amend; set straight, straighten; ∼ся recover; *imp.* поправля́ть(ся)

попре́жнему as before

попривы́кнуть *perf. coll.* get used; no *imp.*

по/про́бовать *perf.* try, test

по/проси́ть *perf.* ask, request

по/проща́ться *perf.* say goodbye

по́пусту uselessly, to no purpose

по/пя́титься *perf.* back away; recoil

пора́ time, season; it is time; до сих пор until now, up to the present; с тех пор from that time; с тех пор, как from the time when; поро́ю, поро́й from time to time

поравня́ться *perf.* draw level, come up (with); no *imp.*

по/раде́ть *perf. arch.* look after

порази́ть *perf.* strike; *imp.* поража́ть

¶пора́не *pop.* for ра́нее, ра́ньше earlier, previously

по/ра́нить *perf.* wound, injure, hurt

пореши́ть *perf. pop.* decide; *imp.* реша́ть

по́рка (*sing.* only) *pop.* thrashing [C]

поро́г threshold [C]

поро́да breed, species, kind [C]

породи́ть *perf.* generate, beget, produce; *imp.* порожда́ть

поросёнок о/-, *pl.* порося́та, *gen.* порося́т piglet [C]

поро́сший overgrown

поро́тно by companies

порошо́к о/- powder [E]

¶портки́, порты́ *pl. pop.* trousers [E]

портно́вский tailoring, tailor's; портно́вская *sb. coll.* tailor's (work-)shop

портно́й *sb.* tailor

портре́т portrait [C]

портсига́р cigarette-case [C]

портфе́ль *m.* brief-case, attaché case [C]

поруга́ться *perf. pop.* quarrel

по/румя́нить *perf.* rouge; redden, flush

по-ру́сски (in) Russian

пору́чик lieutenant [C]

поры́в fit; gust [C]

поря́док о/- order, good order [C]; по поря́дку in order

посади́ть *perf.* plant; place, put, set; ~ пятно́ make a blot; *d. imp.* сади́ть, сажа́ть

поса́дка, *gen. pl.* -/о embarkation [C]

посви́стывать *imp.* whistle a little

по-сво́ему in one's own way

посёлок о/- hamlet, settlement [C]

посеребрённый silvered

по/серебри́ть *perf.* silver

посеща́ть *imp.* visit; *perf.* посети́ть

по/сиде́ть *perf.* sit for a time

по/сине́ть *perf.* turn blue

поскользну́ться *perf.* slip; *imp.* поска́льзываться

поско́льку so far as

поско́нный of hemp, hempen

поскоре́е quick, as quick(ly) as possible

¶поскрежёщивать *imp. coll.* for скрежета́ть: ~ зуба́ми grind one's teeth

послабе́е (rather) weaker

посла́ть *perf.* send; *imp.* посыла́ть

по́сле+*gen.* after

после́дний last

по/слу́шать *perf.* hear, listen to

по́слушник novice [C]

по/слы́шаться *perf.* be heard

посма́тривать *imp.* throw glances, look from time to time; no *perf.*

по/смотре́ть *perf.* look

по/сове́товать *perf.* advise, counsel

по/соли́ть *perf.* salt, pickle

поспева́ть *imp.*+за+*instr.* keep up with; +на+*acc.* be in time for; *perf.* поспе́ть

поспе́шный hasty, hurried; prompt

посрами́ть *perf.* shame; *imp.* посрамля́ть

посреди́+*gen.* among, in the midst of

посреди́не in the middle

по/ста́вить *perf.* place, put, stand, set up

постанови́ть *perf.* resolve, decide; *imp.* постановля́ть, постана́вливать

по/старе́ть *perf.* grow old(er)

по-ста́рому in the old way

посте́ль bed [C]

по́стный lenten; по́стное ма́сло vegetable oil, sunflower-seed oil

постоя́нный constant, steady

по/стоя́ть *perf.* stand

постреля́т: see *note 43.7*

постре́ливать *imp.* fire occasionally; no *perf.*

постро́йка, *gen. pl.* й/е building, structure [C]

поступа́ть *imp.* act, behave; *perf.* поступи́ть

поступле́ние entrance, admission (to school, &c.) [C]: see *sel. id.* 1.20

по́ступь (*sing.* only) step, tread, gait [C]

посты́дно shamefully

посу́да (*sing.* only) crockery, ware; kitchen utensils [C]

посыла́ть *imp.* send; *perf.* посла́ть

посы́пать *perf.* strew; *imp.* посыпа́ть

пот sweat, perspiration [C]; ~ный, *adj.*

по/тащи́ть *perf.* carry, bear

по/темне́ть *perf.* grow darker, darken

по/тере́ть *perf.* rub

по/теря́ть *perf.* lose

потеша́ться *imp.* + над + *instr.* make fun of, laugh at; no *perf.* in this sense

пото́к stream [C]

потоло́к о/- ceiling [E]

пото́м then, afterwards

потому́ что because

по/тону́ть *perf.* drown, sink; *imp.* потопа́ть

по/трепа́ть *perf.*: ~ по плечу́ tap on the shoulder

потроха́ *pl.* giblets: see *note 86.8*

потре́скивать *imp.* crackle; no *perf.*

потрясти́ *perf.* shake; no *imp.* in this sense

по-туре́цки in Turkish style

по/тускне́ть *perf.* tarnish, grow dim

потуха́ть *imp.* go out, be extinguished; *perf.* поту́хнуть

поты́ркивать *imp.* pop. chirp; no *perf.*

по/тяну́ть *perf.* pull, draw; *impers.* меня́ потяну́ло I longed for; *imp.* потя́гивать; ~ся appear, come along; no *imp.* in this sense

поумне́е a little wiser

по-францу́зски (in) French

похо́д campaign [C]

походи́ть *imp.*+на+*acc.* be like, resemble; no *perf.*

похо́дка, *gen. pl.* -/o gait [C]

похо́жий similar, alike; ∼ на+ *acc.* like; похо́жие как две ка́п-ли воды́ as like as two peas: see *sel. id.* 81.27

похри́пывать *imp.* wheeze; no *perf.*

по/целова́ть(ся) *perf.* kiss

по́чва soil, earth [C]

почему́ why; and so; ∼-то for some reason

по/черне́ть *perf.* go black, blacken

по/чеса́ть *perf.* scratch

почёт (*sing.* only) respect, honour [C]

почётный honourable; honorary

почи́ще (a little) cleaner

почте́нный respectable

почти́ almost, nearly; ∼ не hardly, barely

почти́тельный respectful

почто́вый post-

по/чу́вствовать *perf.* feel

пошли́: see *sel. id.* 30.2

по́шлость triviality, banality, platitude [C]

по́шлый trivial, banal, common-place

по/шуме́ть *perf.* make a noise, make a row

по/шути́ть *perf.* joke, jest

поэ́ма poem [C]

появи́ться *perf.* appear, emerge; *imp.* появля́ться

появле́ние appearance [C]

по́яс, *pl.* ∼а́ belt, girdle; waist [C:E]

поясни́ть *perf.* explain, elucidate; *imp.* поясня́ть

поясни́ца small of the back [C]: see *sel. id.* 13.1

¶пра *pop.* for пра́во, пра́вда truly; it is true

прав *predic. adj.* right, correct

пра́вда (*sing.* only) truth [C]; it is true; по пра́вде сказа́ть to tell the truth

пра́вильный right, correct; de-cent

пра́внук great-grandson [C]

пра́во law, right [C:E]; кре-постно́е ∼ serfdom

пра́во truly, really, honestly

правонаруше́ние infringement of the law [C]

пра́вый right

пра́здничный holiday (*adj.*)

пра́здновать *imp.* make holiday; celebrate; *perf.* от∼

пра́здный idle

практи́ческий practical

пра́порщик ensign; lieutenant [C]

прах *arch.* dust [C]

превосхо́дный superb, excellent

преврати́ть *perf.* change, trans-form; *imp.* превраща́ть

предвече́рний of late afternoon

предлага́ть *imp.* offer; *perf.* пред-ложи́ть

предло́г pretext, excuse [C]

предложе́ние proposal, sugges-tion [C]

предме́т object [C]

пре́док o/- ancestor, forefather [C]

предположи́ть *perf.* suppose; *imp.* предполага́ть

предприя́тие undertaking [C]

председа́тель *m.* president, chairman [C]

предска́зывать *imp.* foretell, presage; *perf.* предсказа́ть

предсме́ртный: предсме́ртные слова́ dying words

предста́вить *perf.* represent, present; ∼ себе́ imagine; *imp.* представля́ть

представле́ние, *pop.* представ-ле́нье notion, idea; performance [C]

представля́ть *imp.* present, represent; *pop.* perform; ∼ся present oneself, seem; *perf.* предста́-вить(ся)

предстоя́ть *imp.* be in store (for), await; мне предстои́т, I have to; no *perf.*

предупреди́ть *perf.* warn, notify; *imp.* предупрежда́ть

преду́тренний early-morning, before-dawn (*adj.*)

предъяви́ть *perf.* produce (document); *imp.* предъявля́ть

пре́жде formerly, before

пре́жний previous, former

презре́ние (*sing.* only) contempt, scorn [C]

презри́тельный contemptuous, scornful

прекра́сный beautiful, fine

пре́лесть charm [C]; преле́стный *adj.*

прель (*sing.* only) rot [C]

прельща́ть *imp.* attract, entice; *perf.* прельсти́ть

преодоле́ть *perf.* overcome; *imp.* преодолева́ть

препира́тельство wrangle, dispute [C]

препя́тствие obstacle [C]

прерыва́ться *imp.* be broken off; *perf.* прерва́ться

прескве́рный very bad

преть *imp.* rot; *perf.* со∼; soak, stew; *perf.* у∼

преувели́ченный exaggerated

прёшь: 2nd *pers. sing.* of пере́ть

при+*loc.* in the presence of; in view of; attached to; ∼ испол-не́нии during the fulfilment (of); ∼ све́те by the light (of); не ∼ чём of no account; ∼ э́том at this; besides

прибау́тка, *gen. pl.* -/о facetious remark, sally [C]

прибежа́ть *perf.* arrive running; *imp.* прибега́ть

приби́ть *perf.* fasten; *imp.* приби-ва́ть

приближе́ние (*sing.* only) approach [C]

привезти́ *perf.* bring, convey; *imp.* привози́ть

привести́ *perf.* bring; *imp.* при-води́ть

приве́тливый friendly, welcoming

приво́льный free, giving freedom

привы́кнуть *perf.* get used, be accustomed; *imp.* привыка́ть

привы́чка, *gen. pl.* -/e habit, use [C]

привы́чный usual; habituated, used

привяза́ть *perf.* tie up, fasten; *imp.* привя́зывать

пригиба́ться *imp.* bend; *perf.* пригну́ться

пригласи́ть *perf.* invite; *imp.* приглаша́ть

пригна́ть *perf.* drive; *imp.* пригоня́ть

пригну́ть(ся) *perf.* bend down; *imp.* пригиба́ть(ся)

пригово́р judgement, sentence [C]

при́городный suburban

приго́рок o/- hillock [C]

приготовленный prepared

придава́ть *imp.* give; *perf.* прида́ть

придвига́ться *imp.* move near; *perf.* придви́нуться

придоро́жный wayside (*adj.*)

приду́мать *perf.* devise, invent; *imp.* приду́мывать

приезжа́ть *imp.* come to, go to, arrive (not on foot); *perf.* прие́хать

прие́зжий newcomer, visitor

прие́хать *perf.* arrive, come (not on foot); *imp.* приезжа́ть

прижа́ть *perf.* crush, press; ∼ся press oneself; *imp.* прижима́ть(ся)

призе́мистый squat

при́зрачный illusory; visionary

призы́в call, summons [C]

призыва́ть *imp.* call, call up, summon; *perf.* призва́ть

прийти́, притти́, придти́ *perf.* come, arrive; ∼сь *impers.* + *dat.* be forced upon, be necessary

for; мне пришло́сь I had to; *imp.* приходи́ть(ся)

прика́з order, command [C]

приказа́ние order [C]

прика́зчик steward, bailiff, agent [C]

прика́зывать *imp.* order, tell; *perf.* приказа́ть

прики́дывать *imp.* weigh, ponder; *perf.* прики́нуть, *pop.* прикида́ть

приключе́ние adventure [C]

приколо́ть *perf.* pin, run through; *imp.* прика́лывать

прикопи́ть *perf. coll.* save, accumulate; *imp.* прика́пливать

прикоснове́ние touch [C]

прикрыва́ть *imp.* cover, screen; ∼ся cover oneself; *perf.* прикры́ть(ся)

прикури́ть *perf.* light (cigarette); *imp.* прику́ривать

приле́чь *perf.* lie down; no *imp.*

прили́в flow, flood, tide [C]

прили́ть *perf.* flow, rush; *imp.* прилива́ть

прили́чный decent, satisfactory

приме́рный exemplary

примя́ть *perf.* tread down, beat down; *imp.* примина́ть

принадлежа́ть *imp.* belong; no *perf.*

принадлежа́щий belonging

принести́ *perf.* take to, bring; *imp.* приноси́ть

приня́ть *perf.* accept; take, assume, receive; ∼ся begin, set about; *imp.* принима́ть(ся)

приоткры́ть *perf.* half open; part; *imp.* приоткрыва́ть

приподня́ть *perf.* raise; stir up; *imp.* приподнима́ть

припо́мнить *perf.* remember; *imp.* припомина́ть

припу́хнуть *perf.* swell up; *imp.* припуха́ть

припу́хший prominent, swollen

приро́да (*sing.* only) nature [C]

присе́сть *perf.* crouch, squat; *imp.* приседа́ть

присла́ть *perf.* send; *imp.* присыла́ть

прислу́шиваться *imp.* listen attentively; *perf.* прислу́шаться

присма́тривать *imp.* look for; look after; *perf.* присмотре́ть

присоединя́ться *imp.* join, join in; *perf.* присоедини́ться

присоса́ться *perf.* (of leech) suck; apply oneself, cling, like a leech; *imp.* приса́сываться

присо́хнуть *perf.* stick (in drying), dry on to; *imp.* присыха́ть

приспосо́бить *perf.* adapt; ∼ся adapt oneself, adjust oneself; *imp.* приспособля́ть(ся)

при́стально intently, fixedly

приста́ть *perf.* persist; +к+ *dat.* worry; stick, cling; *imp.* пристава́ть

пристро́йка, *gen. pl.* й/е lean-to; outbuilding [C]; *dim.* пристро́ечка, *gen. pl.* -/е [C]

при́ступ attack [C]

пристяжна́я *sb.* outrunner, side-horse: see *note* 21.29

при/таи́ться *perf.* hide, conceal oneself

притво́рный hypocritical

при́торный luscious, rich (of food), cloying

приучи́ться *perf.* train oneself, get used; *imp.* приуча́ться

при́хвостень, *m.* е/- *pop.* hanger-on [C]

прихо́д arrival [C]

приходи́ть *imp.* come, arrive; ∼ся *impers.*+*dat.*: see прийти́; *perf.* прийти́(сь)

причеса́ться *perf.* do one's hair; *imp.* причёсываться

причи́на reason, cause [C]; по причи́не+*gen.* on account of

пришива́ть *imp.* sew on; *perf.* приши́ть

пришпо́рить *perf.* spur, put spurs to; *imp.* пришпо́ривать

прищу́ренный screwed-up, narrowed

¶прищу́чить *perf. pop.* take to task; *imp.* прищу́чивать

прия́тель *m.* friend [C]

прия́тный pleasant, agreeable, pleasing

про+*acc.* about, concerning; *pop.* for; ∼ всех for all and sundry (30.8); ∼ себя́ to oneself

пробежа́ть *perf.* run through, run over; *imp.* пробега́ть

проби́ть *perf.* break through, breach; ∼ся make one's way; *imp.* пробива́ть(ся)

пробира́ться *imp.* make one's way, steal through; *perf.* пробра́ться

про́бовать *imp.* try; *perf.* по∼

¶пробо́рка, *gen. pl.* -/о *pop.* scolding, talking-to [C]

пробуди́ться *perf.* wake, awaken; *imp.* пробужда́ться

прова́л gap, hole [C]

провали́ть *perf.* break through; ¶∼ дыру́ make a hole; ∼ся fail (in examination); collapse; *imp.* прова́ливать(ся)

прове́рить *perf.* verify, check; *imp.* проверя́ть

провести́ *perf.* spend (time); *imp.* проводи́ть

про́вод, *pl.* ∼а́ wire [C:E]

проводи́ть *perf.* see out, see off; accompany; *imp.* провожа́ть

про́волока (*sing.* only) wire [C]

прогна́ть *perf.* drive away: see *note* 48.30; *imp.* прогоня́ть

проговори́ть *perf.* say, utter; *imp.* прогова́ривать

прогоре́ть *perf.* burn down; *coll.* go bankrupt; *imp.* прогора́ть

прогу́лка, *gen. pl.* -/о outing, excursion [C]

прода́ть *perf.* sell; *imp.* продава́ть

продолжа́ть *imp.* go on, continue; ∼ся be prolonged, continue; *perf.* продо́лжить(ся)

продотря́д: see *note* 90.23

проду́кт product [C]

прое́зд thoroughfare [C]

проездны́е *sb. pl.* fare

проезжа́ть *imp.* pass through, pass by (not on foot); *perf.* прое́хать

прожига́ть *imp.* burn through; *perf.* проже́чь

прожи́ть *perf.* squander, get through; *imp.* прожива́ть

про́зелень greenery, herbage [C]

прозра́чный transparent, limpid, clear

проигра́ть *perf.* lose (game, etc.); *imp.* прои́грывать

произво́дство (*sing.* only) production, product [C]

произнести́ *perf.* pronounce, utter; *imp.* произноси́ть

произойти́ *perf.* happen, occur; proceed, result; *imp.* происходи́ть

происше́ствие happening, occurrence [C]

пройти́ *perf.* pass, go past; *imp.* проходи́ть

пройти́сь *perf.* go for a walk, walk a little; *imp.* проха́живаться

про/кипяти́ть *perf.* boil thoroughly

проклина́ть *imp.* curse; *perf.* прокля́сть

пролежа́ть *perf.* lie for (specified time); *imp.* пролёживать

проле́зть *perf.* get through; *imp.* пролеза́ть

пролива́ть *imp.* spill; shed (tears, etc.); *perf.* проли́ть

проливно́й pouring

промежу́ток о/- interval [C]

промёрзлый frozen

промо́кнуть *perf.* get wet through; *imp.* промока́ть

прониза́ть *perf.* pierce; *imp.* прони́зывать

проноси́ться *imp.* fly past; *perf.* пронести́сь

про́пасть *coll.* a lot, heaps [C]

пропа́сть *perf.* be lost, vanish, disappear; be ruined, perish; *imp.* пропада́ть

пропуска́ть *imp.* let pass; *perf.* пропусти́ть

прорéзывать *imp.* cut, cut through; *perf.* прорéзать

проро́к prophet [C]

просвéт interstice, opening admitting light [C]

просветлéть *perf.* clear up, grow light; no *imp.*

просёлочный: просёлочная доро́га country lane, by-way

проси́тельный pleading

проси́ть *imp.* ask, request; plead; ～ся ask for; ～ся домо́й ask to go home; *perf.* по～(ся)

про/скрипéть *perf.* squeak, wheeze

про́со millet [C]

просолённый earthy, racy (67.22)

просоли́ться *perf.* be pickled, be salted; *imp.* проса́ливаться

просо́хший dried

проспéкт avenue [C]

прости́ть *perf.* forgive; *imp.* проща́ть

про́сто simply, merely

простоду́шный naive

просто́й simple

просто́р spaciousness, expanse [C]

просто́рно well-spaced-out, at wide intervals

просто́рный spacious

простоя́ть *perf.* stand (for some time); *imp.* проста́ивать

простра́нство space, expanse [C]

просту́пок о/- misdemeanour, law-breaking [C]

про́сьба request [C]

протéкция protection, patronage [C]

протестова́ть *perf.* and *imp.* protest

про́тив+*gen.* opposite, contrary to; against

противополо́жный opposite

проти́скиваться *imp.* elbow one's way; *perf.* проти́скаться, проти́снуться

протя́жный long-drawn-out

протяну́ть *perf.* hold out, stretch out; drawl; ～ся stretch; *imp.* протя́гивать(ся)

профéссор, *pl.* ～á professor [C:E]

прохла́дный cool, fresh

прохлажда́ться *imp. pop.* idle away the time, cool one's heels; no *perf.* in this sense

прохо́д passage; going past [C]

проходи́мец е/- rogue, vagabond [C]

проходи́ть *imp.* pass, go by, go through; ～ сквозь penetrate, pass through; *perf.* пройти́

прохо́жий *sb.* passer-by; traveller

про/хрипéть *perf.* wheeze, speak hoarsely

процéнт percentage [C]

процéсс process [C]

про́чий other; мéжду про́чим by the way

прочи́стить *perf.* cleanse thoroughly; *imp.* прочища́ть

про/чита́ть, прочéсть *perf.* read; *imp.* прочи́тывать

про́чь out, away

прошага́ть *imp.* pass through, march through; no *perf.*

прошлого́дний last year's

прóшлое *sb.* the past

проштрáфиться *perf. pop.* incur a fine; no *imp.*

про/шуршáть *perf.* rustle

прощáй(те) goodbye, farewell

прощáнье leave-taking, goodbye [C]

прощáться *imp.* take leave, say goodbye; *perf.* проститься

¶прощевáй *pop.* for прощáй goodbye

проявиться *perf. pop.* for появиться

пруд pond [C:E]

прыжóк o/- jump, bound [E]

прядь lock, tuft [C]

прямикóм *pop.* across country

прямо straight; absolutely

прямóй straight

прятать *imp.* hide; ~ся hide oneself, hide; *perf.* с~(ся)

псалóм o/- psalm [E]

псалóмщик psalm-reader, lay reader [C]

птица bird; *(collect.)* game (39.6) [C]; *dim.* птичка, *gen. pl.* -/е [C]; птичий *adj.*

публика *(sing. only)* audience, public [C]

пугáться *imp.* (+*gen.*) be frightened (of); *perf.* ис~

пуд pood (36 lb.) [C:E]

пулемёт machine-gun [C]

пуля bullet [C]

пурпур *(sing. only)* purple, crimson [C]

пустить *perf.* let, allow; turn on; *imp.* пускáть

пустóй empty, vain; trifling

пустотá emptiness [E:←(1)]

пустынный desert *(adj.)*, waste

пустыня desert [C]

пусть let it be . . ., let

пустяки *pl., gen.* пустякóв trifles, worthless trinkets; rubbish [E]

пустякóвый trifling, frivolous

путать *imp.* entangle; confuse; ~ся be confused, be entangled; *perf.* за~(ся)

путник traveller [C]

путный *coll.* sensible, worth while

путь *m.* way, journey [E]

пух *(sing.* only) down [C]

пучóк o/- tuft, bunch [E]

пушечка, *gen. pl.* -/е [C], *dim.* of пушка, *gen. pl.* -/е cannon [C]

¶пущáй *pop.* for пусть, пускáй let (him, &c.)

пшенó millet [E]

пыль dust [C]; ~ный *adj.*

пытáться *imp.* try, attempt; *perf.* по~

пышный exuberant, luxuriant

пьяница *m.* & *f.* drunkard, drinker [C]

пьяный drunken, drunk

пятиться *imp.* back; *perf.* по~

пятнáдцать fifteen

пятнó, *gen. pl.* -/е stain, spot, blot, mark; patch, blotch [E:←(1)]

пятóк o/- five [E]; минýт чéрез ~ in five short minutes

пять five

пятьдесят fifty

р

рабóта work [C]

рабóтать *imp.* work; *perf.* по~

рабо́чий working; *sb.* workman

равни́на plain, level stretch [C]

равно́ alike; всё ∼ (it's) all the same, it doesn't matter

равнове́сие (*sing.* only) equilibrium, balance [C]

равноду́шие (*sing.* only) indifference [C]

равноду́шный indifferent

равноиму́щие (people) of equal possessions

ра́вный equal

рад *predic.* glad; +*dat.* glad of

ра́ди+*gen.* for the sake of

ра́достный joyful

ра́дость gladness, joy [C]

ра́дуга rainbow [C]

ра́дужный opalescent, rainbow-coloured

раз a time; one (in counting); ∼-два once or twice; ещё ∼ once more; в са́мый ∼ just the ticket (70.26); как ∼ just, exactly

раз/ба́ловаться *perf. pop.* misbehave, turn unruly

разбежа́ться *perf.* run away; *imp.* разбега́ться

разби́тый broken

разби́ть *perf.* smash; *imp.* разбива́ть

разбра́сывать *imp.* throw about, scatter; *perf.* разброса́ть

разбрести́сь *perf.* scatter, disperse; *imp.* разбреда́ться

разва́ливаться *imp.* fall, sprawl; *perf.* развали́ться

ра́зве is it?; perhaps

¶развесёлый cheerful, merry

разве́систый branchy, bushy

развива́ться *imp.* develop; *perf.* разви́ться

разви́нченный loose, disjointed

развлече́ние entertainment, amusement [C]

развле́чь *perf.* amuse, entertain, distract; ∼ся enjoy oneself, have a good time; *imp.* развлека́ть(ся)

разводи́ть *imp.*: ∼ рука́ми fling out one's hands; *perf.* развести́

развора́чиваться *imp. pop.* unfold (78.16); *perf.* разверну́ться

развуро́ченный shattered

разгля́дывать *imp.* examine, view; no *perf.*

разгова́ривать *imp.* talk; no *perf.*

разгово́р conversation [C]

раз/громи́ть *perf.* ruin, devastate, pillage

¶разгу́лка: see *note* 69.22

разда́ться *perf.* resound, be heard; *imp.* раздава́ться

¶разде́лана *pop.* for возде́лана cultivated, tilled

раз/дели́ть *perf.* share, divide; parcel out; *imp.* разделя́ть

разде́льный separate, distinct

раздражённо irritably

раз/дроби́ть *perf.* shatter; *imp.* раздробля́ть

разду́мчивый reflective

разду́мье meditation; irresolution, doubt [C]

разже́чь *perf.* kindle, light; *imp.* разжига́ть

¶ра́зи *pop.* for ра́зве

разли́ться *perf.* overflow, spread; *imp.* разлива́ться

различный various

разложить *perf.* lay out; ~ костёр build a fire; *imp.* раскладывать

разлука (*sing.* only) separation, parting [C]

размазать *perf.* smear, spread; *imp.* размазывать

размахивать *imp.*+*instr.* wave flourish; no *perf.*

размести *perf.* sweep away; *imp.* разметать

разнести *perf.* scatter, disperse; *imp.* разносить

разнообразный diverse, varied

разнотравье herbage, greenery [C]

разнуздать *perf.* unbridle; *imp.* разнуздывать

разный various, different

разнять *perf.* separate, take to pieces; *imp.* разнимать

разобрать *perf.* decipher, make out; *imp.* разбирать

разойтись *perf.* part, break up, go (their) separate ways; *imp.* расходиться

разорвать *perf.* tear; ~ся burst, break; *imp.* разрывать(ся)

разоряться *imp.* be ruined, fall into poverty, decay; *perf.* разориться

разочарованный disillusioned, disenchanted

разрешить *perf.* decide, settle; permit; *imp.* разрешать

разрыв explosion [C]

разрывать *imp.* tear; break apart; *perf.* разорвать

разрывать *imp.* dig out; rummage through; *perf.* разрыть

разум mind, reason, intelligence [C]

разуметь *imp.* understand; no *perf.*

разыскивать *imp.* seek out; *perf.* разыскать

ракета rocket [C]

рама frame [C]

рана wound [C]

рано early; не ~ late

раньше earlier, sooner; ~ всего first of all; ~ чем before

раскат roll, peal [C]

раскатистый rolling, pealing

раскинуться *perf.* fling oneself; spread, be scattered; *imp.* раскидываться

раскланяться *perf.* bow oneself out, take one's leave; *imp.* раскланиваться

раскрыть *perf.* open; ~ся open, come open; *imp.* раскрывать-(ся)

раскрытый open, roofless

раскурить *perf.* puff (cigarette); *imp.* раскуривать

распахнуть *perf.* fling open; *imp.* распахивать

расписать *perf.* paint; *imp.* расписывать

расплакаться *perf.* burst into tears; no *imp.*

располагать *imp.* incline, persuade; *perf.* расположить

расположиться *perf.* take up one's position; *imp.* располагаться

распоряжаться *imp.*+*instr.* dispose of, control; *perf.* распорядиться распоряже́ние arrangement, order [C]; в его́ распоряже́нии at his disposal

распродава́ть *imp.* sell off, sell in lots; *perf.* распрода́ть

распусти́ться *perf.* get out of hand; *imp.* распуска́ться

распу́тник rake, libertine [C]

рассве́т (*sing.* only) dawn [C]

рассе́дла́ть *perf.* unsaddle; *imp.* рассёдлывать

рас/серди́ться *perf.* lose one's temper, grow angry

рассе́чь *perf.* cut, split; *imp.* рассека́ть

рассе́янный distracted, absent-minded

расска́з story, tale [C]

рассказа́ть *perf.* tell, relate; *imp.* расска́зывать

расска́зчик narrator, story-teller [C]

рассма́тривать *imp.* examine, scrutinize; *perf.* рассмотре́ть

рас/смея́ться *perf.* laugh

рассо́л pickle, brine [C]

рассо́хнуться *perf.* dry up, parch; *imp.* рассыха́ться

расспроси́ть *perf.* inquire; *imp.* расспра́шивать

рассро́чка (*sing.* only) instalment [C]; в рассро́чку by instalments

расстава́нье parting [C]

расстава́ться *imp.* part; *perf.* расста́ться

расстила́ться *imp.* spread, extend; *perf.* разостла́ться

расстра́иваться *imp.* be upset; *perf.* расстро́иться

расстре́л execution (by shooting) [C]

расстреля́ть *perf.* shoot; *imp.* расстре́ливать

расстри́женный unfrocked

растако́вская: see *sel. id.* 40.24

расте́рянный lost, perplexed, embarrassed, confused

расти́ *imp.* grow; *perf.* вы~

растолкова́ть *perf.* explain; *imp.* растолко́вывать

рас/толо́чь *perf.* pound, grind

растро́ганно moved, touched

растяну́ться *perf.* fall flat, measure one's length; *imp.* растя́гиваться

расходи́ться *imp.* disperse; *perf.* разойти́сь

расчеса́ть *perf.* comb, comb out; *imp.* расчёсывать

рвану́ть *perf.* pull, tug; no *imp.*; ~ся dash away; *imp.* рва́ться

рва́ный torn, tattered

ребёнок o/-, *pl.* ребя́та [C], де́ти child

ребя́та *pl.* lads, boys; children [C]; *dim.* ребяти́шки, *gen.* -/e [C]

реве́ть *imp.* roar, howl; bawl, cry; *perf.* про~, за~

ревни́вый jealous

револьве́р revolver [C]

революционе́р revolutionary [C]

револю́ция revolution [C]

ре́зать *imp.* cut; *perf.* по~, от~

резви́ться *imp.* sport, frolic; *perf.* по~

рези́новый rubber (*adj.*)

ре́зкий sharp

резно́й carved

река́ river

репе́йник burdock [C]

репети́торша coach (*f.*) [C]: see *note 2.6*

репети́ция rehearsal [C]

ресни́ца eyelash [C]

рессо́ра spring [C]

рестора́н restaurant [C]

ре́чка, *gen. pl.* -/e small river, stream [C]

речь speech [C:E exc. *nom.*]

реши́тельный decided, resolute

реши́ть *perf.* decide; ∼ся make up one's mind; *imp.* реша́ть(ся)

ржа́вый rusty

ридикю́ль *m.* reticule, handbag [C]

рискова́ть *imp.* take the risk of; *perf.* рискну́ть

рисова́ться *imp.* be imagined; depict itself; *perf.* на∼, вы́∼

ро́бкий shy, timid, bashful

ро́бость (*sing.* only) shyness, diffidence [C]

ров o/- trench [E]

ро́вно just, exactly; (*pop.*) like

ро́вный level, flat

рого́жа matting [C]

род genus, kind, stock, blood [C:E]; в ∼e+*gen.* like, a sort of

ро́дина native land [C]

роди́тель *m. pop.* father

роди́ться *perf. & imp.* be born; *imp.* also рожда́ться

ро́дненький *sb.* darling

роднико́вый: роднико́вая вода́ spring-water

родно́й native; ∼ брат own brother

родня́ (*sing.* only) relative(s), kin [E]

¶ро́жа mug, phiz [C]

рожа́ть *pop.* for рожда́ть *imp.* engender, breed; give birth to; *perf.* роди́ть

рожь, *gen.* ржи, *instr.* ро́жью rye

ро́за rose [C]

розова́то-жёлтый pinkish-yellow

ро́зовый pink, rosy

роль part, role [C:E exc. *nom.*]

рома́н novel [C]

роса́ dew [E:←(1)]

роси́стый dewy

роско́шный luxurious, *de luxe*

рос, росла́, росло́, росли́ *pa. t.* of расти́

ро́слый tall, stalwart

распи́ска, распи́ска, *gen. pl.* -/o receipt [C]

Росси́я Russia [C]

рост (*sing.* only) size, height [C]

рот o/- mouth [E]

ро́та company [C]

ротозе́й loafer; absent-minded fellow [C]

руба́ха shirt [C]

руба́шка, *gen. pl.* -/e shirt [C]

руби́ть *imp.* cut down, fell; *perf.* на∼, с∼

рубль *m.* rouble [E]

руга́ться *imp.* curse, swear; *perf.* вы́∼

¶руготня́ (*sing.* only) invective, railing [E]

ружьё gun [E:←(1)]; в ∼! fire!

рука́ hand, arm; (ма́стер) на все ру́ки jack of all trades: see *sel. id.* 51.10

руль *m.* handle-bar [E]

ру́сло bed, channel [C]

ру́сский *sb.* and *adj.* Russian

ру́сый fair

ручéй e/ь stream [E]; *dim.* ручеёк ё/й [E]

ру́чка, *gen. pl.* -/e handle; arm (of
chair) [C]

рыба́к fisherman [E]

ры́жий red-haired

рыть *imp.* dig; *perf.* вы́~

ры́ться *imp.* rummage, forage;
perf. по~

рыхлова́тый friable

ря́вкнуть *perf.* bellow; +на+*acc.*
snap at; *imp.* ря́вкать

ряд row, series; row of market
stalls [C:E]

ря́дом alongside; ~ c+*instr.* beside

ря́са cassock [C]

C

c, co+*acc.* about (1.8); +*gen.* off
(80.2), from (1.19); +*instr.*
with (1.4): see *sel. id.* 3.23

сад garden [C:E]

сади́ться *imp.* sit down; (of sun)
sink, set; *perf.* сесть

садо́вник gardener [C]

сажа́ть *imp.* plant; set, put; seat;
perf. посади́ть

сажéнь, *gen. pl.* са́жен, саженéй
sazhen (7 ft.)

сам, сама́, само́, са́ми myself,
yourself, themselves, &c.; само́
собо́й (разумéется) of course, it
goes without saying; сам не
свой not oneself, beside oneself

са́мка, *gen. pl.* -/o female [C]

самова́р samovar [C]

самолёт aeroplane [C]

самолю́бие self-esteem [C]

самостоя́тельность indepen-
dence [C]

самостоя́тельный independent

са́мый very; most; the very; в ~
раз: see раз

са́ни *pl.*, *gen.* санéй sledge, sleigh
[E exc. *nom.*]

сапо́г, *gen. pl.* ~ boot [E]

сара́й cart-shed [C]

сарафа́н sarafan [C]

саркофа́г sarcophagus [C]

сафья́нно-жёлтый saffron-yellow

сбежа́ть *perf. pop.* run away; *imp.*
сбега́ть

сбо́ку+*gen.* by the side of

сбо́рный odd, not matching, not
alike

свали́ть *perf.* throw down, tumble;
~ся fall; *imp.* сва́ливать(ся)

сваля́ться *perf.* felt, be matted;
imp. сва́ливаться

сва́ра brawl, wrangle [C]

c/вари́ть *perf.* boil, cook; ~ся be
boiled

свéжесть (*sing.* only) freshness,
coolness [C]

свежéть *imp.* grow cool, grow
fresh; *imp.* по~

свéжий fresh; *dim.* свéженький

свезти́ *perf.* carry, cart, away;
imp. свози́ть

сверну́ть *perf.* turn; *imp.* свёрты-
вать

свéрху from above

сверчо́к o/- cricket [E]

свести́ *perf.* lead, bring, down;
imp. своди́ть

свет (*sing.* only) world; light [C]

светить(ся) *imp.* shine; *perf.* за~

светлеть *imp.* brighten, grow light; *perf.* за~

светлый light, bright; clear, lucid

светящийся luminous

свеча candle [E exc. *nom. pl.*]

свиданье: до свиданья goodbye, *au revoir*

свинья pig

свирепый fierce, savage

свист (*sing.* only) whistle [C]

свистнуть *perf.* whistle; *imp.* свистеть, свистать

свисток о/- whistle, whistling [E]

свихнуться *perf.* be dislocated; come to grief; go off one's head: see *note* 37.27; no *imp.*

свобода freedom, liberty [C]; свободный *adj.*

сводить *imp.* remove (stain, blot, &c.); *perf.* свести

свой, своя, своё, свои one's (own); my, your, his, &c.; свои! friends! (90.20)

свойство nature, property [C]

сворачивать *imp.* turn off; *perf.* своротить

¶свычный *pop.* for привычный usual, customary

связать *perf.* tie, bind; *imp.* связывать

святой sainted, saintly

священный sacred

сговориться *perf.* settle, agree; *imp.* сговариваться

сгореть *perf.* burn down, burn up; *imp.* сгорать

сгоряча in anger, with heat

сгрести *perf.* rake up; *imp.* сгребать

сдаваться *imp.* yield, surrender; *perf.* сдаться

сдавленный crushed; constrained

сдача change, small change [C]; дать сдачи give tit for tat

сдвинуть *perf.* move, draw together; *imp.* сдвигать

с/делать *perf.* do, make; ~ся become

сдержанный restrained, discreet

сдержать *perf.* restrain, repress; *imp.* сдерживать

сеанс performance (at cinema) [C]

себя oneself; выходить из ~ lose one's temper; не по себе out of sorts, unwell: see *note* 78.15

север north [C]; ~ный *adj.*

сегмент segment [C]

сегодня today

седина grey hairs [E:←(1)]

седло, *pl.* сёдла, *gen.* сёдел saddle [E:←(1)]

седловина saddle (ridge between two summits) [C]; *dim.* седловинка, *gen. pl.* -/o [C]

седоватый grizzly, grizzled

седой grey; heavy; *dim.* седенький

седьмой seventh

сей, сия, сиё, сии *arch.* this, these; до сих пор up till now; сию минуту this moment

сейчас in a moment, immediately, at once; just now, now

секрет secret, secrecy [C]

секретарь *m.* secretary [E]

секу́нда second [C]

село́, *pl.* сёла (large) village [E:←(1)] : see *note* 60.1

се́льский rural, village (*adj.*)

семе́йный family (*adj.*)

се́меро seven, group of seven

семь seven

се́мьдесят seventy

семья́ family

сенега́лец е/ь Senegalese [C]

се́ни *pl.*, *gen.* сене́й *arch.* or *pop.* passage [E exc. *nom.*]

се́но hay [C]

сеноко́с hay-making [C]

сентя́брь *m.* September [E]

серди́тый angry

серди́ться *imp.* be angry, grow angry; *perf.* рас∼

се́рдце, *gen. pl.* -/е heart [C:E]

серебри́стый silvery

серебри́ть *imp.* silver; ∼ся turn silver, be silvery; *perf.* за∼(ся)

сере́бряный silver (*adj.*)

середи́на middle [C]

се́рия series [C]

¶се́рничек е/- *dial.* match [C]

се́рый grey; ignorant; *dim.* се́ренький

серьга́, *gen. pl.* ь/ё ear-ring [E exc. *nom. pl.*]

серьёзный serious, solemn

сестра́, *pl.* сёстры, *gen.* сестёр sister

сесть *perf.* sit down; (of sun) set; *imp.* сади́ться

сеть net, network [C:E exc. *nom.*]

се́ять *imp.* sow; *perf.* по∼

сжать *perf.* press, squeeze; clench; clutch; ∼ся contract; *imp.* сжима́ть(ся)

сза́ди+*gen.* behind; *adv.* (from) behind

сиву́ха cheap vodka, bad spirit [C]

си́вый bluish-grey

сигна́л signal [C]

сиде́лка, *gen. pl.* -/о sick-nurse [C]

сиде́нье seat [C]

сиде́ть *imp.* sit, be sitting; *perf.* по∼

си́зый dark blue-grey

си́ла strength; power, force [C]; изо всех сил with all one's might

силуэ́т silhouette [C]

си́льный strong, powerful

синева́ blue (*sb.*), (dark) blue colour [E]

синева́тый bluish

сине́ть *imp.* grow (dark) blue; look, show, blue; *perf.* по∼, за∼

си́ний blue, dark blue

сире́нь (*sing.* only) lilac [C]

сирота́ *m.* & *f.* orphan [E:←(1)]

си́тец е/- print, cotton [C]

си́тцевый cotton, print (*adj.*)

сия́ние (*sing.* only) light, radiance [C]; се́верное ∼ northern lights

сия́ть *imp.* beam, shine; *perf.* за∼

сказа́ть *perf.* say; tell; speak; *imp.* говори́ть

ска́зка, *gen. pl.* -/о story, tale, fairy story [C]

скак, скок: на скаку́ at a gallop

скака́ть *imp.* gallop; bound; *perf.* по∼

скала́ rock, cliff [E:←(1)]

скамеечка, *gen. pl.* -/e small bench, stool [C]

скат slope [C]

скачок о/- bound, leap [E]

скачущий galloping

сквозь+*acc.* through

скворец e/- starling [E]

скирда stack [E exc. *nom. pl.*]

складка, *gen. pl.* -/o fold, crease [C]

склон slope [C]

склониться *perf.* bend, droop; *imp.* склонять(ся)

скользить *imp.* slip, slither, slide; no *perf.*

скользкий slippery

сколько how much, how many

скорее quicker; quickly, at once; как можно ～ as soon as possible

скоро soon, quickly

скорый fast, quick, express; в скором времени soon, in a short time

скотинка, *gen. pl.* -/o [C], *dim.* of скотина cattle [C]; серая ～ dumb brutes

скошенный mown

скрипеть *imp.* creak; ～ зубами grind one's teeth; *perf.* про～, за～

с/кружиться *perf. coll.* turn, whirl

скрутить *perf.* twist; *imp.* скручивать

скрученный rolled up

скрыть *perf.* hide; ～ся disappear, hide; *imp.* скрывать(ся)

скудность poorness, sparseness [C]

скудный poor, scanty, meagre

скука (*sing.* only) boredom, depression [C]

скула cheek-bone [E:←(1)]

скупой niggardly, miserly, stingy

скучать *imp.* be bored; *perf.* по～, за～

скучный tedious, tiresome, boring

слабо feebly, weakly

слабость weakness [C]

слава (*sing.* only) glory [C]; ～ Богу thank God!

славный famous, nice, splendid

сладить *perf. coll.* arrange, settle; cope (with), get the better (of); *imp.* слаживать

сладкий sweet

сладостный delightful, sweet

сласть sweetness [C:E exc. *nom.*]

слева to the left

слегка slightly

след trace, mark, print

следить *imp.*+за+*instr.* follow (with the eyes); *perf.* по～, про～

следовать *imp.* follow; *perf.* по～; *impers.* следует it is proper, fitting;+*dat.* one ought; ему следовало бы he should have

следом+за+*instr.* behind, in the wake of

следующий following, next

слеза, *pl.* слёзы tear [E exc. *nom. pl.*]

слезть *perf.* descend, dismount, climb down; *imp.* слезать

слезящийся: слезящиеся глаза watery eyes, rheumy eyes

слечь *perf.* take to one's bed; no *imp.*

сливáться *imp.* blend, mingle; *perf.* слúться

слúвки *pl.*, *gen.* -/о cream [C]

слизáть *perf.* lick up; *imp.* слúзывать

слúшком too

слóвно as if, as though; like

слóво word [C:E]; ~ зà ~: see *sel. id.* 3.22; ~м in a word; *dim.* словéчко, *gen. pl.* -/е [C]: see *sel. id.* 41.18

сложúть *perf.* fold, put together; *imp.* склáдывать, слагáть

слой layer [C:E]

с/ломáть *perf.* break

с/лóпать *perf. coll.* swallow, gobble up

слýжба service, employment; *arch.* outhouse [C]

служéбный official; belonging to one's office

служéние (*sing.* only) service [C]

служúть *imp.* serve; +*instr.* serve as, act as; *perf.* по~

слух report, news; hearing, ear [C]; ни слýху ни дýху not the least trace: see *sel. id.* 38.18

случай case; chance, opportunity [C]; в дáнном слýчае in the present case; по слýчаю at a bargain

случáйно by chance, casually

случúться *perf.* happen; *imp.* случáться

слýшатель *m.* hearer, listener [C]

слýшать *imp.* listen (to), hear; ~ лéкции: see *sel. id.* 1.12; *perf.* по~

слыхáть *imp.* (no present tense) hear; *perf.* у~

слýшать *imp.* hear; ~ся be heard; *perf.* у~, по~(ся)

слúшный audible

смекнýть *perf. coll.* understand, see; *imp.* смекáть

смéлость (*sing.* only) boldness, daring [C]

смéлый bold, daring

с/мéрить *perf.* measure

смерть death [C:E exc. *nom.*]; дò смéрти terribly, painfully

смесь compound, mixture [C]

сметь *imp.* dare; *perf.* по~

смех laughter [C]

смéшанный mingled

смешúнка, *gen. pl.* -/о *pop.* smile [C]

смешлúвый easily tickled, given to laughter

смешнóй funny, comic

смеáться *imp.* laugh; *perf.* за~

смирéнный meek, humble

сморúть *perf. coll.* exhaust, weary; *imp.* смáривать

сморкáться *imp.* blow one's nose; *perf.* вы~

смóрщенный wrinkled, shrivelled

с/мóрщиться *perf.* wrinkle, crumple up

смотр inspection, parade [C:E]

смотрéть *imp.* look; +на+*acc.* look at; ~ в óба keep one's eyes open; *perf.* по~

с/мочь *perf.* be able

смýглый swarthy

смутúться *perf.* be taken aback, be embarrassed; *imp.* смущáться

смýтный confused, hazy

смущéние (*sing.* only) confusion, embarrassment [C]

смущённый embarrassed, confused

смысл sense, meaning [C]

смягчáться *imp.* be touched, softened; *perf.* смягчи́ться

смятéние consternation; perplexity [C]

снаря́д shell [C]

сначáла at first

снег, *pl.* ~á snow [C:E]

снéжный snowy

снести́ *perf.* pull down, demolish; *imp.* сноси́ть

снимáть *imp.* take off; *perf.* снять

снисходи́тельность (*sing.* only) condescension, forbearance, indulgence [C]

снóва again

сноси́ться *perf.* wear out; *imp.* снáшиваться

снять *perf.* take off; harvest, gather in (crop); ~ся be photographed; *imp.* снимáть-(ся)

собáка dog [C]; *dim.* собáчка, *gen. pl.* -/е [C]

собесéдник companion, interlocutor [C]

собирáть *imp.* collect; ~ся collect, gather; pull oneself together; *perf.* собрáть(ся)

соблáзн temptation, bad example [C]

собрáние meeting, gathering, assembly [C]

собрáть *perf.* collect, gather; ~ся collect, gather; pull oneself together; *imp.* собирáть(ся)

собственноручно with one's own **hand**

собственность (*sing.* only) property [C]

собственный one's own

совá owl [E:←(1)]

совáть *imp.* thrust, push; *perf.* сýнуть

совершáть *imp.* accomplish, perform; *perf.* совершить

совершéнно completely, quite

сóвестно: мне ~ I am ashamed

совéт council; Soviet; advice [C]

совéтовать *imp.* advise; ~ся+ с+*instr.* take counsel with; *perf.* по~(ся)

совéтский Soviet (*adj.*)

совмéстно jointly

совремéнный modern, contemporary

совсéм quite; completely; ~ не not at all

согласи́ться *perf.* agree; *imp.* соглашáться

соглáсный in agreement, consenting, willing

содержáние (*sing.* only) content [C]

содрогáться *imp.* shudder; *perf.* содрогну́ться

соедини́ть *perf.* unite; *imp.* соединя́ть

сожалéние regret [C]

сожжённый burnt, scorched

создáть *perf.* create, make; *imp.* создавáть

сознáние (*sing.* only) consciousness [C]

сойти́ *perf.* go down; go off, pass; ~ за pass for; ~ с умá go out of one's mind; *imp.* сходи́ть

солда́т, *gen. pl.* ~ soldier [C]; *dim.* солда́тик [C]

солда́тский soldier's, soldierly

солёный salt (*adj.*)

соли́дный firm, sound; established; staid

солите́р solitaire (diamond) [C]

со́лнечный of the sun, sun-; sunny

со́лнце sun [C]; *dim.* со́лнышко, *gen. pl.* -/е [C]

солнцепёк full glare of the sun [C]

солове́й е/ь nightingale [E]

соло́ма (*sing.* only) straw [C]

соло́менный straw (*adj.*)

соль salt [C:E exc. *nom.*]

сомкну́тый closed

сомне́ние, сомне́нье doubt [C]

сон о/- sleep; dream [E]; ви́деть во сне dream of; ни сном ни ду́хом (not) in the least, (not) at all (86.5)

сообрази́ть *perf.* consider; ~ся *pop.* conform, adapt oneself; *imp.* сообража́ть(ся)

сообща́ together, jointly

сообщи́ться *perf.* be communicated; *imp.* сообща́ться

сопровожда́ть *imp.* accompany; *perf.* сопроводи́ть

сопротивле́ние resistance, opposition [C]

сопротивля́ться *imp.* resist; no *perf.*

сорва́ть *perf.* pluck, pick; ~ся escape; *imp.* срыва́ть(ся)

со́рок forty

сорт, *pl.* ~а́ kind, quality [C:E]; пе́рвый ~ first rate

сосе́д, *pl.* ~и, *gen.* ~ей neighbour [C]

сосе́дка, *gen. pl.* -/о neighbour (*f.*) [C]

сосе́дский neighbour's

сосе́дство neighbourhood, vicinity; по сосе́дству near by

соска́кивать *imp.* jump off; *perf.* соскочи́ть

соска́льзывать *imp.* slide down, slip off; *perf.* соскользну́ть

соску́читься *perf.* be bored, feel melancholy; no *imp.*

сосна́, *gen. pl.* -/е pine-tree [E:←(1)]

сосредото́ченный concentrated, intent

соста́в (railway-)train [C]

состоя́ние state, condition [C]

состоя́ть *imp.* be; consist; no *perf.*

сосчита́ть *perf.* calculate, compute; *imp.* сосчи́тывать

со́тня, *gen. pl.* со́тен a hundred [C]; со́тней in a hundred (voices)

сотру́дник colleague, fellow-worker [C]

со́тский: see *note* 29.12

со́хнуть *imp.* dry; *perf.* за~, вы́~

социали́зм socialism [C]

сочине́ние composition [C]

со́чный juicy, succulent

сочу́вственный sympathetic

сою́зник ally [C]

спа́льня, *gen. pl.* спа́лен bedroom [C]

спаси́бо thank you; luckily (60.18)

спасти́ *perf.* save; *imp.* спаса́ть

спать *imp.* sleep; *perf.* по~

спекуля́нт speculator, profiteer [C]

спе́лый ripe

сперва́ first, to begin with

спе́ться *perf.* (of choir, &c., and *fig.*) achieve unity, 'get together'; *imp.* спева́ться

спеши́ть *imp.* hasten, hurry; не спеша́ unhurriedly; *perf.* по~

спе́шиться *perf.* dismount; *imp.* спе́шиваться

спина́ back

спи́нка, *gen. pl.* -/о back (of chair, &c.) [C]

спи́чка, *gen. pl.* -/е match [C]

сплёвывать *imp.* spit out; *perf.* сплю́нуть

сплошно́й continuous

сплю́нуть *perf.* spit out; *imp.* сплёвывать

споко́йный tranquil, serene, calm

споко́йствие calm, quiet, peace of mind, tranquillity [C]

споко́н: ~ веко́в from time immemorial, time out of mind: see *note* 60.12

сполза́ть *imp.* slip off; *perf.* сползти́

спо́рить *imp.* debate, argue, dispute; *perf.* по~

спо́рый profitable: see *note* 30.27

спосо́бствовать *imp.* help; *perf.* по~

¶спосыла́ть *perf. pop.* for посла́ть send

спотыка́ться *imp.* stumble; *perf.* споткну́ться

спра́ва to the right

справедли́вость justice, fairness [C]

справедли́вый righteous, just

спра́вить *perf. pop.* get, procure; no *imp.* in this sense

спра́вка, *gen. pl.* -/о inquiry; information [C]

спра́шивать *imp.* ask; *perf.* спроси́ть

спрова́живать *imp. coll.* get rid of (person); *perf.* спрова́дить

спроси́ть *perf.* ask; *imp.* спра́шивать

с/пря́тать *perf.* hide; ~ся hide, take refuge

спусти́ть *perf.* let down, lower; ~ся descend, come down, slope down; get down; *imp.* спуска́ть(ся)

спустя́ later, after

спу́тник, спу́тница companion, fellow-traveller [C]

¶спя́тить *perf. pop.*: ~ с ума́ take leave of one's senses; no *imp.*

сража́ться *imp.* fight, struggle; *perf.* срази́ться

сра́зу at once

срам (*sing.* only) shame [C]

срами́ть *imp.* shame, bring shame on; *perf.* о~

¶срамно́ shameful: see *note* 61.20

срамота́ (*sing.* only) *pop.* shameful thing [E]; *aug.* срамоти́ща [C]

среди́+*gen.* among, between

средневеко́вый medieval

сре́дний middle

сре́дство means [C]

¶сро́ду never in (my, his, &c.) life

срубить *perf.* cut down, fell; *imp.*
срубать

срываться *imp.* tear oneself away;
(of bird) start up (24.1); *perf.*
сорваться

ссориться *imp.* quarrel; *perf.*
по~

ставень *m.* е/- shutter [C]

ставить *imp.* put, set, stand; *perf.*
по~

стадо flock, herd [C:E]

стакан glass, tumbler [C]

стало быть consequently; so

стальной steely, blue-grey

становиться *imp.* become; *perf.*
стать

становой *sb. arch.* district police
officer

станция station [C]

старательный painstaking

стараться *imp.* try; *perf.* по~

стареть *imp.* age, grow old; *perf.*
по~

старик old man [E]; *dim.* стари-
чок о/- [E]

старина (*sing.* only) olden days,
old times [E]

старинный old-fashioned, anti-
quated

старить *imp.* make old, age; *perf.*
со~

староста *m.* foreman, overseer
[C]; (сельский) ~: see *note*
28.3; старостин *adj.*

старость (old) age [C]

старуха old woman [C]; *dim.*
старушка, *gen. pl.* -/e [C]

старческий senile, old

старый old

старший older, elder, senior;

старшие *sb. pl.* elders, older
people (39.17)

¶статуй, статуиха *pop.* for
статуя: see *note* 61.20

статуя statue [C]

стать *perf.* become (42.8);
stand; *imp.* становиться; +*inf.*
begin; no *imp.* in this sense

статья article [E]

стащить *perf.* pull off; *pop.* pinch,
steal, 'knock off'; *imp.* стаски-
вать

ствол stem, trunk [E]

стебель *m.* е/- stalk, stem [C:E
exc. *nom.*]; *dim.* стебелёк ё/ь [E]

стекать *imp.* trickle, flow, down;
perf. стечь

стекло, *pl.* стёкла, *gen.* стёкол,
glass, pane [E:←(1)]

стеклянный glass, glazed, glassy

стекольщик glazier [C]

стена wall, partition; *dim.* стён-
ка, *gen. pl.* -/o [C]

степенный staid, sedate

степень degree [C:E exc. *nom.*]

степь steppe [C:E exc. *nom.*];
степной *adj.*

стеречь *imp.* guard, look after;
perf. по~

стесняться *imp.* feel embarrassed;
no *perf.* in this sense

стихать *imp.* die down, abate;
perf. стихнуть

стишки *pl., gen.* стишков [E], *coll.*
dim. of стихи *pl.* verse, poetry
[E]

сто a hundred; ~-двести a hundred or two

стоить *imp.* cost, be worth; be
worth while; no *perf.*

стóйка, *gen. pl.* й/е bar [C]

стóйло, *gen. pl.* стóил stall [C]

стол table [E]; *dim.* стóлик [C]

столб post, pillar [E]

столбня́к (*sing.* only) stupor [E]

столéтний secular, century-old

столи́чный of the capital, metro-politan

столóвая *sb.* dining-room

столь so, so much

стон groan [C]

стонáть *imp.* groan, lament; (of bittern) boom (90.7); *perf.* про~

стóрож, *pl.* ~á, *gen.* ~éй watchman, guard; keeper (79.26) [C:E]

сторожи́ть *imp.* guard; no *perf.*

сторонá side; land; в стóрону aside; по сторонáм about, from side to side (14.28)

стоя́ть *imp.* stand, be standing; ~ на колéнях kneel; стой! halt! *perf.* по~

стóящий worth something, of some value

страдá harvesting; toil, drudgery [E:←(1)]

¶страдá *pop.* for страдáние suffering (60.19)

страдáние suffering, pain [C]

страдáть *imp.* suffer; *perf.* по~

странá country [E:←(1)]

страни́чка, *gen. pl.* -/е [C], *dim.* of страни́ца page [C]

стрáнник wanderer, pilgrim [C]

стрáнный strange, queer; ¶*pop.* wandering (38.28)

стрáстный passionate

страсть passion [C:E exc. *nom.*]

страх fear [C]

стрáшный fearful, terrible

стреля́ть *imp.* shoot; *perf.* по~

стремглáв headlong

стреми́ться *imp.* rush, hurry; *perf.* у~

с/тренóжить *perf.* hobble; *imp.* стренóживать

стригу́н [E]: see *note* 19.23

стри́женый cropped, shorn

стрóгий severe, strict

строéние construction, building [C]

строи́тельство construction [C]

стрóить *imp.* build; *perf.* по~

строй order, régime [C:E]

стрóйка, *gen. pl.* й/е construction [C]

стру́йка, *gen. pl.* й/е [C], *dim.* of струя́ jet, spout [E:←(1)]

студéнт student [C]

стук knock; clatter [C]

стул, *pl.* ~ья, *gen.* ~ьев chair [C]

ступáть *imp.* step, go; *perf.* ступи́ть

ступéнь step; *dim.* ступéнька, *gen. pl.* ь/е [C]

стучáть *imp.* knock; *perf.* сту́кнуть

стыд shame [E]

стыди́ться *imp.* be ashamed, feel shame; *perf.* по~, у~

стыдли́вый modest, shamefaced

сты́дно shaming, shameful; ему́ ~ he is ashamed

сугрóб drift, snowdrift [C]

суд court, tribunal [E]

судáрыня (as form of address) madam [C]

су́дорожный convulsive

судьба́, *gen. pl.* ь/е fate [E :←(1)]

суети́ться *imp.* fuss, be excited; *perf.* за~

суетли́вый fussy

су́зиться *perf.* be narrowed, contract; *imp.* су́живаться

сук, *pl.* су́чья, *gen.* су́чьев branch [E :←(1)]

су́ка bitch [C]; су́кин *adj.*; су́кин сын son of a bitch

сукно́, *gen. pl.* -/о cloth [E :←(1)]

сума́ bag, pouch [E]

су́меречный twilight (*adj.*)

су́мерки *pl.*, *gen.* -/е twilight, dusk [C]

с/уме́ть *perf.* be able, know how

су́мка, *gen. pl.* -/о bag, satchel, pack [C]

су́мма amount, sum [C]

су́мрак (*sing.* only) dusk, twilight [C]

су́мрачный dark, cloudy, gloomy

сундучо́к о/- [E], *dim.* of сунду́к chest, box [E]

су́нуть *perf.* thrust; ~ся intrude, push in; *imp.* сова́ть(ся)

супру́га wife [C]

суро́вый grim, stern, dour

су́тки *pl.*, *gen.* -/о twenty-four hours, day [C]

суть (*sing.* only) pith, heart, essence [C]

суховéй: see *note* 93.10

сухо́й dry

сучо́к о/- knot, snag (in wood) [E]

су́ше, *comp.* dryer

существо́ being [E]

существова́ние existence [C]

су́щий existing, real, true

су́щность (*sing.* only) substance [C]; в су́щности practically, in effect

схвати́ть *perf.* seize, clutch, grasp; *imp.* схва́тывать, хвата́ть

сходи́ть *imp.* go down; ~ с+*gen.* leave; ~ с ума́ go out of one's mind; *perf.* сойти́

схо́дство (*sing.* only) resemblance [C]

сце́на scene [C]; *dim.* сце́нка, *gen. pl.* -/о [C]

счастли́вый happy

сча́стье (*sing.* only) happiness; good luck [C]; по сча́стью by good fortune

счерти́ть *perf.* copy; *imp.* счёрчивать

счёт, *pl.* счета́ account [C : E]; по ~у by count

счита́ть *imp.*+*instr.* reckon, consider (as); *perf.* счесть

съёмка, *gen. pl.* -/о survey, plan [C]

съесть *perf.* eat, eat up; *imp.* съеда́ть, есть

сын, *pl.* ~овья́, *gen.* ~овéй son [C : E]; сыно́вний *adj.*

сы́паться *imp.* be scattered; *perf.* по~

сырова́тый dampish

сыро́й damp

сы́рость (*sing.* only) damp [C]

сы́тный satisfying; жить сы́тно *pop.* live well (53.21)

сы́тый satisfied, well-fed

сюда́ (to) here, hither

сюрту́к frock-coat [E]

T

табак tobacco [E]

таз basin [C:E]

таинственный secret, mysterious

таиться *imp.* be concealed, lie hidden; *perf.* при∼

тайком by stealth, secretly

тайна secret [C]; тайный *adj.*

так so, thus; да ∼ oh, nothing; for no (special) reason (8.15); не ∼ wrongly, the wrong way; ∼ же just as; так и simply, just (3.17); ∼-то well, and so (54.26); that's better; ∼ что so that

также also

такой such, such a, so . . . a; ∼ же just such, the same; что такое what, what sort of thing

такт time, beat [C]

¶таланный *pop.* for талантливый talented, gifted

там there

танк tank [C]

тарантас tarantass [C]

тарелка, *gen. pl.* -/о plate [C]

тащить, таскать, *d. imp.* drag; carry, haul; ∼ся trail, drag oneself along; *perf.* по∼(ся)

таять *imp.* melt, thaw, dissolve; *perf.* рас∼

твердить *imp.* repeat again and again; no *perf.*

твёрдый firm, hard

твой, твоя, твоё, твои your, yours

творчество creation, creativeness [C]

¶те *arch.* or *pop.* for тебе (42.15)

театр theatre [C]

тега-тега: see *note* 89.8

теклина *dial.* sloping bottom (of ravine, &c.) [C]

телега cart [C]

телеграмма telegram [C]

телеграфный telegraphic; ∼ столб telegraph post

телефон telephone [C]; ∼ный *adj.*

тело body [C:E]

тем: see то

темнеть *imp.* darken, grow dark; *perf.* по∼, с∼

темнозелёный dark green

темнота obscurity, darkness [E:←(1)]

тёмный dark, sombre

температура temperature [C]

тенистый shady

тень shadow [C:E exc. *nom.*]

теперешний present

теперь now

тепло, теплота (*sing.* only) warmth [E]

тёплый warm

¶теребачка: see *note* 40.12

терзать, *imp.* lacerate; torment; *perf.* ис∼

терпеть *imp.* suffer; *perf.* по∼

терпеливый patient

терять *imp.* lose; ∼ся lose oneself; *perf.* по∼

тёс (*sing.* only) planks, deal boards [C]

тесный close, crowded; narrow

тесовый deal (*adj.*), of planks

тетеря [C] *pop.* for тетерев black grouse [C:E]; глухая ∼ deaf as a post: see *note* 72.9

тётка, *gen. pl.* -/o aunt [C]

течь *imp.* flow; *perf.* по~

тéшиться *imp.*+*instr.* take pleasure in; *perf.* по~

тина (*sing.* only) mud, slime [C]

тихий quiet

тихонько very quietly

тишина quiet, stillness, calm [E]

¶тиятр *pop.* for театр theatre [C]

ткнуть *perf.* prod, poke; *imp.* тыкать

тлеть *imp.* glow, smoulder; *perf.* за~, ис~

то *pron.* that; the same; *adv.* and *conj.* then; *part.*: see *note* 20.7; а то or else, otherwise (10.4); то есть that is (to say); то же самое the same thing, the very same; и то as it is, even (10.6); да и то and even then (12.11); то и дело every now and then; на то for that reason, in order that (39.13); не то... не то partly . . . partly (9.27), either . . . or (65.11); не то: see *note* 45.8; не то, что not only . . .: see *sel. id.* 59.22; то-то just so, quite so (29.30); то-то и оно exactly: see *sel. id.* 29.30; тому назад ago; чем(+*comp.*) тем(+*comp.*) the . . . the . . .

товар merchandise, goods [C]

товарищ comrade, friend, colleague [C]

тогда then

тогдашний of that time

тоже also

толк *coll.* meaning, sense [C]

толкнуть *perf.* jostle, push; *imp.* толкать

толочься *imp.* hang about; no *perf.*

толпа crowd [E:←(1)]

толстый thick

толчок o/- push; impulse [E]

только only; ~-~ barely (61.27); как ~ as soon as; ~ что just

томительный trying, anxious, harassing

тон, *pl.* ~ы, ~а, *gen.* ~ов tone

тонкий thin, fine; artful; *dim.* тоненький

тонуть *imp.* drown, be drowned; *perf.* по~, у~

топать *imp.* stamp; ~ся *pop.* shuffle one's feet; *perf.* топнуть

тополь *m.*, *pl.* тополи [C:E exc. *nom.*], тополя [C:E] poplar

топорщиться *imp.* swell, puff up, bristle; *perf.* вс~

топот (*sing.* only) stamp, trampling [C]

торговец e/- dealer, trader [C]

торжественный solemn; triumphant

торжество triumph [E]

торжествовать *imp.* triumph, exult; *perf.* вос~

торный trodden; торная тропка beaten path

торопиться *imp.* hurry, hasten, make haste; *perf.* по~

торопливый hasty, quick

торчать *imp.* stick out, project; no *perf.*

тоска (*sing.* only) dejection, melancholy; anguish; longing [E] тоскли́вый dull, melancholy

тот, та, то, те that, those; ∼ же the same

то́тчас immediately, directly

то́чка, *gen. pl.* -/e dot, point, speck [C]

то́чно as if (31.3); as, like

то́чность exactitude, precision, accuracy [C]

то́чный exact, precise

то́шно sickening

то́щий lean, gaunt

тпру! whoa! (59.25)

трава́ grass, herb [E:←(1)]; *dim.* тра́вка, *gen. pl.* -/o [C]

трави́нка, *gen. pl.* -/o blade (of grass) [C]

тракт highway [C]

тра́тить *imp.* spend, waste; *perf.* ис∼, по∼

тре́бовает: see *note* 86.6

трево́га alarm [C]

трево́жный alarming; alarmed, uneasy

трель trill, quaver [C]

трепета́ть *imp.* quiver, palpitate, shimmer; *perf.* за∼

треск (*sing.* only) crack, sound of snapping [C]; с ∼ом: see *sel. id.* 2.30

треску́чий hard, sharp, quick

тре́снуть *perf.* split, burst; *imp.* тре́скаться

тре́тий third

треу́х, *regional* cap with three flaps, over ears and back of neck [C]

трёхвёрстный: see *note* 3.28

трёхцве́тный tricolour (*adj.*); ∼ шарф tricolour sash

треща́ть *imp.* crackle, rattle, chatter; *perf.* за∼

тре́щина split, crack, fissure [C]; дава́ть тре́щину crack (19.23)

три three

три́дцать thirty

трина́дцать thirteen

три́ста three hundred

триумфа́льный triumphal

тро́гать *imp.* touch, move; *perf.* тро́нуть

тро́е three, three together

тро́йка, *gen. pl.* й/e troika [C]

тро́нуть *perf.* touch; ∼ся stir, move; be touched: see *sel. id.* 21.4; *imp.* тро́гать(ся)

тропи́нка, *gen. pl.* -/o [C], тро́пка *coll.*, *gen. pl.* -/o [C], *dims.* of тропа́ path [E:←(1)]

тротуа́р pavement, footpath [C]

труба́ pipe; chimney; trumpet [E:←(1)]

труби́ть *imp.* trumpet, call; *perf.* про∼

тру́бка, *gen. pl.* -/o pipe; (telephone) receiver [C]; *dim.* тру́бочка, *gen. pl.* -/e [C]

труд labour, toil, pains [E]

тру́дность difficulty [C]

тру́дный difficult; тру́дно-больно́й seriously ill

тры́нка: за тры́нку for a song: see *note* 21.12

тря́пка, *gen. pl.* -/o rag; duster [C]; *dim.* тря́почка, *gen. pl.* -/e [C]

трясе́ние: see *note* 85.30

трясти́ *imp.*+*acc.* or *instr.* shake; ∼сь tremble, shake; *perf.* по∼(сь), тряхну́ть(ся)

туда́ (to) there, thither; не ~ to the wrong place: see *note* 45.8; ~-сюда́ to and fro, hither and thither

Тулу́за Toulouse

тума́н fog, mist [C]

туре́цки: по ~ in Turkish style

ту́склый dim

тускне́ть *imp.* grow dim, dull; *perf.* по~

тут here, at this place, at this point

ту́ча cloud [C]; *dim.* ту́чка, *gen. pl.* -/e [C]

тща́тельный elaborate, careful

тщесла́вно vaingloriously, conceitedly

ты you (*sing.*)

тыл rear [C:E]

ты́ркать *imp.* croak; *perf.* за~

ты́сяча thousand [C]

тычо́к o/- point, sharp edge; light blow, poke [E]

тьма (*sing.* only) darkness

тьфу! exclamation of disgust: pah!

тюльпа́н tulip [C]

тюрьма́, *gen. pl.* ь/e prison [E:←–(1)]

тяга́ться *imp.* vie; *perf.* по~

тяжёлый heavy; hard

тя́жесть weight, burden [C]

тя́жкий heavy

тяну́ть *imp.* drag, pull, be a strain on; *impers.* его́ тяну́ло, he wanted, he felt impelled; тяну́ло дымко́м there was a slight smell of smoke; ~ся drag oneself; betake oneself; stretch, extend; *perf.* по~ (ся)

тя́пнуть *perf. pop.* hack, chop, cut; *imp.* тя́пать

¶тя́тя, тятя́ша *m.* daddy [C]; *dims.* тя́тенька, *gen. pl.* -/e [C], тя́тька, *gen. pl.* -/e [C]

У

y+*gen.* near, by; at the house of; in the possession of, belonging to; with; from (57.18)

убаю́кивать *imp.* lull, rock to sleep; *perf.* убаю́кать

¶убёг *pop.* for убежа́л

убеди́тельный convincing, persuasive

убеди́ть *perf.* persuade, convince; *imp.* убежда́ть

убежа́ть *perf.* run away; *imp.* убега́ть

убива́ться *imp. pop.* grieve, pine; no *perf.*

уби́ть *perf.* kill; *imp.* убива́ть

убра́ть *perf.* remove, take away; я трои́х таки́х уберу́ I could take on three of you; *imp.* убира́ть

уважа́ть *imp.* respect; no *perf.*

уваже́ние respect [C]

уве́ренный sure, confident, assured

увещева́ть *imp. arch.* exhort, admonish; no *perf.*

уви́ть *perf.* entwine, wreathe; *imp.* увива́ть

у/вида́ть, у/ви́деть *perf.* see

увлажнённый damp, wet

увлека́ть *imp.* carry along; *perf.* увле́чь

уво́лить *perf.* spare; no *imp.* in this sense

увя́дший withered
угада́ть ?f. guess; imp. уга́ды-
 вать
углуби́ть perf. penetrate, go
 deep; ..unge deeper, be ab-
 sorbe..mp. углубля́ться
углубле́.. hole, depression [C]
угова́ри.. imp. urge, (try to)
 persu..; perf. уговори́ть
угово́р ..erstanding, compact;
 cond.. [C]
угово́р..perf. persuade; imp.
 угов..ть
уго́дн..nt [C]
уго́дн..easing, convenient;
 éсл..~ if you please (to);
 ско́~ as long (much) as
 you
у́гол ..ner [E]; dim. уголо́к
 о/-
у́гол.., pl. у́гли [C:E exc.
 no.. у́голья [C] coal;
 di..к ёль [E]
уго́..rner (adj.)
уго..perf. grow quiet, be
 ..calmed; imp. угомо-
 ..
угр..perf. impers., pop.:
 ..здило you managed,
 (52.19); no imp.
угр..len, morose, gloomy
у.., blow; clap (of
 ..C]
у.. perf. strike, hit;
 ..ть(ся)
у.. impers.: ему уда́-
 ..) he had the chance
 ..eeded in; imp. уда́-
 ..
.. [C]; уда́чный adj.

удиви́тельный surprising, as-
 tounding
удиви́ть perf. surprise, astonish;
 ~ся be surprised, marvel; imp.
 удивля́ть(ся)
удивлённый surprised, asto-
 nished
удила́ pl., gen. уди́л bit [E]
удира́ть imp. coll. scamper off;
 perf. удра́ть
удо́бный convenient, handy
удово́льствие pleasure [C]
удостове́риться perf. convince,
 satisfy, oneself; imp. удосто-
 веря́ться
уду́шье lack of breath, feeling of
 suffocation [C]
уе́зд district [C]
уе́здный: ~ го́род chief town of
 district
уе́хать perf. go away (not on
 foot); imp. уезжа́ть
уж part. expressing emphasis
 (2.25, 20.9)
у́жас terror; frightening thing
 [C]
ужаса́ющий frightening, terri-
 fying
ужа́сный terrible, awful
уже́, уж already; ~ не no longer
у́жин supper [C]
ужи́ться perf. settle down; imp.
 ужива́ться
¶ужо́, pop. later, some time
узело́к о/- [E], dim. of у́зел е/-
 knot; bundle [E]
у́зкий narrow; dim. у́зенький
узкоколе́йка, gen. pl. й/е narrow-
 gauge railway [C]
узлова́тый knotty, gnarled

у/знáть *perf.* recognize, discover; know; *imp.* узнавáть

ýйма (*sing.* only) *pop.* lots, a heap [C]

уйтú *perf.* go away; *imp.* уходúть

указáние indication [C]

указáть *perf.* point out; *imp.* укáзывать

укóр reproach [C]

укорúзна reproach [C]

укорúзненный reproachful

украúнский Ukrainian

укреплéние fortification [C]

укрýть *perf.* cover, cover up; *imp.* укрывáть

улéчься *perf.* lie down; *imp.* уклáдываться

ýлица street [C]

улóвка, *gen. pl.* -/о stratagem, trick, device [C]

уложúть *perf.* pack, stow; *imp.* уклáдывать

улыбка, *gen. pl.* -/о smile [C]

улыбнýться *perf.* smile; *imp.* улыбáться

ум mind, intelligence, intellect [E]

умерéть *perf.* die; *imp.* умирáть

уместúть *perf.* find room for; *imp.* умещáть

ýмница *m.* and *f.*, *coll.* clever person, a great mind [C]

ýмный clever, intelligent; wise, sensible

ýмолк: без ~у without stopping, incessantly [C]

умóлкнуть *perf.* fall silent, subside; *imp.* умолкáть

уморúтельный extremely funny, side-splitting

ýмственный intellectu/

умýться *perf.* wash œ's hands and face; *imp.* умýться

умýть *perf.* knead; *ll.* tread down, trample; *im*уминáть

унестú *perf.* carry *ay*; *imp.* уносúть

унижéние degradat humiliation [C]

уничтóжить *perf.* oy, abolish; *imp.* уничто

уносúться *imp.* be ed away; *perf.* унестúсь

уня́ть *perf.* check, *imp.* унимáть

упáсть *perf.* fall; *i*дать

упóр: в ~ point-

упóрно fixedly, i*dy

упóрный obstina*born

употреблéние (*si*) use [C]

употребля́ть *imp*rf. употребúть

управлéние ma*t [C]

¶упреждáть *im* or *pop.* warn; *perf.* у*

упря́мый obstin*

упустúть *perf.* ; overlook; *imp.* у*

урá! hurrah!

уродúться *per* born; *imp.* урожда*

урожáй harves

урóк lesson [C

уронúть *perf.* оня́ть

ус (*usu. pl.*) *

усáдьба hom*r [C]: see *note* 19.

усéрдный di*aking

усéсться *perf* settle; *imp.* усáжи

усе́ять *perf.* stud, strew; *imp.* усе́ивать

усиде́ть *perf.* keep one's seat, remain; no *imp.*

уси́ленно intensely, hard, forcefully

услажда́ть *imp.* charm away; *perf.* услади́ть

усло́вленный agreed

услу́га service [C]; к ва́шим ~м at your service

у/слы́шать *perf.* hear

усмехну́ться *perf.* smile; *imp.* усмеха́ться

усме́шка, *gen. pl.* -/е smile; sneer [C]

усну́ть *perf.* fall asleep, go to sleep; *imp.* засыпа́ть

успе́ть *perf.* have time, be in time; succeed: see *sel. id.* 37.20; *imp.* успева́ть

успе́х success [C]

успе́шный successful

успока́ивать *imp.* soothe, comfort, lull; *perf.* успоко́ить

успоко́ение calming, soothing [C]

успокои́тельный soothing, reassuring

уста́ *pl., gen.* уст *arch.* & *poet.* mouth [E]

уста́виться *perf. coll.* fix; *imp.* уставля́ться

уста́лость (*sing.* only) weariness, fatigue [C]

уста́лый tired

уста́ть *perf.* get tired; *imp.* устава́ть

у́сланный paved, covered

устремлённый turned, directed, fixed

устро́ить *perf.* arrange, construct; ~ся be arranged, be settled; arrange itself; *imp.* устра́ивать(ся)

усыпля́ть *imp.* lull, send to sleep; *perf.* усыпи́ть

утверди́тельно affirmatively

утвержда́ть *imp.* affirm, maintain; no *perf.* in this sense

утеша́ть *imp.* comfort, cheer; *perf.* уте́шить

утеше́ние consolation, comfort [C]

утоля́ть *imp.* quench; *perf.* утоли́ть

уто́птанный trampled, trodden down

у́тренний morning (*adj.*)

у́тро morning [C:E exc. *nom.*]; ~м in the morning

уха́живать *imp.* + за + *instr.* tend, look after, wait on; no *perf.*

ухмыльну́ться *perf.* grin, smirk; *imp.* ухмыля́ться

у́хо, *pl.* у́ши, *gen.* уше́й ear [C:E exc. *nom.*]

уходи́ть *imp.* go away, leave; (of sun) sink, set; *perf.* уйти́

уцеле́ть *perf.* survive, escape destruction; no *imp.*

уча́ствовать *imp.* participate, take part; no *perf.*

уча́стие (*sing.* only) sympathy, concern [C]

уча́сток о/- section, portion; district; *arch.* police-station [C]

учёба (*sing.* only) *coll.* studies [C]

учени́к pupil [E]

учи́лище school [C]

учи́тель *m.*, *pl.* учителя́ [C:E], учи́тельница *f.* [C] teacher

¶учи́тельша [C] *pop.* for учи́тельница

учи́ть *imp.* teach (+*dat.* of thing taught); ∼ся learn; *perf.* на∼(ся)

учрежде́ние institution [C]

ую́тный comfortable, snug

Ф

фальце́т falsetto [C]

фальши́вый false

фами́лия surname [C]

фамилья́рный familiar

фанта́зия fancy, imagination [C]

февра́ль *m.* February [E]

фигу́ра figure [C]

физионо́мия physiognomy [C]

физи́ческий physical

фило́соф philosopher [C]

фиоле́товый violet-coloured

фли́гель, *m.*, *pl.* фли́гели [C:E exc. *nom.*], флигеля́ [C:E] wing, pavilion

фо́кус focus [C]

фо́кусник conjurer [C]

фон background [C]

¶фон-баро́н: see *note* 79.3

фо́рма form [C]

фотогра́фия photograph [C]

фра́за sentence [C]

франк franc [C]

францу́з Frenchman; ∼ы the French [C]

францу́зский French

фронт front [C]; фронтово́й *adj.*

фрукт fruit [C]

фу! exclamation of disgust: pah!

фура́жка, *gen. pl.* -/e forage-cap, high-crowned peaked cap [C]

фуфа́йка, *gen. pl.* й/e singlet, sweater [C]

фы́ркнуть *perf.* snort (with laughter); *imp.* фы́ркать

X

хара́ктер character [C]

характеризова́ть *perf.* & *imp.* characterize; *perf.* also о∼

хвали́ть *imp.* praise; *perf.* по∼

хва́статься, *imp.* + *inst.* boast of; *perf.* по∼

хвати́ть *perf.* snatch, seize; *impers.* be enough, suffice; ∼ся за *acc.* clutch at; *imp.* хвата́ть(ся)

хво́рост (*sing.* only) brushwood, dry branches [C]

хитреца́ (*sing.* only) [E] *pop.* for хи́трость

¶хитрова́ть *imp. pop.* for хитри́ть use, display, cunning or skill

хи́трость wile, artifice, cunning [C]

хитроу́мный cunning, sharp-witted

хи́трый cunning, crafty, clever

хлам (*sing.* only) rubbish [C]

хлеб bread, corn; ∼а́ *pl.* corn, crops [C:E]; ∼ы *pl.* loaves [C]

хлебну́ть *imp.* eat, sup; see *sel. id.* 47.13; *imp.* хлеба́ть

хлеста́ть, *imp.* gush, spout; *perf.* хлес(т)ну́ть

хло́пнуть *perf.* slam, bang; на э́то хло́пнули... ты́сячу: see *sel. id.* 53.8; *imp.* хло́пать

хлопотли́вый troublesome, bothersome

хлы́нуть *perf.* gush, spurt; no *imp.*

хму́риться *imp.* frown, scowl; *perf.* на~

хму́рый gloomy, frowning, lowering

ход course; running, movement; entrance, way; на ~у́ while walking, on the move

ходи́ть, идти́ *d. imp.* go, walk; *perf.* пойти́

ходьба́ (*sing.* only) walking [E]

хозя́ин, *pl.* хозя́ева, *gen.* хозя́ев master; owner [C]

хозя́йка, *gen. pl.* й/е mistress [C]

хозя́йство economy, housekeeping [C]

холм hill [E]; *dim.* хо́лмик [C]

холми́стый hilly

хо́лод, *pl.* ~а́ cold [C:E]

холоди́ть *imp.* cool

холо́дная *sb. pop.* gaol, clink, 'cooler' (30.13)

холо́дный cold

холодо́к о/- coolness, freshness [E]

холст canvas, coarse linen [E]

хоро́мы *pl.*, *gen.* хоро́м, *arch.* mansion [C]

хорони́ть *imp.* bury; *perf.* с~, по~

хоро́шенький pretty

хоро́ший good; pretty

хорошо́ good; well; fine, splendid

хоте́ть *imp.* want; ~ся *impers.*: мне хо́чется I want; *perf.* за~(ся)

хоть: see *notes* 2.28, 61.26; *sel. id.* 48.9, 72.21, 91.13

хоть, хотя́ although

хо́хот (*sing.* only) guffaw, roar of laughter [C]

хохота́ть *imp.* laugh; *perf.* за~

¶хошь *pop.* for хо́чешь, 2nd *pers. sing.* of хоте́ть

хра́брость courage, bravery [C]

хребе́т е/- spine, ridge [E]

¶хрестья́нский *pop.* for крестья́нский peasant (*adj.*), peasant's: see *note* 24.25

хрип rattle, wheeze, hoarseness [C]

¶хрип *pop.* for хребе́т: see *note* 60.12

хрипе́ть rattle, make hoarse sounds; *perf.* про~

хри́плый hoarse, husky

хромо́й limping, uneven

хру́пкий brittle, fragile

хру́сткий crunching, crackling

хру́снуть *perf.* crack; ~ па́льцами crack one's finger-joints; *imp.* хрусте́ть

¶хрясть: see *note* 56.9

хрящева́тый cartilaginous, gristly

худо́жественный artistic

худо́й thin, lean

ху́же worse

ху́тор, *pl.* ~а́ farm [C:E]; *dim.* хуторо́к о/- [E]

Ц

цари́ть *imp.* reign; no *perf.*

ца́рствие *arch.*: ~ небе́сное ему́ God rest his soul

царь *m.* tsar [E]

цвести́ *imp.* flower, blossom; *perf.* за~, рас~

цвето́к о/-, *pl.* цветы́, *pop.* цветки́ flower [E]; *dim.* цвето́чек е/- [C]

це́лый whole, entire; safe and sound; sound; це́лое *sb.* whole

целико́м *pop.* wholly, fully, completely: see *note* 86.8

¶це́льный *pop.* for це́лый

цена́ price [E:←(1)]

центр centre [C]

церемониа́л ceremonial, etiquette [C]

це́рковь, *gen.* це́ркви, *instr.* це́рковью church [C:E exc. *nom.*]

ци́фра figure, numeral [C]

¶цыга́рка, *gen. pl.* -/о *pop.* cigarette of cheap tobacco rolled in newspaper or the like [C]

цы́почки *pl.*, *gen.* -/е: на цы́почках on tiptoe

Ч

ча́вкать *imp.* champ; *perf.* ча́вкнуть

чад (*sing.* only) smoke [C]

чай tea [C:E]

¶чай *pop.* probably, possibly, I expect: see *note* 40.23

ча́йничек е/- *dim.* of ча́йник teapot [C]

ча́рка, *gen. pl.* -/о glass, cup [C]

ча́ры *pl.*, *gen.* чар charms, spells [C]

час hour; три ~а́ three o'clock; *dim.* ~о́к о/- [E]

части́ца particle, fraction [C]

ча́стный private

ча́сто often

ча́стый frequent; fine

часть part, share [C:E exc. *nom.*]

часы́ *pl.*, *gen.* часо́в watch, clock [E]

ча́шечка, *gen. pl.* -/е scale, pan (of balance); cup [C]

ча́ща thicket [C]

ча́ще more often; ~ всего́ most of all, most often

чва́нный haughty

¶че *pop.* for чего́, *gen.* of что; для че what for (34.17)

¶чево́й-то for some reason

¶чего́ what (54.14); why

¶чего́-то for some reason

чей, чья, чьё, чьи whose; ~-то somebody's

челове́к [C], *pl.* лю́ди man, person

челове́к-змея́ contortionist, human serpent

челове́ческий human, man's

челове́чество humanity [C]

чемода́н trunk, suitcase [C]

чем than; ~... тем...: see то

чепуха́ (*sing.* only) nonsense, rot, rubbish: see *sel. id.* 52.2 [C]

червь, *m.* worm [E exc. *nom. pl.*]

че́рез+*acc.* through, over, across; after; ~ ме́сяц in a month's time, after a month (2.29)

че́реп, *pl.* ~а́ skull [C:E]

черепо́к о/- potsherd, broken piece (of pot, &c.) [E]

черне́ть *imp.* blacken, grow black; show black; *perf.* по~

черни́льный of ink

черногла́зый black-eyed

чернозём black earth [C]

чёрный black; чёрное крыльцо́
back porch, servants' entrance:
see *sel. id.* 22.20

черта́ line; feature [E]

чертёж plan [E]

чеса́ть *imp.* scratch; chatter,
'natter': see *sel. id.* 51.16; *perf.*
по~

честно́й *arch.* for че́стный honourable

че́тверо four, group of four

четвёртый fourth

че́тверть quarter [C:E exc.
nom.]

четы́ре four

четы́рнадцать fourteen

четы́рнадцатый fourteenth

четырёхуго́льный square

чех Czech [C]

чин rank, station [C:E]

число́ number; date [E:←(1)]

чистота́ cleanliness [E]

чи́стый clean, neat; pure; *dim.*
чи́стенький

чита́ть *imp.* read; *perf.* по~,
про~, проче́сть

чихну́ть *perf.* sneeze; *imp.* чиха́ть

член member [C]

чорт, *pl.* че́рти devil [C:E exc.
nom.]: see *note* 79.18; *dim. pop.*
чо́ртушко, *gen. pl.* -/e (59.20)
[C]

чрезвыча́йный extraordinary

чтить *imp.* honour, respect; *perf.*
по~

чти́ца reader (*f.*) [C]

что *pron.* what, why; ~-нибудь
anything, something or other;

~ тако́е what, what sort of
(thing); ~-то something
(11.9); for some reason
(72.7); чего́ там what of it
(81.21); до чего́ to what extent (50.22); с чего́ *pop.* for
отчего́ why

что *conj.* that; что́бы, чтоб so
that, in order to; чтоб тебя́:
see *note* 70.17

чу́вство feeling [C]

чу́вствовать *imp.* feel; ~ся be
felt; *perf.* по~(ся)

чугу́н pig iron, cast iron [E];
~ный *adj.*

чуда́к [E], чуда́чка, *gen. pl.* -/е
[C] oddity, queer customer

чуде́сный lovely, wonderful

чу́диться *imp. impers.* seem; *perf.*
при~, по~

чудно́й *coll.* odd, strange

чу́до, *pl.* чудеса́, *gen.* чуде́с
miracle [C:E]

чудо́вище monster [C]

чудо́вищный monstrous; enormous, terrific

чужо́й another's; foreign, strange

чума́зый *pop.* dirty

чу́рка, *gen. pl.* -/о log, block, lump
of wood [C]

чу́ткий sentient, sensitive

чу́точку a little, a tiny bit

чуть hardly, barely, scarcely

¶чухо́нский *pop.* Finnish

чу́чело dummy; scarecrow;
blockhead [C]

чушь *coll.* rubbish, stuff and
nonsense [C]

чу́ять *imp.* smell; perceive by
senses; *perf.* по~

III

шаба́ш: и ∼: see *note* 74.4

шаг step, pace; ∼ом at a walk [C:E]; *dim.* шажо́к о/- [E]; шажко́м at a slow walk: see *sel. id.* 12.28

шага́ть *imp.* step, stride; *perf.* шагну́ть

ша́мкать *imp.* mumble; *perf.* за∼

ша́пка, *gen. pl.* -/о cap [C]; *dim.* ша́почка, *gen. pl.* -/е [C]

шар globe, sphere [C:E]

шарф scarf, sash [C]

ша́шка, *gen. pl.* -/е sabre [C]

¶швах *coll.*: де́ло ∼ it's all up (32.17)

швырну́ть *perf.* fling, throw; *imp.* швыря́ть

шевельну́ться *perf.* move, stir; *imp.* шевели́ться

ше́лест (*sing.* only) rustle [C]

шепеля́вый lisping

шепну́ть *perf.* whisper; *imp.* шепта́ть

шепото́к (*sing.* only), о/- [E], *dim. of* шо́пот whisper [C]

шерстяно́й woollen

шерша́вый rough

шестидюймо́вый six-inch

шестна́дцатый sixteenth; в шестна́дцатом in '16

шесто́й sixth

шесть six

¶шешна́дцать *pop.* for шестна́дцать sixteen

ше́я neck [C]

ши́бкий *pop.* rapid, swift

шине́ль great coat [C]

шипо́вник wild rose [C]

ши́ре wider

ши́риться *imp.* widen; *perf.* рас∼

широ́кий wide, broad

шиха́нский of the village of Шиха́ны

шить *imp.* sew; *perf.* с∼

шкап, шкаф cupboard [C:E]

шко́ла school [C]

шко́льник schoolboy, pupil [C]

шлейф train (of dress) [C]

шлёнский Silesian

шлёпать *imp.* splash; *perf.* по∼

шля́па hat [C]; *dim.* шля́пка, *gen. pl.* -/о [C]

шмель *m.* bumble-bee [E]

¶шмурыга́ть *imp.* breathe in noisily, sniff; *perf.* шмурыгну́ть

шныря́ть *imp.* scurry and poke about; *perf.* шмырну́ть

шо́пот whisper [C]

шо́рох rustle, rustling [C]

шоссе́ (*indecl.*) highway, paved road

шофёр chauffeur, driver [C]

шпагоглота́тель *m.* sword-swallower [C]

шпиль *m.* spire, steeple [C:E]

штаб staff [C]

штани́на trouser-leg [C]

штаны́ *pl.*, *gen.* штано́в trousers [E]; *dim.* штани́шки, *gen.* -/е [C]

штраф fine [C]

штукату́р plasterer [C]

штукату́рка (*sing.* only) plaster, stucco [C]

штык bayonet [E]; штыково́й *adj.*

шу́ба fur coat, overcoat [C]

шум noise [C]

шуме́ть *imp.* make a noise; *perf.* на~, про~

шу́мный noisy

шурша́ть *imp.* rustle; *perf.* за~

шути́ть *imp.* joke; э́то ты шу́тишь: see *sel. id.* 47.20; *perf.* по~

шу́тка, *gen. pl.* -/о joke [C]

шутни́к jester, wag [E]

Щ

щебета́ть *imp.* chirp, twitter, tweet; *perf.* про~

ще́дрый generous, lavish

щека́, *pl.* щёки cheek

щекота́ть *imp.* tickle; *perf.* по~

щёлкнуть *perf.* fillip, flick, smack; *imp.* щёлкать

щёлок (*sing.* only) lye [C]

щелчо́к о/- rap, fillip [E]

щель chink, crack; peep-hole; crevice, cranny [C:E exc. *nom.*]; *dim.* щёлочка, *gen. pl.* -/е [C]

щено́к о/- puppy [E]

щепа́ chip, shaving [E exc. *nom. pl.*]

ще́почка, *gen. pl.* -/е [C], *dim.* of ще́пка chip, splinter [C]

щети́на (*sing.* only) bristle, bristles, stubble (of beard, &c.) [C]

щит shield [E]

щу́пать *imp.* touch, feel; *perf.* по~

щу́риться *imp.* blink; *perf.* при~

Э

¶Эвона, *pop.* for вон yonder, over there

эге́! aha!

эй! hi! look out!

экза́мен examination [C]

э́кий what a . . .

экипиро́вка (*sing.* only) equipment [C]

экспеди́ция expedition [C]

эксплоата́ция exploitation [C]

электри́ческий electric

¶электри́чик electrician [C]

электри́чество electricity, electric light [C]

энерги́чный energetic

эне́ргия energy [C]

эпизо́д episode; event [C]

э́так *coll.* so, thus

э́такий such

эта́п stage, halting-place [C]

э́то this; it; *pop.* so (39.3)

э́тот, э́та, э́то, э́ти this, that, these, those

эх! alas! oh! ah!

Ю

ю́бка, *gen. pl.* -/о skirt, petticoat [C]

юг south [C]

ю́го-за́пад south-west [C]

Я

я I

я́блочко, *pl.* я́блочки, *gen.* -/е [C], *dim.* of я́блоко apple [C]

яви́ться *perf.* appear; *imp.* явля́ться

я́вный evident, open

я́года berry [C]

язы́к tongue; language [E]

яйцо́, *gen. pl.* яи́ц egg
я́кобы *arch.* as though, as if
я́ма pit [C]; *dim.* я́мка, *gen. pl.*
  -/o [C]
яр ravine [C]
я́ркий bright

я́рко-жёлтый bright yellow
я́ркость (*sing.* only) brightness,
  clearness [C]
я́ростный furious, raging
я́сный clear, bright
я́щик box, drawer [C]